JN028139

Scratch 3.0対応版

10才からはじめるゲームプログラミング図鑑

COMPUTER CODING GAMES FOR KIDS

スクラッチでたのしくまなぶ

キャロル・ヴォーダマンほか［著］
山崎正浩［訳］

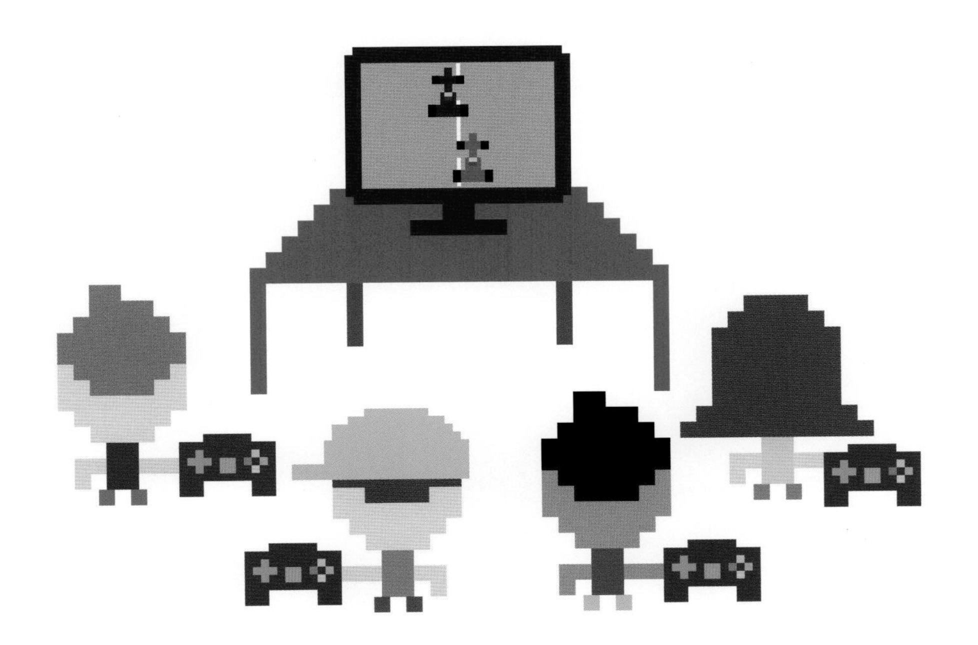

Scratch 3.0 対応版

10才からはじめるゲームプログラミング図鑑

COMPUTER CODING GAMES FOR KIDS

スクラッチでたのしくまなぶ

キャロル・ヴォーダマンほか［著］
山崎正浩［訳］

創元社

Printed in China

A WORLD OF IDEAS : SEE ALL THERE IS TO KNOW
www.dk.com

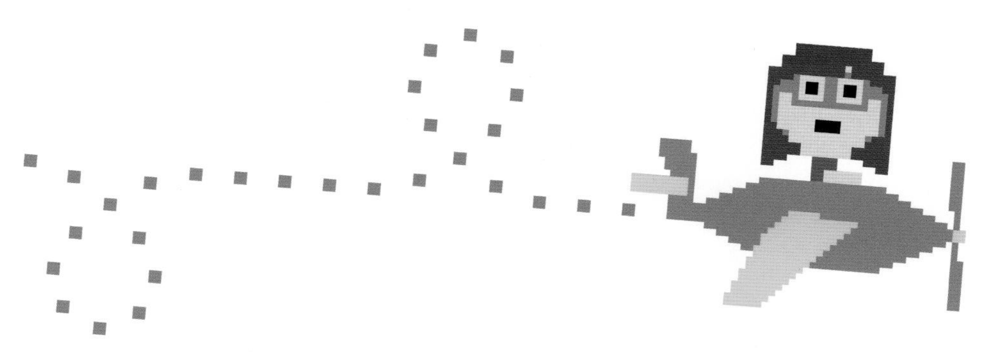

この本を書いた人

キャロル・ヴォーダマン　CAROL VORDERMAN

英国の人気タレントで、計算能力が高いことで有名である。科学やテクノロジーに関するさまざまなテレビ番組のパーソナリティーを務め、Channel4の「Countdown」にアシスタントとして26年間出演した。ケンブリッジ大学で工学の学位を取得している。科学と技術の知識の普及に情熱を燃やし、特にプログラミングに深い関心を寄せている。

ジョン・ウッドコック　JON WOODCOCK

オックスフォード大学で物理学の修士、ロンドン大学で数値天体物理学の博士の学位を取得。8才からプログラミングを始め、マイクロコンピューターからスーパーコンピューターまで、あらゆる種類のコンピューターのプログラミング経験を持つ。ハイテク企業での研究、大規模な宇宙空間のシミュレーション、高性能ロボットを製作など、さまざまなプロジェクトの経験がある。科学や技術に関する書籍に寄稿し、監修も行っている。

クレイグ・スティール　CRAIG STEELE

コンピューター科学教育の専門家であり、楽しくクリエイティブな環境で、デジタルスキルを伸ばそうとする人を支援している。若者を対象とした無料のプログラマー道場をスコットランドに創設した。ラズベリーパイ財団、グラスゴー・サイエンス・センター、グラスゴー美術学校、英国映画テレビ芸術アカデミー、BBC マイクロビットプロジェクトの協力を得てワークショップを開いている。初めてふれたコンピューターはZX Spectrumだった。

目次

本書で使われているイラストはあくまでゲームの作り方を説明するためのイメージ画像です。実際の画面の見た目とは異なることをあらかじめご了承ください。

まえがき

現在のデジタル世界を作った人たちの多くは、最初はゲームのプログラミングをして楽しんでいました。マイクロソフトの共同創業者ビル・ゲイツが13才ではじめて書いたプログラムは三目並べのゲームです。そのわずか数年後、スティーブ・ジョブズとスティーブ・ウォズニアックがブレイクアウトというアーケードゲームを作ります。この２人はのちにアップルという会社を作りました。

こうした人たちは「楽しいから」という理由だけでプログラミングを始めたのです。プログラミングによって自分たちが会社を立ち上げ、その会社が世界を変えるなどとは思っていませんでした。あなたも次のゲイツやジョブズになるかもしれません。プログラミングを仕事にしなければならないというわけではありませんが、プログラミングはとても楽しく、あなたの未来へとつながるドアのカギでもあるのです。もちろん、自分の楽しみのためだけにプログラミングに取り組むのもよいことです。

コンピューターゲームは想像の世界を見せてくれます。インターネットによっていろいろな人とゲームを共有し、いっしょにプレイできます。コンピューターゲームには物語や音楽、芸術、工夫に富んだプログラムなど、創造的なものがたくさん詰まっているのです。コンピューターゲームはいつも私たちをひきつけます。

ゲームはプレイするだけでなく、自分でも作れるものなのです。想像の世界を自分の思いのままにコントロールできます。キャラクターをどのようなすがたにするか、どのような音を出すか、プレイヤーにどのような印象をあたえるかを自分で決められるのです。物語を作り、ヒーローと悪役を登場させ、ゲームのぶたいを整えましょう。

そのためにはまずコンピューターを使えるようになる必要があります。コンピューターに何をするのかを教え、コンピューター用の言語を使って……そう、プログラマーになるのです。スクラッチのようなプログラミング言語のおかげで、かつてないほどプログラミングがかんたんになりました。この本に書かれているとおりにプログラミングするだけでゲームが出来上がります。そして、それぞれのプログラムがどのように動いているかもわかります。それぞれのゲームを順番に作っていき、必要なスキルを身につければ、自分だけのオリジナルゲームも作れるようになるでしょう。

Carol Vorderman

キャロル・ヴォーダマン

コンピューターゲームとは？

よいゲームに必要なもの

何度でもプレイしたくなる、すばらしいゲームがあるね。ゲームのデザイナーは、そのようなゲームはプレイアビリティが高いと表現するんだ。プレイアビリティが高いゲームを作るには、ゲームのすべての素材についてよく考え、どのように使うか決めなければならないよ。

◀キャラクター

プレイヤーは画面上のキャラクターを使ってゲーム世界に入っていくよ。キャラクターは動物、お姫さま、レーシングカーなどいろいろある。プレイヤーのキャラクターをあぶない目にあわせたり戦ったりする相手として、てきのキャラクターが出てくることが多い。プレイヤーはてきを負かしたり、てきからにげたりするんだ。

▲アクション

走る、ジャンプする、飛ぶ、何かをつかまえる、呪文をとなえる、アイテムを使うといったキャラクターのアクションは、ゲームの一番重要な部分だね。この部分がしっかりしていれば、ゲームもよいものになるよ。

▲アイテム

ほぼすべてのゲームに、星やコインのようなアイテムが登場するよ。アイテムを手に入れると体力やスコアが上がったり、ドアを開けられるようになる。すべてのアイテムがよいものというわけではないぞ。プレイヤーのじゃまをしたり、体力をへらしたり、宝物をぬすんだりするものもあるよ。

◀ルール

そのゲームで何をしてよいか、何をしたらいけないかは、ルールで決められている。例えばカベを通りぬけられるかどうかとか、ゲームを途中で止めて考える時間があるか、それともすぐに行動しなければいけないか、などだ。

あなたのスコア

25,547,010

ポイント

▲**ゴール**

ほぼすべてのゲームは、プレイヤーが何かのゴールを目指すようになっている。競争に勝つ、てきをたおす、ハイスコアを出す、できるだけ長く生き残るというのもあるね。ドアのカギを外して新しい世界に行くとか、新しい乗り物やスキルを手にするといった「小さなゴール」をいくつも作っている場合がほとんどだ。

◀**ゲーム世界**

ゲームの舞台になっている世界は2D（二次元）だろうか3D（三次元）だろうか？　プレイヤーは世界を上からながめるのか、横からながめるのか、それともキャラクターと同じ目線だろうか？　ゲーム世界はカベや境界で囲まれているのだろうか、それともどこまでも歩いて行けるのだろうか？

◀**コントローラー**

プレイヤーはキーボード、マウス、ジョイスティック、モーションセンサーなどのコントローラーを使ってキャラクターを操作する。プレイヤーがキャラクターを思いのままにコントロールできると感じられれば、ゲームはよりおもしろくなるよ。

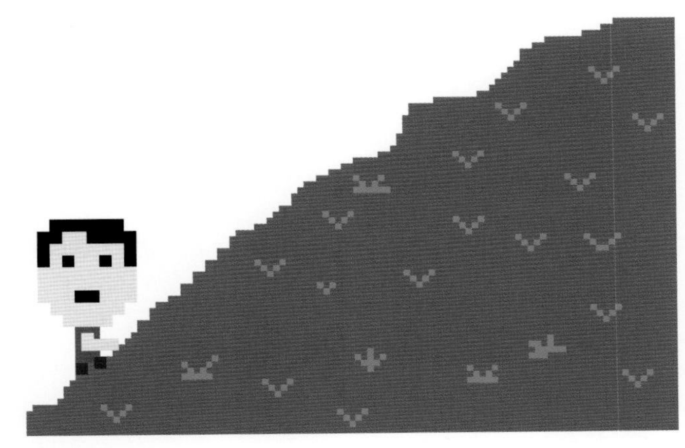

▲**むずかしさ**

かんたんすぎたり、むずかしすぎるゲームはおもしろくない。ゲームを始めたときはかんたんにしておいて、なれてきたころにむずかしくするゲームが多いよ。よいゲームを作るには、ちょうどよいむずかしさにするのが大事だ。

ゲームをデザインする

プレイアビリティ（遊びやすさ）

何度もプレイしたくなるようにするには、ゲームをふくざつにする必要はないよ。人気ゲーム「ポン」は、とてもシンプルなテニスゲームだ。ボールは白い四角形だし、白線のラケットは上下にしか動かない。かんたんなグラフィックだけど、このゲームはプレイアビリティがとても高くて人気になったんだ。本当のテニスのように友達とプレイできたし、ゲームに集中してしっかりと操作しなければならなかったけれど、これがちょうどよいむずかしさだった。だからプレイヤーは、いつももう1回勝負をしたいと思ったんだ。

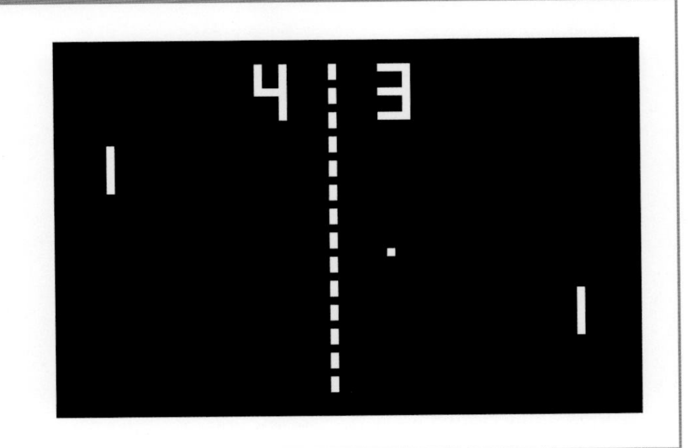

ゲームのふん囲気

よいゲームは映画や本のようにプレイヤーを引きこみ、ふん囲気を作って、プレイヤーにいつもとはちがう感覚を味わわせる。ここでは、ゲームデザイナーがふん囲気作りに使っているトリックをしょうかいしよう。

◀ストーリーを作る

ゲームの背景となるストーリーがあれば、場面を作るのに役立ち、プレイヤーの行動に意味が出てくるね。何かのにんむに取り組んでいる気持ちにさせてくれるストーリーがあれば、かんたんなゲームでもおもしろさがますぞ。背景になるストーリーを考えれば、ゲームのテーマもしっかりしたものになるね。

▲ワッ！！

何かがプレイヤーの目に急に飛びこんでくるようになっているかな？ プレイヤーをおどかしたりドキドキさせると、ゲームがこわいものになり、プレイヤーは不安になるね。次の角を曲がると何が起きるのだろう？ あのドアの向こうには何がいるのかな？ こわくても前に進まなければ、もっと悪いことが起きるかも！

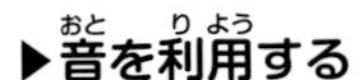

▶音を利用する

同じ場面でも曲を変えるだけで、プレイヤーをドキドキさせたり、こわがらせたりできる。静かに呪文をとなえたあとで、いきなり大きな音が鳴ると、ビックリするよ。今のゲームはリアルな音を使うようになっているから、ゲームの場面の中に自分が本当に入っているように感じてしまうね。

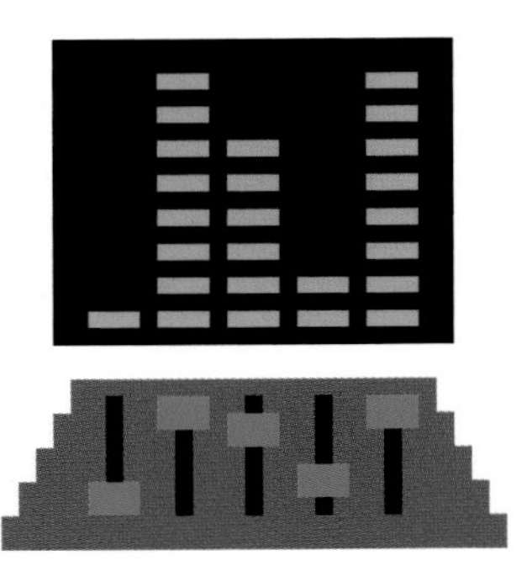

▶急げ！

ゲームのスピードによって、プレイヤーのこうふんの仕方も変わってくるよ。立ち止まって、次に何をすればよいか考えるよゆうがあるときは落ち着いていられる。でも時計がチクタクと動き、テンポの速い音楽がかかっていると、あせらずにはいられないね。

◀色を利用する

色を変えるだけでゲームのふん囲気を変えられるぞ。明るい青、黄、緑という色の組み合わせなら、温かい日差しを感じられるね。うすい青と白の組み合わせなら冬のような感じが出るし、暗い色を組み合わせれば不気味な感じになるよ。

▼グラフィック

最初のころのゲームのグラフィックは、かんたんな図形の組み合わせだったよ。でもコンピューターのせいのうが高くなると、グラフィックのレベルも高くなったんだ。最近は、写真のように見える3D（三次元）グラフィックを使っているものが多い。でもアニメのようなキャラクターを使ったゲームも人気があるぞ。

ゲームをデザインする

バーチャル・リアリティ

バーチャル・リアリティ用のゴーグルを使うと、ゲームがよりリアルになるね。このゴーグルは右目と左目に見せる画像を少し変えているので、物が立体的に見えるんだ。モーションセンサーでプレイヤーの動きを調べ、それに合うように画像を変えている。プレイヤーは現実の世界のように、回転したりちがう方向を向いたりできるよ。そのため、プレイヤーはスクリーンを通してゲーム世界を見ているのではなく、自分がゲーム世界に入っているように感じるんだ。

どこにいるのかな？

ふん囲気を作る最もかんたんな方法の1つが、背景の画像を工夫して、どのような場所にいるのかをプレイヤーに見せることだ。ゲームのキャラクターも場所に合ったものにしよう。レースカーを海の中に置いたり、宇宙で馬を走らせるのはやめておこう。

◀ **雪と氷**
背景が雪景色だと、いかにも「こおった道路」という感じがするね。

▲**不気味な森**
ゆうれい、グリフォン、魔女には暗い森がぴったりだ。

▲**南国のビーチ**
明るいビーチにカラフルなドラムを置いたら、カーニバルのようになったよ。

▲**深海のぼうけん**
タコとヒトデがいることで、リアルな海に見えるよ。

ゲームのジャンル

いろいろなゲームがあるけど、たいていのゲームは、どれか１つのジャンル（種類）にわけられるんだ。ロールプレイングゲームが好きな人もいれば、レーシングゲームや作戦を練るゲームが好きな人もいる。君はどのジャンルが好きかな？

▲ロールプレイング
ダンジョン、ドラゴン、お城などが出てくる世界でぼうけんをするゲームだ。プレイヤーは自由に動き回るか、決められたストーリーにそって動くよ。ゲームが進むにしたがってキャラクターが成長し、呪文をとなえたり、剣で戦ったりするんだ。このジャンルのゲームには、オンラインでたくさんのプレイヤーが集まって協力したり、アイテムのやりとりができるものもあるんだ。

◀昔ながらのゲーム
もしトランプやチェスなど、昔から人気のゲームで相手がいないなら、コンピューターが相手をしてくれるよ。

▶レーシング
レーシングゲームでは、背景の画像をスクロールさせて、速く走っているように見せるんだ。うまく運転するにはコースをよく見て、ドライビングテクニックをみがいておこう。

▲サンドボックス
サンドボックス（砂場）ゲームでは、プレイヤーはゲーム世界で自由にすごせるよ。自分のペースでゲームを進め、好きなクエストを選ぶ。箱庭ゲームというよび方もあるよ。

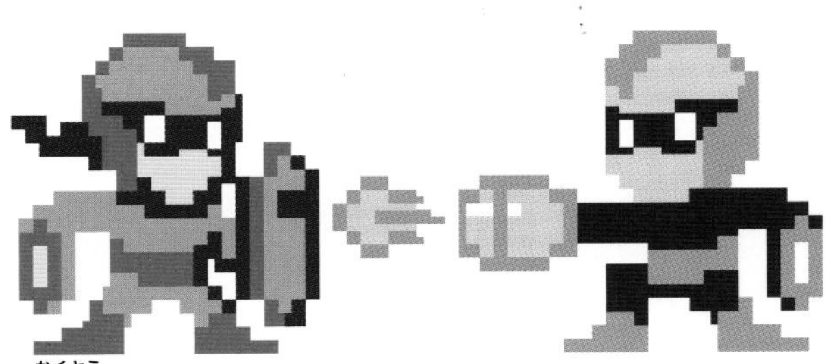

▲格闘
だれかと戦うゲームでは、コントローラーをあやつる指の動きが重要になるね。相手にパンチをしたりころがったり、キャラクターをどのタイミングでどう動かすかが勝利のカギになるよ。

▶戦略

このゲームは決断の連続だ。動物園をけいえいする、戦いに勝つ、文明を発展させるには、何が一番よい選択だろうか？ プレイヤーは神さまのような力を持って、いろいろなキャラクターに指示を出せるけれど、しげんをうまく使わないと、君の国はほろんでしまうぞ。

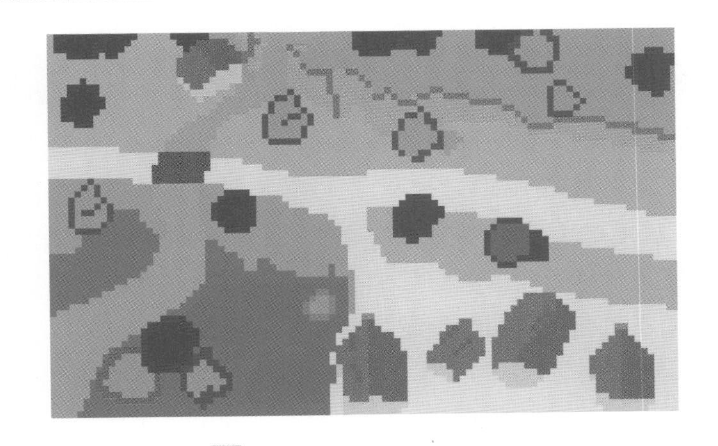

▲シミュレーション

犬をかいたいけど、エサをやったり散歩をするのはめんどうなら、バーチャルなペットがおすすめだ。シミュレーションゲームは、現実の生活をゲーム上でさいげんするよ。フライトシミュレーターのように、本物のパイロットが訓練に使うような、ただのゲームとは言えないようなものもあるよ。

◀音楽とダンス

ダンスマットを使ったゲームでは、リズムに合わせて足をふみ鳴らしたり、つぎつぎとやってくるしょうがい物を飛びこえたりするよ。音楽ゲームでは、バーチャルな楽団といっしょに楽器をえんそうできる。それぞれのレベルをクリアするには、タイミングよく正しい音を出さなければならないよ。

▲スポーツ

お気に入りのスポーツチームをひきいて、本物そっくりのスタジアムで観客の大かんせいに囲まれて試合をしよう。スポーツゲームなら、例えばサッカーのワールドカップのような有名な試合で戦えるぞ。コンピューターがしんぱんになるよ。

▲パズル

パズルで頭を使うのが好きな人たちもいる。落ち物パズルから数字を使ったパズル、脱出ゲームまで、さまざまなタイプがあるね。脱出ゲームでは、そうぞう力を働かせて、部屋からぬけ出さなければならないよ。

どのようにプログラムは動くのか

コンピューターは、最初から自分だけで考えることはできない。あらかじめ出しておいた命令にしたがうだけなんだ。ふくざつな仕事の場合は、その仕事をいくつものかんたんな作業にわけておき、何をどのような順番ですればいいかを教えておかなければならない。このような命令を、コンピューターがわかる言葉で書くことを「プログラミング」とよぶんだ。

ゲームをせっけいする

オウムが川の上を飛んで、流れてくるリンゴをひろうゲームを作るとしよう。きげんの悪いライオンが川のほとりをうろついているので、オウムはライオンをさけなければいけない。このゲームをプログラミングするときは、リンゴ、オウム、ライオンと登場するものそれぞれに命令を出しておくんだ。

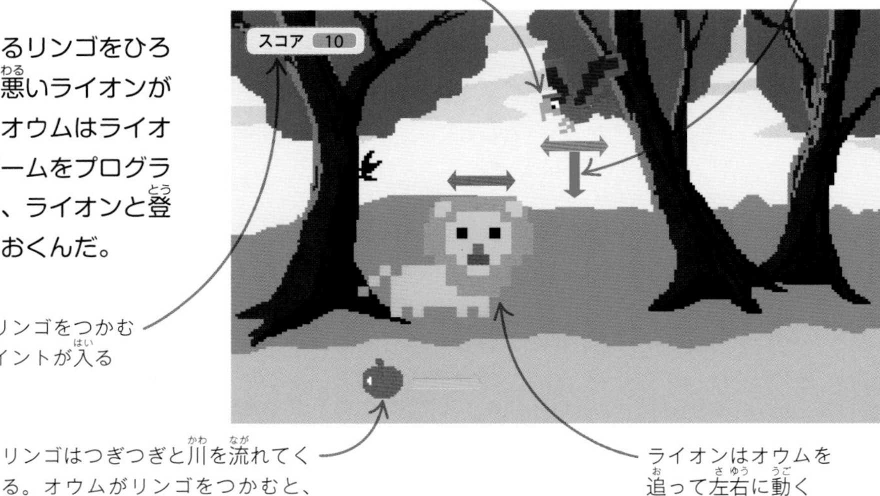

プレイヤーは矢印キーでオウムを左右に動かす

スペースキーをおすとオウムが川までおりる。ただしライオンにふれたらゲームオーバー

オウムがリンゴをつかむごとにポイントが入る

リンゴはつぎつぎと川を流れてくる。オウムがリンゴをつかむと、新しいリンゴが左からあらわれる

ライオンはオウムを追って左右に動く

▼リンゴ

リンゴを川に流して、オウムがひろって食べたら、リンゴを画面から消すように命令するだけではだめなんだ。右のように、いくつもの命令にわけなければならないよ。

- 画面の左はしにとぶ
- ここから下の命令をくり返す
  - 少し右に動く
  - もし画面の右はしに着いたら
    - 左はしにとんでもどる
  - もしオウムにふれたら
    - オウムのスコアに1を足して
    - 左はしにとんでもどる

▶オウム

プレイヤーが上下左右にコントロールできるオウムには、リンゴよりもふくざつな命令を出すよ。ふくざつでも、オウムの動き全体を、たんじゅんなステップにぶんかいすることはできるんだ。

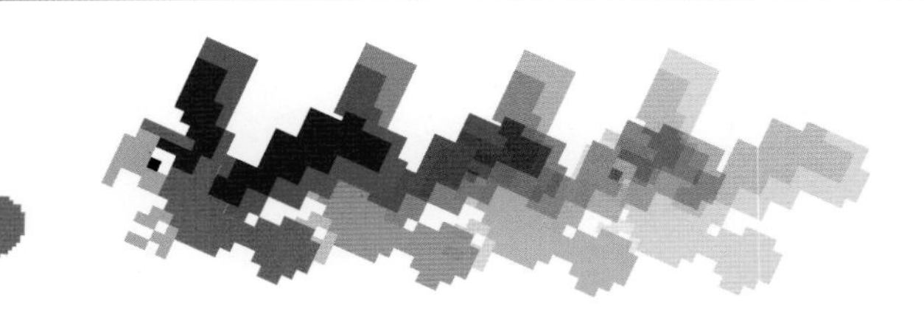

- 画面の右上にとぶ
- ここから下の命令を順に実行する
  - もしプレイヤーが左向き矢印キーをおしたら
    - 動ける場合は少し左に動く
  - もしプレイヤーが右向き矢印キーをおしたら
    - 動ける場合は少し右に動く
  - もしプレイヤーがスペースキーをおしたら
    - すぐに画面の下までおりる
    - すぐに画面の上までもどる

▶ライオン

ライオンがプレイヤーのてきになるよ。ライオンがオウムにふれたらゲームオーバーだ。ライオンは下のような命令で動くぞ。

- 画面の中央にとぶ
- ここから下の命令を順に実行する
  - オウムが左側にいるなら
    - 少し左に動く
  - オウムが右側にいるなら
    - 少し右に動く
  - オウムにふれたら
    - ゲームを止める

おぼえておきたいことば

プログラミング言語

このページに書かれた命令は日本語だけど、コンピューターでゲームを作るときは、ここに書かれていることをコンピューターがわかる言葉に変えなければならないよ。コンピューターがわかる言葉がプログラミング言語だ。プログラミング言語でプログラムを書くことを、コーディングとかプログラミングとよぶ。スクラッチはプログラミングを習い、ゲームを作るのにぴったりの言語なんだ。

さあ始(はじ)めよう！

スクラッチはどんな言語だろう？

この本でしょうかいしているゲームはどれも、スクラッチというプログラミング言語で作られているよ。スクラッチは、呪文のような言葉でプログラミングする必要がないので学びやすいんだ。用意されているブロックを組み合わせてプログラミングするよ。

スクラッチのキャラクターはスプライトとよばれるのよ

スクラッチを始める

まず、ゲームにどのようなキャラクター（スプライトというよ）を登場させるか決めることから始まる。スクラッチのライブラリーには、たくさんのスプライトがはじめから入っているぞ。

スプライト

ゲームの中を動き回ったりプレイヤーの操作に反応するのがスプライトだ。人、動物、ピザ、宇宙船などいろいろあるよ。命令をつなげたコードを使えば、画面上でいきいきと動くぞ。

新しいプロジェクトを始めると、ネコのスプライトが必ず出てくる

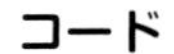

コード

コードは、命令の入ったブロックをつなげたものだ。それぞれのブロックには命令が1つだけ入っているので、そのブロックで何をするのかわかりやすいぞ。

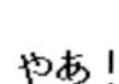

スペース▼ キーが押されたとき
20 歩動かす
やあ！ と言う

いろいろなスプライト

ゲームにはいくつかのスプライトがいっしょに登場するのがふつうだ。それぞれのスプライトは動き回り、ぶつかりあい、音を鳴らし、色やすがたを変えたりするよ。

ゲームをむずかしくするため、てきとして登場するスプライトもある

うまくなるヒント

実験してみる

スクラッチは実験しやすいプログラミング言語だ。ゲームが完成したら、別のスプライトを加えたり、コードを改造してどのように動くか試してみよう。結果はすぐにわかるぞ。

スクラッチのプロジェクトの例

コードを組み立てたら、緑の旗を押して何が起きるか見てみよう。すべては「ステージ」とよばれるウィンドウの中で起きる。スプライトはどんなふうに動くかな？

▶プログラムを動かす

プログラムを動かしてみる（実行するともいうよ）と、君がステージに置いたスプライトが動き出す。ステージを全画面表示にするには、右上のアイコンをクリックしよう。

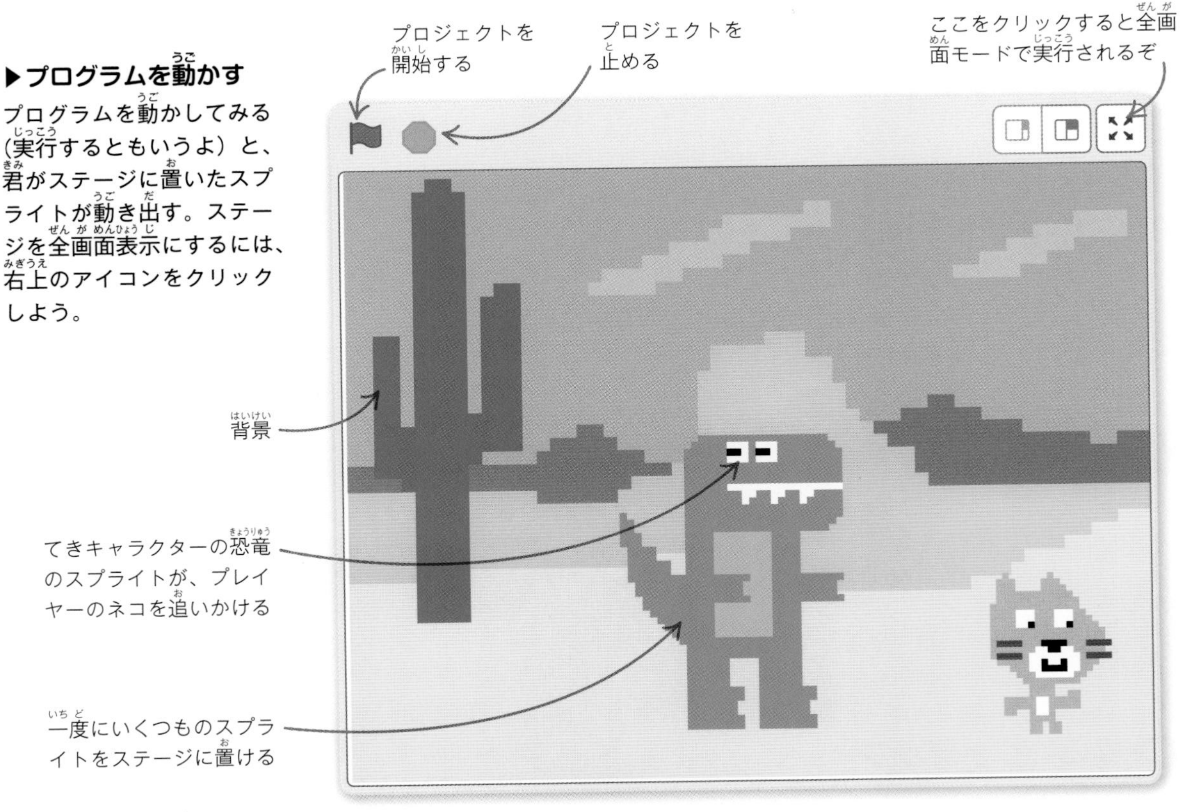

▼スプライトを動かす

プレイヤーが１つのスプライトを動かし、他のスプライトはプログラムによって自動的に動いているものが多いよ。このゲームでは、下のコードによって、恐竜がネコを追いかけているんだ。

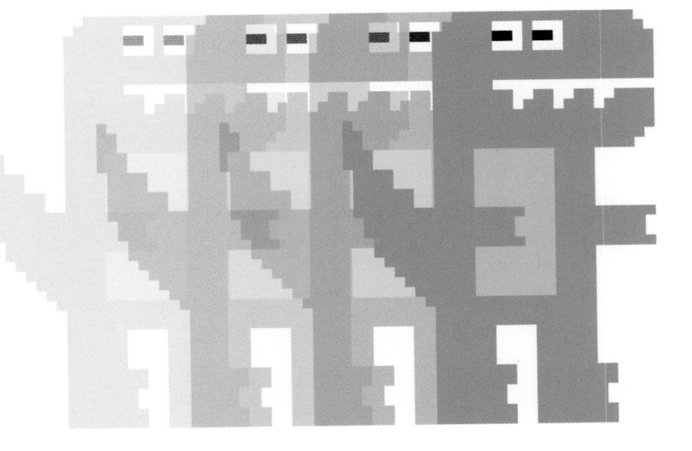

スクラッチのインストールと起動

この本のプロジェクトに取り組むには、君のコンピューターでスクラッチを使えるようにする必要があるよ。コンピューターはデスクトップ型でもノート型でもOKだ。

オンラインでのセットアップ

インターネットにつながっている場合は、何もダウンロードせず、ウェブブラウザでスクラッチを動かせるよ。最初に君のアカウントを作ろう。

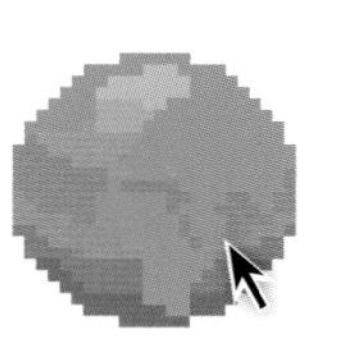

おぼえておきたいことば

スクラッチ

スクラッチという名前は、ラッパーやDJがターンテーブルを使って音楽をミックスする「スクラッチング」というテクニックからつけられたんだ。スクラッチというプログラミング言語では、他の人のプロジェクトを使ったりまぜ合わせて、君のオリジナルバージョンを作れるぞ。

1 スクラッチのサイトにアクセス

https://scratch.mit.edu/というウェブサイトにアクセスして、「Scratchに参加」をクリックしよう。ユーザー名とパスワードを用意して、アカウントを作ろう。自分の本当の名前はユーザー名にしない方がいいね。

2 サインイン

アカウントを作ったら「サインイン」をクリックし、ユーザー名とパスワードを入力しよう。入力したら画面の上の方にある「作る」をクリックして、新しいプロジェクトを始める。オンライン版の場合、インターネットに接続できれば、どのコンピューターからでもスクラッチが使えるぞ。

オフラインでのセットアップ

スクラッチを君のコンピューターにダウンロードすれば、インターネットにつながっていないときでも使うことができるぞ。

1 スクラッチをインストール

オフライン版のスクラッチは、https://scratch.mit.edu/downloadで手に入れよう。画面の指示にしたがってダウンロードとインストールをすれば、スクラッチのアイコンがデスクトップにあらわれるぞ。

2 起動する

デスクトップのアイコンをダブルクリックすれば、スクラッチの画面が開いてすぐにプログラミングを始められるよ。

▲オペレーティングシステム
オンライン版のスクラッチは、WindowsやUbuntuが動くコンピューターか、マッキントッシュ（Mac）のコンピューターで使えるよ。オフライン版はWindowsとマッキントッシュにしか対応していないよ。

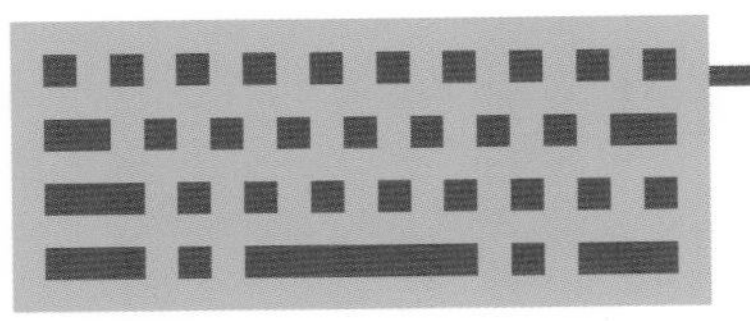

▲ハードウェア
デスクトップ型かノート型のコンピューターを使えば問題はないはずだけれど、タッチパッドよりもマウスの方が操作しやすいよ。バージョン3.0はタブレットでも使えるぞ。

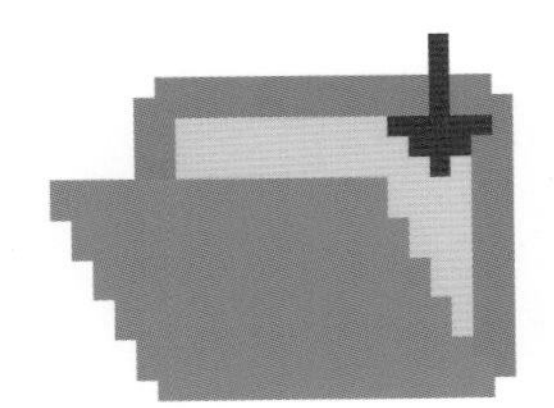

◀セーブする
オフライン版のスクラッチを使うときは、ときどきセーブするのをわすれないようにしてね。オンライン版では自動的にセーブしてくれるよ。

スクラッチのバージョン

この本はスクラッチのバージョン3.0に合わせて書かれているよ。バージョン3.0はこの本が書かれたときの最新版なんだ。これから作るゲームは、バージョン3.0でないとうまく動かないぞ。使っているスクラッチのバージョンをチェックしよう。

▼バージョン2.0
古いバージョン2.0では、ステージが下のように左側になっていて、コードエリアが右側に置かれているよ。

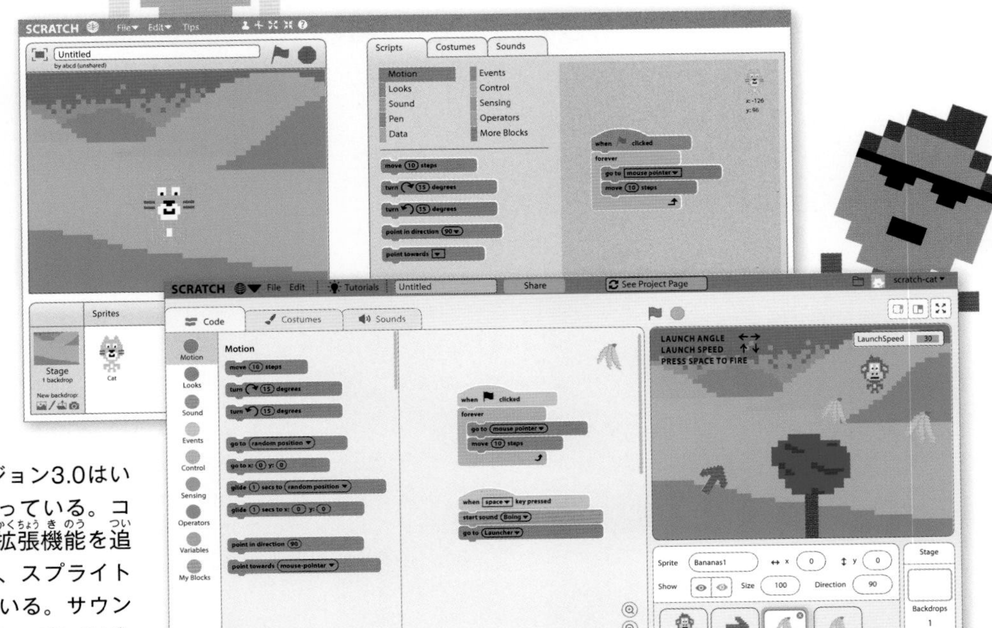

▶バージョン3.0
2019年に公開されたバージョン3.0はいろいろなところが新しくなっている。コードブロックのリストに「拡張機能を追加」というボタンが加わり、スプライトのデザインは見直しされている。サウンドエディターの性能もよくなっているぞ。

＊画面は英語版です

スクラッチのインターフェース

スクラッチのウィンドウはいくつかのエリアにわかれているよ。コードは中央で組み立てて、右側のステージでゲームが実行されるんだ。

コードを組み立てるときはこのタブを選ぶ

表示する言葉の切りかえ

メニュー

音のタブをクリックすれば、ゲームに音楽や効果音を加えられる

SCRATCH ファイル 編集 チュートリアル Untitled

コード コスチューム 音

コスチュームのタブをクリックしてスプライトの外見を変えられる

動き

動き
見た目
音
イベント
制御
調べる
演算
変数
ブロック定義

10 歩動かす
15 度回す
15 度回す
どこかの場所 へ行く
x座標を0、y座標を0にする
1 秒で どこかの場所 へ行く
1 秒でx座標を0に、y座標を0に変える
90 度に向ける
マウスのポインター へ向ける

ボタンをクリックするとちがう種類のブロックが表示されるよ

バックパック

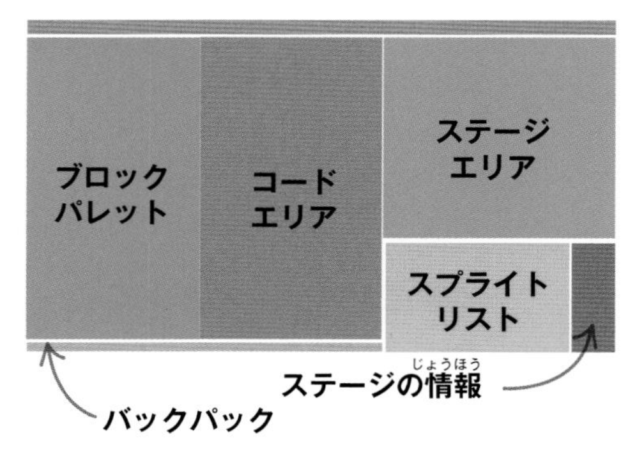

▲スクラッチのウィンドウ

ステージとスプライトリストがウィンドウの右側、コードを組み立てるエリアが左側に置かれている。コードエリアの上にはタブがついていて、スクラッチの特ちょうを表す見出しがついているよ。

ブロックパレット
スプライトに命令するためのブロックは、ウィンドウの左側に表示されるよ。使いたいブロックを1つずつドラッグして、コードエリアに置いていこう

バックパック
便利なコード、スプライト、コスチューム、音はバックパックに入れておけるぞ。バックパックに入れておけば、他のプロジェクトでも使えるんだ

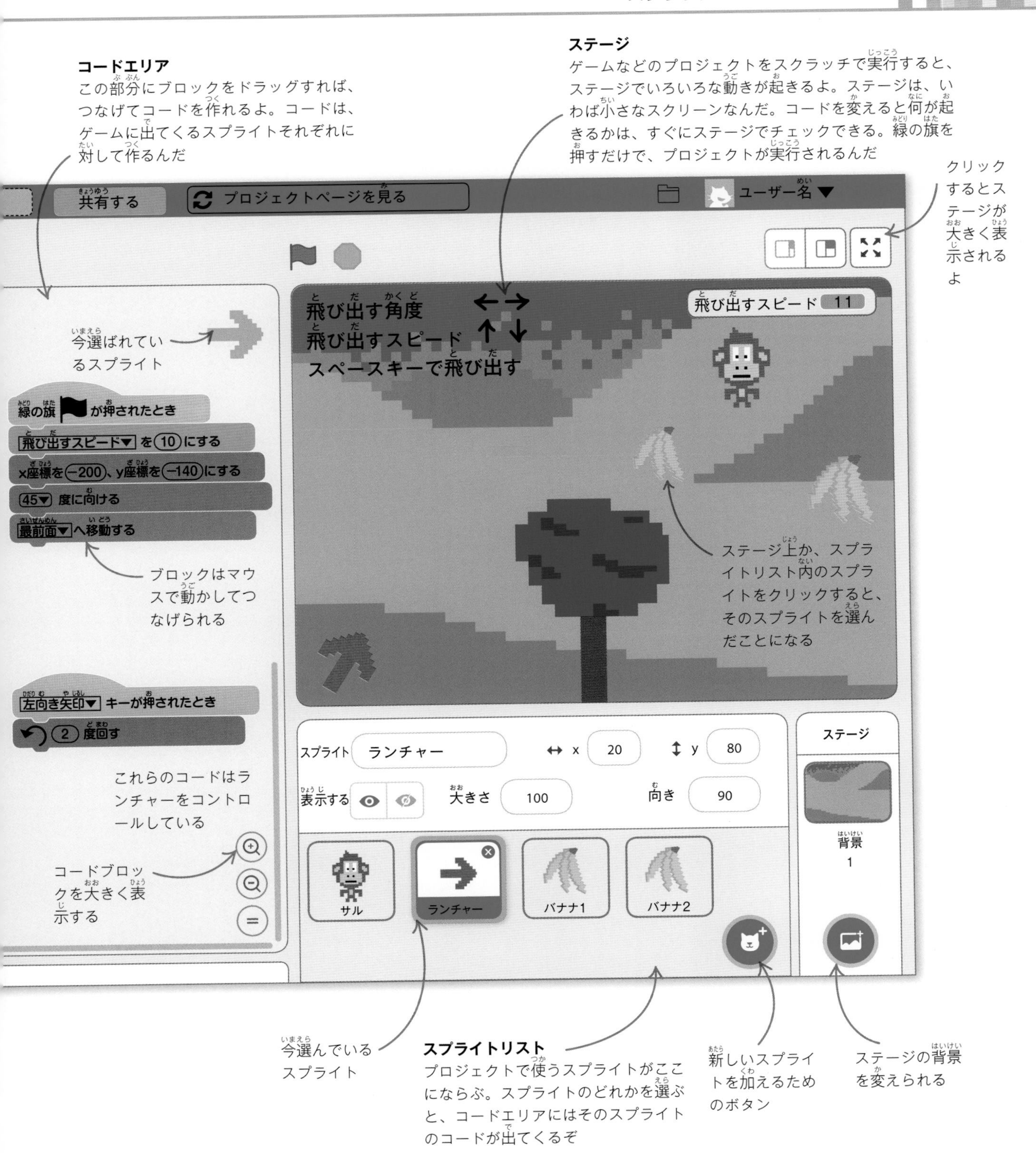
コードエリア
この部分にブロックをドラッグすれば、つなげてコードを作れるよ。コードは、ゲームに出てくるスプライトそれぞれに対して作るんだ
ステージ
ゲームなどのプロジェクトをスクラッチで実行すると、ステージでいろいろな動きが起きるよ。ステージは、いわば小さなスクリーンなんだ。コードを変えると何が起きるかは、すぐにステージでチェックできる。緑の旗を押すだけで、プロジェクトが実行されるんだ
クリックするとステージが大きく表示されるよ
共有する
プロジェクトページを見る
ユーザー名
今選ばれているスプライト
緑の旗が押されたとき
飛び出すスピード を 10 にする
x座標を -200、y座標を -140 にする
45 度に向ける
最前面 へ移動する
ブロックはマウスで動かしてつなげられる
左向き矢印 キーが押されたとき
2 度回す
これらのコードはランチャーをコントロールしている
コードブロックを大きく表示する
飛び出す角度 ←→
飛び出すスピード ↑↓
スペースキーで飛び出す
飛び出すスピード 11
ステージ上か、スプライトリスト内のスプライトをクリックすると、そのスプライトを選んだことになる
スプライト ランチャー
x 20
y 80
表示する
大きさ 100
向き 90
ステージ
背景
1
サル
ランチャー
バナナ1
バナナ2
今選んでいるスプライト
スプライトリスト
プロジェクトで使うスプライトがここにならぶ。スプライトのどれかを選ぶと、コードエリアにはそのスプライトのコードが出てくるぞ
新しいスプライトを加えるためのボタン
ステージの背景を変えられる

スター・ハンター

スター・ハンターの作り方

最初のゲームは「スター・ハンター」だよ。海の中ですばやくネコを動かして、スター（星）をゲットしよう。作り方をやさしく説明していくから、そのとおりにゲームを作ってみよう。できたゲームで、友達とスコアを競いあおう。

緑の旗を押すと新しいゲームが始まる

赤いボタン（赤信号）をクリックすればゲームが終わる

集めたスターの数がスコアになる

海の中のイラストを背景に使う

ゲームの目的

ネコを動かしてスター（星）をできるだけ多く集めよう。ただし、泳ぎ回るタコに気をつけよう。タコにさわるとゲームオーバーだから、すばやくネコを動かしてにげなければならないよ。

◀ネコ
マウスを動かせば、海の中を動き回るよ。ネコのスプライトはマウスのポインターを追いかけるんだ。

◀タコ
タコが海の中をパトロールしているけれど、ネコよりも動きがおそいぞ。でもタコにさわるとゲームオーバーだよ。

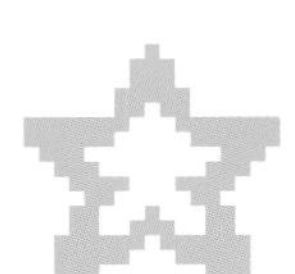

◀スター
海の中に一度に１つだけあらわれるよ。どこにあらわれるかはわからないんだ。ネコがスターにタッチすると、スコアのポイントがふえるよ。

◀海の中
今は海の底だけど、背景は自由に変えられるぞ。宇宙でも、君の部屋でも、好きな場面にしてみよう。

コードを作る

色つきのブロックをジグソーパズルのようにつなげていくよ。それぞれのブロックは、スプライトに何をすればよいかを指示している。まずは、このゲームの主役になるスプライト、ネコのプログラミングから始めよう。

1 スクラッチを始めよう。オンライン版なら、画面の上の方にある「ファイル」メニューから「新規」をクリックしよう。すると下の画面のように右側のステージにネコが、左側には青いブロックが出てくるよ。

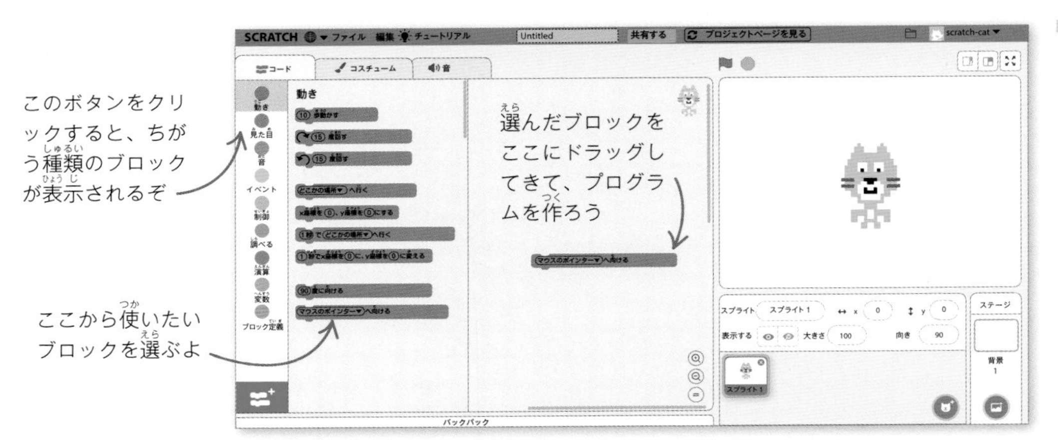

2 マウスのポインターに向けて、ネコが動くようにプログラムするよ。「どこかの場所へ行く」のブロックをクリックして、中央のエリア（コードエリア）にドラッグしよう。

3 オレンジ色の「制御」グループから「ずっと」のブロックをさがそう。

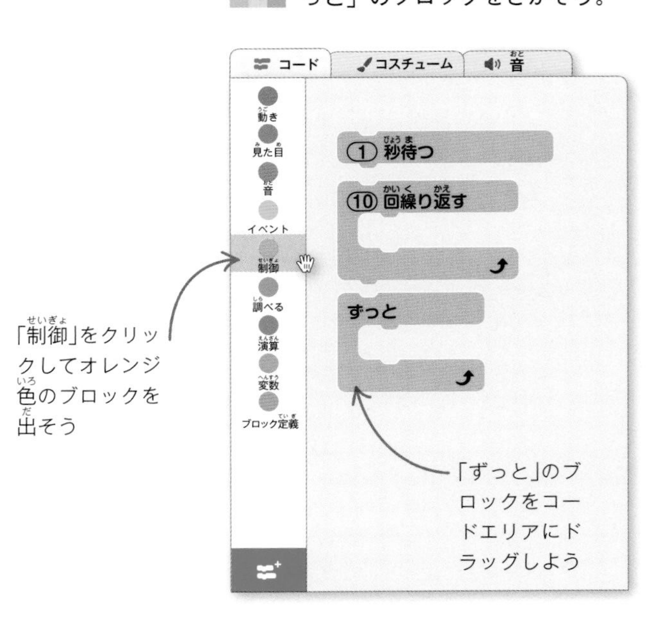

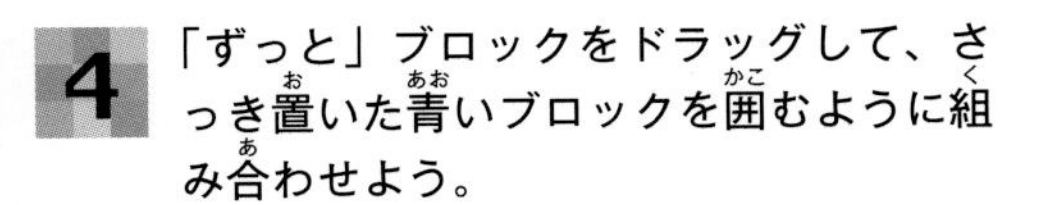

4 「ずっと」ブロックをドラッグして、さっき置いた青いブロックを囲むように組み合わせよう。

5 次に黄色の「イベント」ボタンをクリックして、緑の旗があるブロックをさがそう。このブロックをドラッグして、コードの一番上につなげよう。

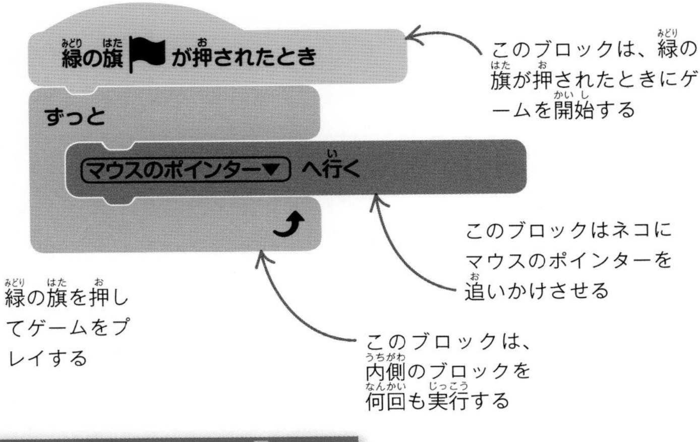

6 ステージの左上に緑の旗が見えるね。この旗を押すとゲームが動くんだ。

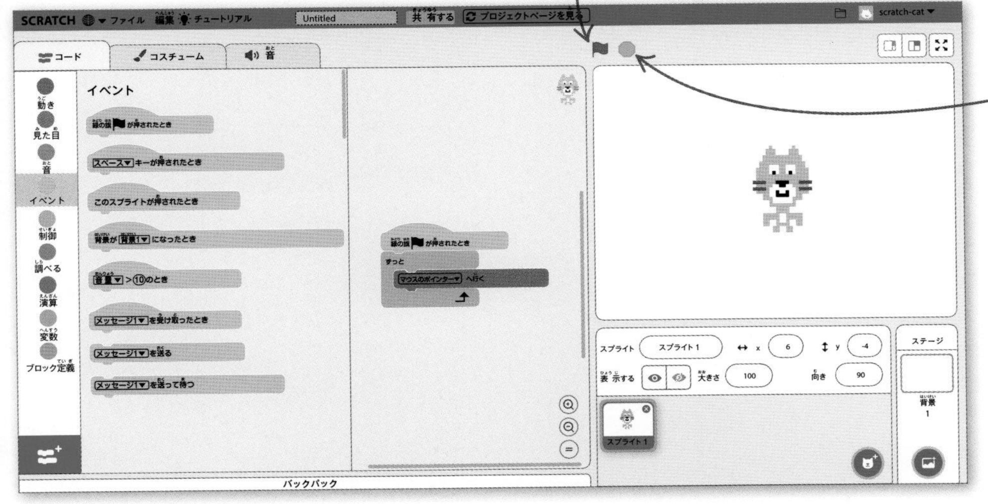

7 マウスを動かしてネコがどうなるか見てみよう。説明どおりにプログラミングしていれば、ネコがマウスのポインターを追いかけてステージ上を動き回るはずだ。

▶やったね！

初めてスクラッチでプログラミングができたね。もっといろいろなものを加えてみよう。

8 ネコの名前が「スプライト1」になっているね。名前を変えてあげよう。スプライト1（ネコ）をクリックして名前を「ネコ」にしよう。

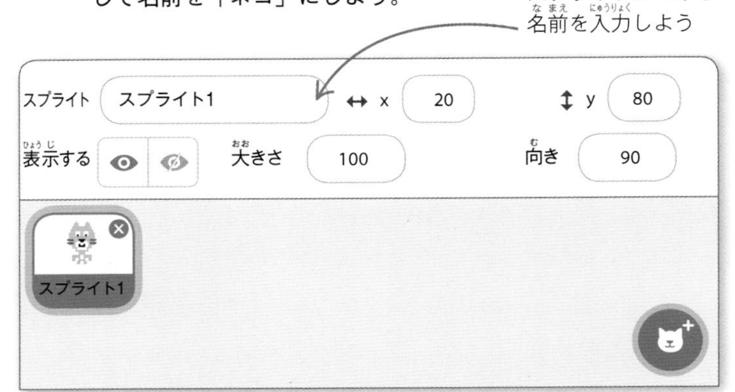

背景を変える

今は背景が白いままだね。背景と音を加えて、海の中みたいにしよう。

9 画面の右下にあるアイコンは、ライブラリーから背景のイメージを取り出すためのものだ。「背景を選ぶ」をクリックして、「Underwater 2」というイメージをさがしてクリックしよう。右のように背景が変わるぞ。

効果音をつける

ネコのスプライトに「あわ」の音をつけて、海の中にいる感じを出してみよう。

10 スプライトリストでネコのスプライトを選んでから中央のブロックパレットの上にあるタブの「音」をクリックしよう。左下のスピーカーのアイコンをクリックすれば、音のライブラリーが開くよ。

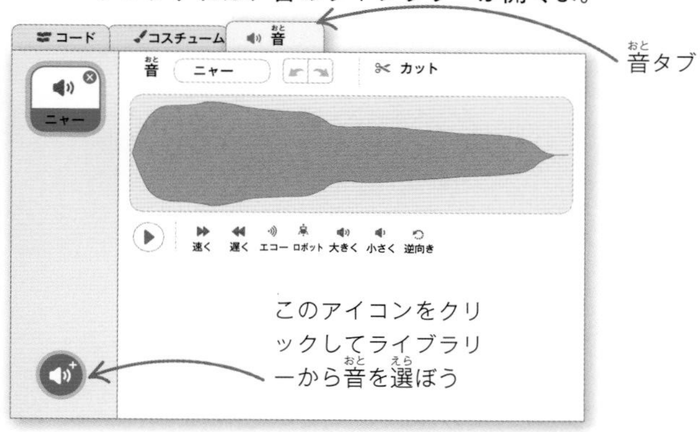

11 音のライブラリーから「Bubbles」をさがそう。三角形のボタンの上にマウスのポインターを置けば、試しに音を聞けるよ。スピーカーのアイコンをクリックして、リストに「Bubbles」を加えよう。

12 コードのタブをクリックして、右のコードをネコのスプライトに追加するぞ。ただし、前に作ったコードはそのままにしておこう。新しく作ったコードは、あわの音を鳴らし続ける。「終わるまで～の音を鳴らす」のブロックが「ずっと」動くので、音が鳴り終わるとまた最初からくり返すよ。これでゲームに効果音が加わったね。

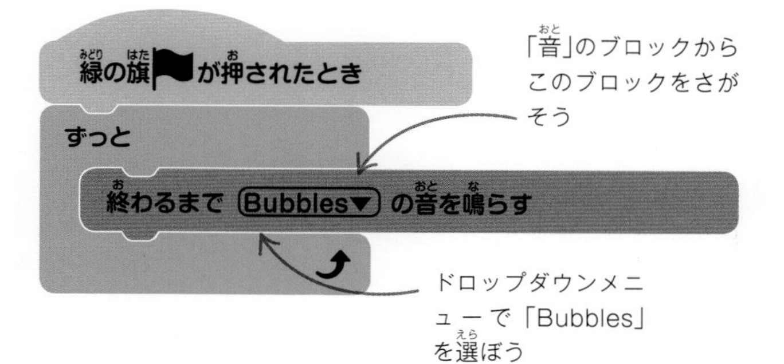

うまくなるヒント

ループ（くり返し）

プログラムの中のループ（くり返し）の部分は、何度もくり返し実行されるよ。「ずっと」ブロックは、ずっとくり返し続けるループを作るけれど、決まった回数だけくり返すタイプのループもある。ほぼすべてのプログラミング言語で、ループはとてもよく使われているんだ。

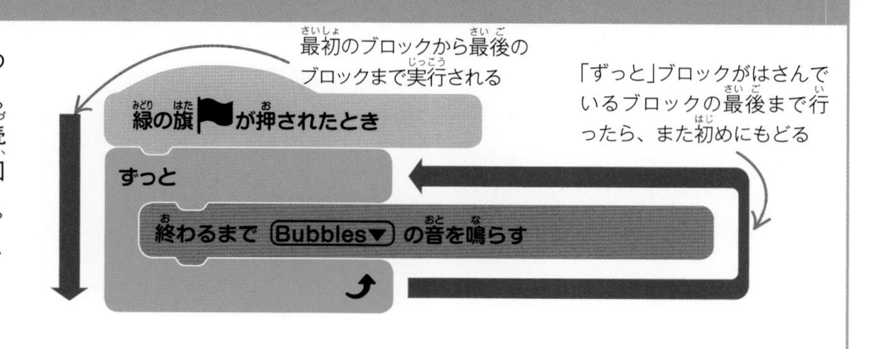

てきを加える

ゲームをおもしろくするには、ネコのじゃまをするてきが必要だね。こわいタコを入れてみよう。タコはステージの中を左右に動くぞ。ネコがタコにふれるとゲームオーバーだ。

13 2つ目のスプライトを加えよう。下のアイコンをクリックして、スプライトのライブラリーを開き、Octopus（タコ）を選ぼう。名前は「タコ」に変えるぞ。

ここをクリックしてスプライトのライブラリーを開く

Octopus

スプライトを選ぶ

タコのスプライトが、君のスプライトリストにあらわれる

14 タコに右のコードを加えよう。青いブロックをさがすには、ブロックパレットの「動き」のボタンをクリックすればいい。右の2つの「動き」のブロックによって、タコがステージで左右に動くんだ。

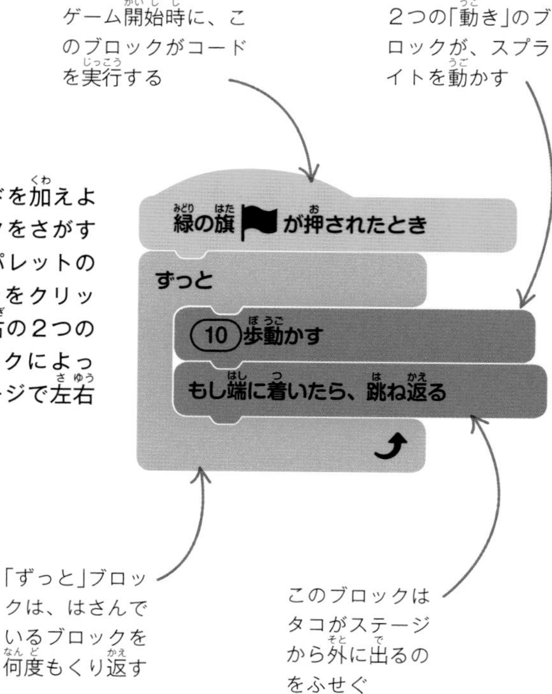

15 コードを実行してみよう。タコが左右に動くよ。でもよく見ると、タコがさか立ちしているときがあるぞ。タコが向きを変えるときの設定を変えて直してあげよう。タコのスプライトを選び、コードに青い「回転方法を～のみにする」ブロックを加えて下のようにするよ。

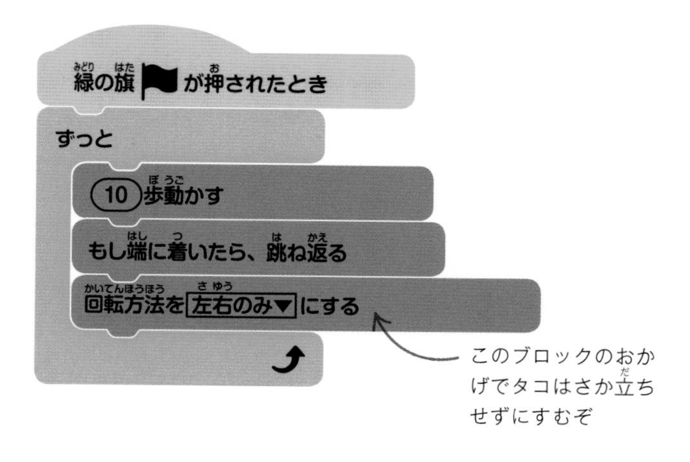

16 もう一度実行してみよう。タコの上下はそのままで、いつも前を向いて進むようになったね。タコをマウスでドラッグして動かせば、ゲームを始めるときのタコの位置を変えられるよ。

ぶつかったら？

今のままだと、タコとネコが動いているだけで何も起きないぞ。コードを加えて、タコとネコがぶつかったら止まるようにしよう。ぶつかったかどうかを調べる「しょうとつ判定」はゲームを作るときに、とても大事なことなんだ。

17 スプライトリストでタコをクリックし、ブロックパレットからオレンジ色の「もし～なら」のブロックを選び、コードエリアの空いているところにドラッグする。このブロックの上にうすい青色の「～に触れた」のブロックを置いて組みこもう。ドロップダウンメニューでネコを選ぶぞ。このコードは、タコがネコとぶつかったかを調べるんだ。

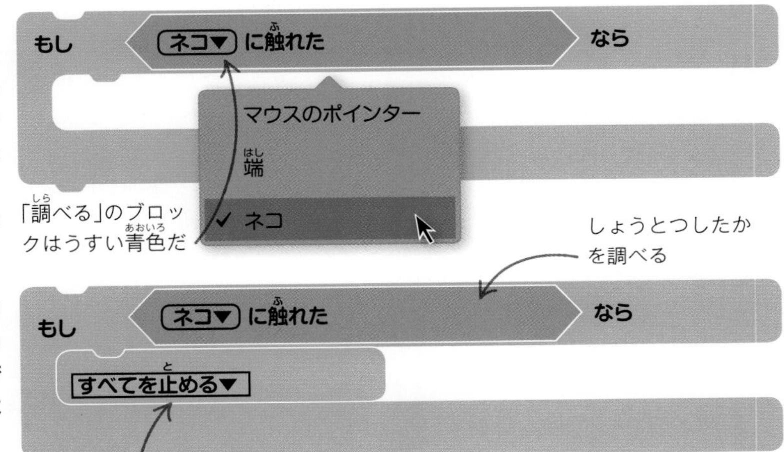

18 もう一度、ブロックパレットで「制御」を選び、「すべてを止める」ブロックを「もし～なら」ブロックの中に入れる。これでタコがネコにぶつかるとゲームが終わるようになったよ。

このブロックはスプライトがしょうとつしたときにゲームを終わらせる

19 タコのコードに、さっき作った「もし～なら」ブロックを組みこもう。青色のブロックの下に注意して入れてね。それから「1秒待つ」のブロックをループの前に入れて、1を0.5に変えておく。プロジェクトを実行して、何が起きるか見てみよう。

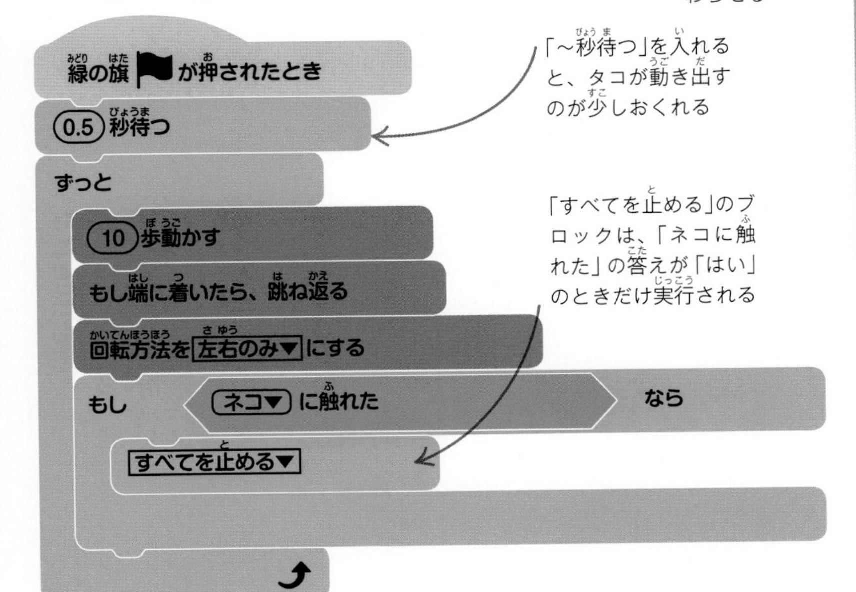

うまくなるヒント

「もし～なら」

君も毎日、いろいろなことを決めているね。雨ならカサを持っていき、雨でないなら持っていかない。コンピューターのプログラムも「もし～なら」というような、プログラマーが「条件文」とよぶ命令にしたがって決めているんだ。スクラッチの「もし～なら」ブロックは、「はい」の場合だけ、中のブロックの命令を実行するよ。

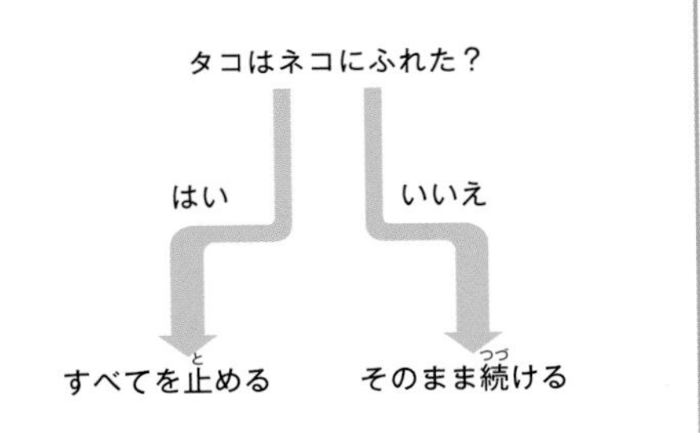

てきをふやす

てきになるタコの数をふやしてみよう。ちょっと工夫して、てきの動き方もいろいろ変えてみるぞ。コンパスのような働きをするブロックを入れて、スプライトごとに、どちらに動くかを決めておくんだ。

20 むらさき色の「大きさを～%にする」というブロックを「緑の旗が～」のすぐ後ろに入れる。大きさを35%にすれば、ゲームが少しやりやすくなるよ。それから「～度に向ける」のブロックを加えよう。

21 タコの向きを変えるには、「～度に向ける」のブロックのウィンドウをクリックして90の代わりに135と入力すればいい。これでタコはステージの角の方を向くぞ。

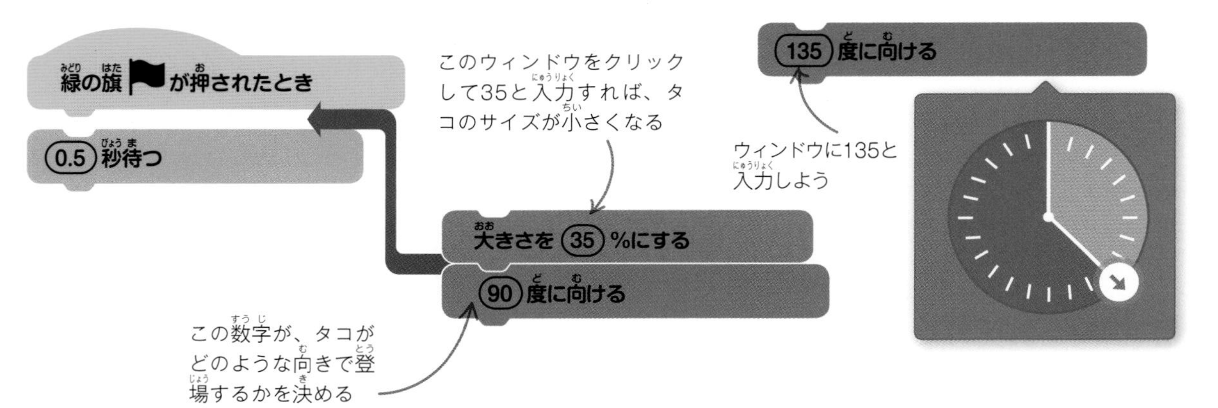

うまくなるヒント

スプライトの向き

スクラッチではスプライトの向きを－179°（度）から180°（度）というように「度」で表しているよ。マイナスの数字だと左、プラスの数字だと右を向く。0°は真上で180°は真下だね。

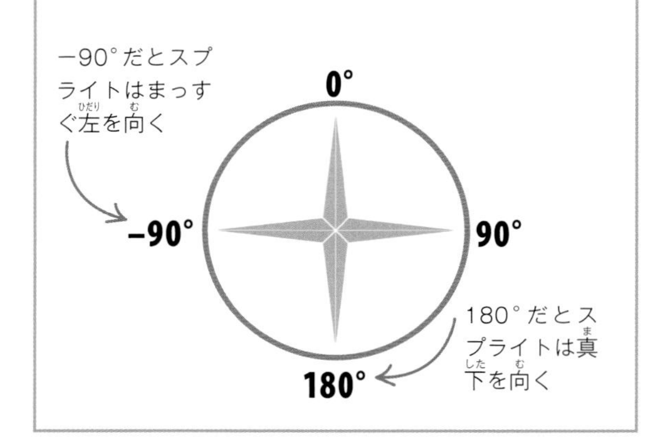

22 タコをコピーしててきの数をふやそう。スプライトリストでタコを選んで右クリック（マッキントッシュならコントロールキーを押しながらクリック）して、メニューから「複製」を選ぶ。するとタコ2とかタコ3という名前のスプライトがあらわれるよ。新しいスプライトには、最初のタコのコードもコピーされているぞ。

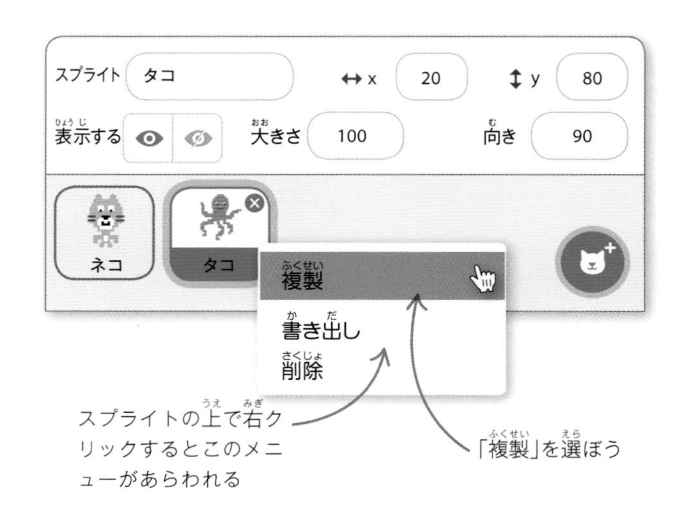

23

タコをそれぞれちがう方向に動かすために「〜度に向ける」ブロックの数字を変えてみよう。最初のタコは135°のままにして、2番目のタコは0°、3番目のタコは90°にする。プロジェクトを実行して、すべてのタコをよけてみよう。

24

タコの動きが速くてむずかしいようなら、動くスピードをおそくすればいい。「〜歩動かす」の数字を2にへらそう。2番目と3番目のタコの数字も変えなければならないぞ。

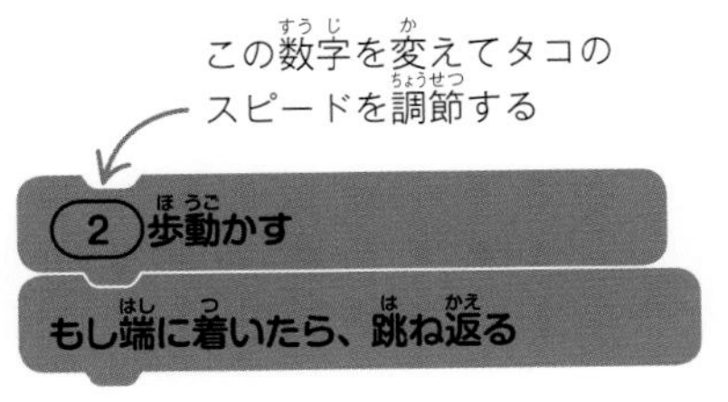

25

さらにいろいろな工夫をしてみるよ。タコのうち1ぴきが動く方向を、ランダムに変えてみよう。緑色の「〜から〜までの乱数」というブロックを使えばいいね。このブロックはサイコロをふるのと同じように、数字をランダムに作り出すんだ。コードパレットの「演算」からこのブロックを見つけ、最初のタコのコードに入れよう。プロジェクトを何回か実行して、ゲームが始まるときにタコがいろいろな方向を向いているか見てみよう。

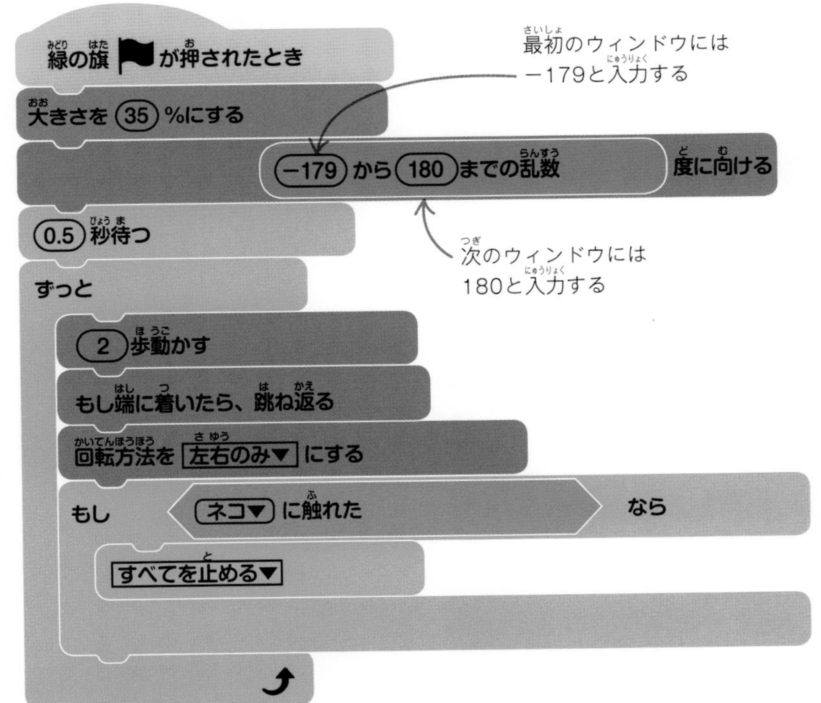

うまくなるヒント

乱数

どうしてサイコロを使うゲームが多いのだろう？ なぜならサイコロを使うと、どのプレイヤーも思いつかないようなゲームの進み方になるからなんだ。サイコロをふるのと同じように、乱数で決まる数字は予測できない。右のコードを実行すると、サイコロの目と同じ1から6までの数字をネコがランダムにしゃべるよ。

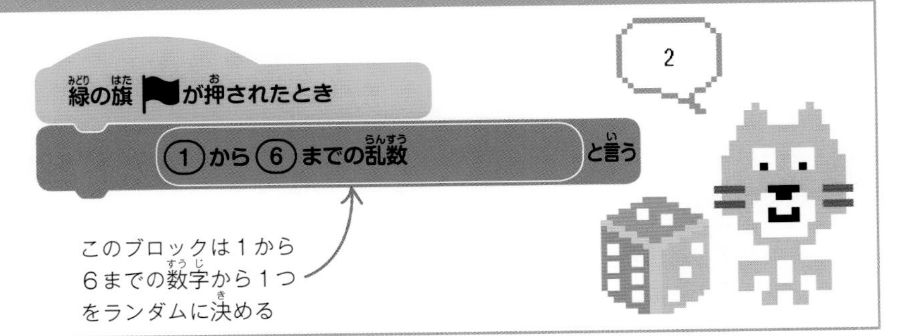

スターを集める

ゲームの多くは、プレイヤーが何か大事なアイテムを集めるとポイントがもらえたり、生き残れるようになっている。このゲームでは、海の中にあらわれる金色のスター（星）を集めなければならないよ。もう一度、乱数を使って、スターが毎回新しい場所にあらわれるようにしよう。

26 スプライトリスト右下の「スプライトを選ぶ」クリックして、ライブラリーから「Star」というスプライトを選ぼう。

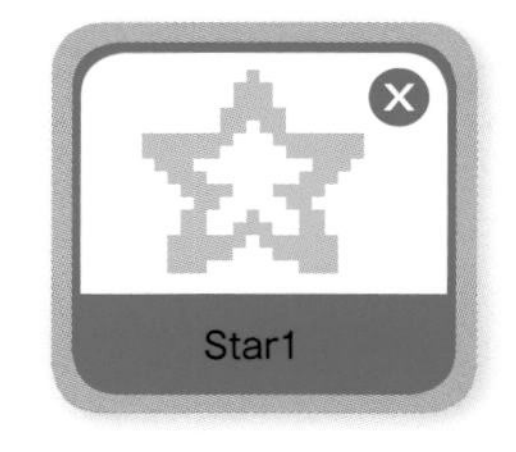

ネコ タコ タコ2 タコ3 スター

スプライトの「Star」がリストにあらわれるので名前を「スター」に変える（34ページ参照）

このアイコンをクリックしてスプライトのライブラリーを開こう

27 スターのために下のコードを作ろう。このコードは、ネコがスターにタッチすると、スターをランダムな場所に動かすんだ。緑色のブロックの乱数で「座標」を決めているよ。この座標は、ステージ上の特定の一点を指すんだ。

```
緑の旗 が押されたとき
ずっと
  もし (ネコ▼) に触れた なら
    x座標を (-200) から (200) までの乱数 、y座標を (-150) から (150) までの乱数 にする
```

「もし～なら」のブロックはネコがスターにタッチしたかを調べる

「x座標を～、y座標を～にする」のブロックは、「もし～なら」の答えが「はい」の場合だけ実行される

緑色のブロックのウィンドウに、このように数字を入力しよう

「ずっと」のブロックは、はさんでいるブロックをくり返し実行し続ける

28 スターの座標がどのように変わるのかを見るには、ブロックパレットで「動き」を選び、下の方にある「x座標」と「y座標」のチェックボックスにチェックを入れよう。ゲームを実行すると、ネコがスターにふれて位置が変わるたびに、スターのx座標とy座標が表示されるぞ。チェックを外せば表示されなくなるよ。

スター：x座標 60

スター：y座標 78

うまくなるヒント

座標を使う

ステージ上の1つの点を指すために、スクラッチでは「座標」を利用しているよ。グラフ用紙のように、ステージを目に見えない目もりで区切っているんだ。左右はxの数字、上下はyの数字で表しているよ。ステージ上のある点を指すには、ステージの中央から左右と上下に、それぞれ何歩進めばよいかを数える。プラスなら上か右、マイナスなら下か左になる。ステージ上のどの点も、このxとyの数字の組み合わせで指すことができて、スプライトをその位置に向かわせたりすることができるぞ。

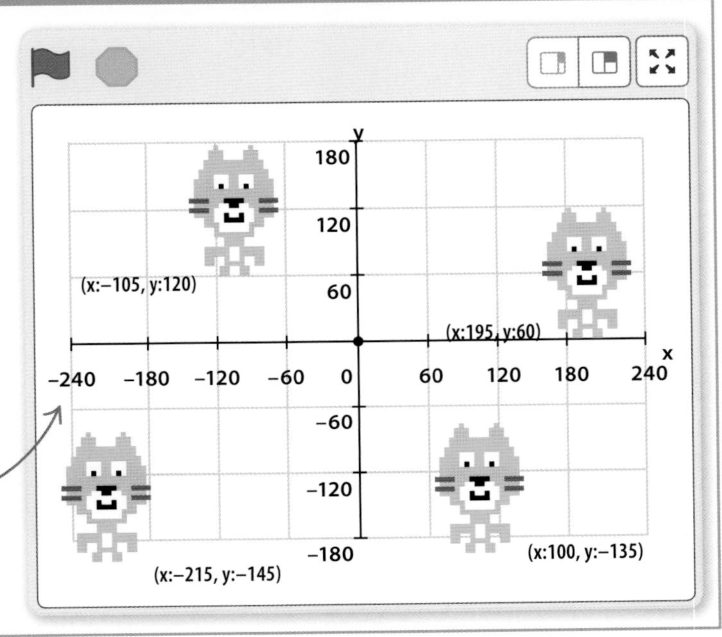

ステージは上下よりも左右の方が長いので、xの目もり（左右）の方がyの目もり（上下）よりも多くなっている。左右は−240から240まで数えられる

29 ネコがスターにタッチしたときに鳴らす効果音をつけてみよう。まずスプライトリストでスターが選ばれているかチェックして、ブロックパレットの上の「音」のタブをクリックする。スピーカーのアイコンをクリックし、音のライブラリーを開いて「Fairydust」を選ぶ。スターのコードに「～の音を鳴らす」というブロックを入れて、メニューから「Fairydust」を選ぼう。

「～の音を鳴らす」のブロックをスターのコードに追加し、ドロップダウンメニューから鳴らしたい音を選ぼう

```
もし <ネコ▼ に触れた> なら
    Fairydust▼ の音を鳴らす
    x座標を (-200 から 200 までの乱数) 、y座標を (-150 から 150 までの乱数) にする
```

スコアをつける

コンピューターゲームでは、プレイヤーのスコアやヒットポイントのような、重要な数を記録しておかなければならない場合が多い。このように値が変わっていくものを「変数」とよぶんだ。スター・ハンターでも、プレイヤーのスコアを記録するために変数を作るよ。プレイヤーが集めたスターの数を記録するのに使うんだ。

30 どのスプライトを選んでいてもかまわないので、ブロックパレットの「変数」をクリックする。「変数を作る」というボタンがあらわれるので、これをクリックしよう。

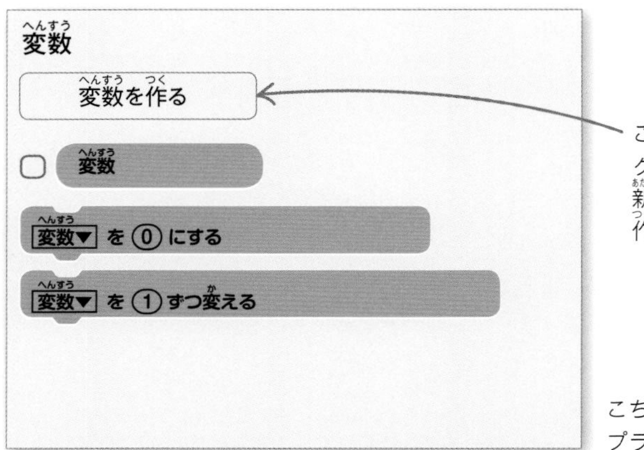

このボタンをクリックして新しい変数を作る

31 ポップアップボックスがあらわれるので、新しい変数の名前を「スコア」と入力し、「すべてのスプライト用」が選ばれているのをたしかめてから「OK」をおす。

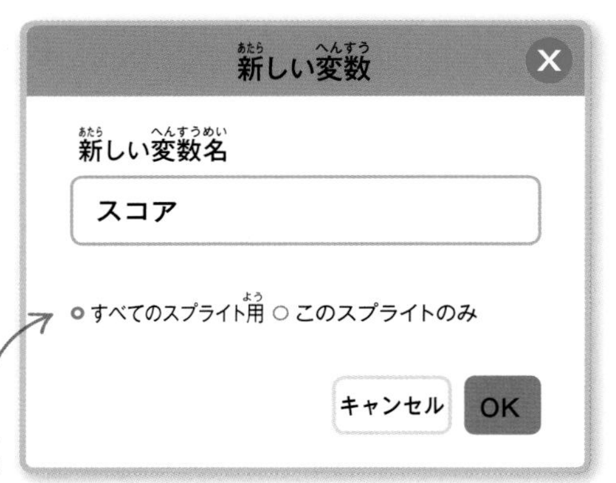

こちらを選ぶと、どのスプライトでもこの変数が使えるようになるぞ

32 変数「スコア」のための新しいブロックが出てきたね。このブロックの左のチェックボックスがチェックされているとステージにスコアがあらわれ、チェックを外すと消えてしまうぞ。

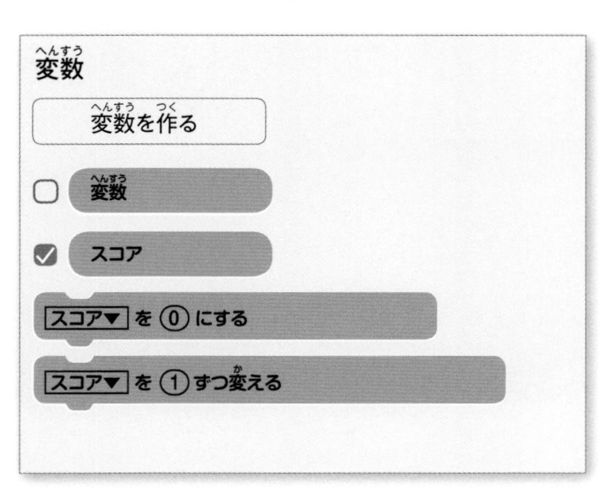

33 スコアのカウンターがステージの左上に出てくるけど、マウスでドラッグすれば、ステージのどこへでも動かせるよ。

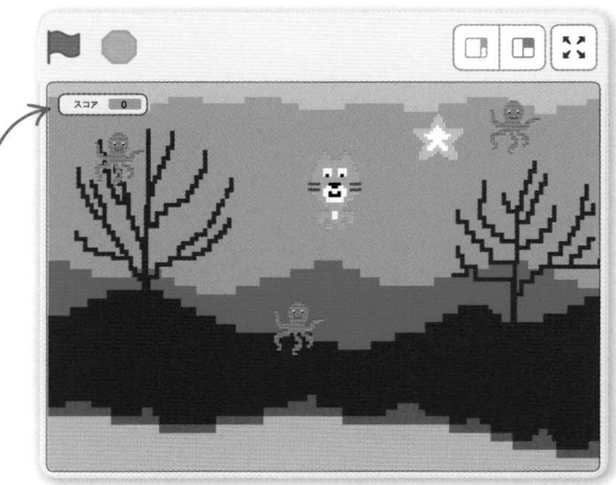

マウスでスコアの表示位置を変えられる

34

スコアはゲーム開始時には0にしておいて、ネコがスターにタッチするたびに1ずつふやす。スターのスプライトを選んだら、オレンジ色の「変数」ブロックを下のように2つ追加しよう。

オフライン版のスクラッチを使っているときはセーブするのを忘れないようにしよう

```
緑の旗 が押されたとき
[スコア▼] を (0) にする
ずっと
  もし <[ネコ▼] に触れた> なら
    [スコア▼] を (1) ずつ変える
    [Fairydust▼] の音を鳴らす
    x座標を ((-200) から (200) までの乱数) y座標を ((-150) から (150) までの乱数) にする
```

ゲーム開始時にスコアを0にするため、このブロックを組み入れよう

ネコがスターにタッチしたときにスコアをふやすためのブロック

35

緑の旗を押し、ネコがスターをつかまえたときに何が起きるか見てみよう。タコをよけながらスターを20個集められるかな?

うまくなるヒント

変数

変数は箱のようなもので、中に数字などのじょうほうを入れておけるんだ。中の数字を変えることもできるよ。数学ではXとかYとかの変数を使う。コンピューターでは「スコア」のような名前をつけて、数字だけでなくいろいろなじょうほうを入れるのに使うよ。変数の名前は「スピード」とか「スコア」とか、中に何を入れているかわかるようなものにしよう。ただし、名前の間にスペースを入れられないプログラミング言語が多いので気をつけよう。

てきの動きを工夫する

とりあえずゲームは動くようになったけど、これからゲームをむずかしくすることも、かんたんにすることもできるし、もっとおもしろくすることもできる。ゲームをおもしろくする1つの方法は、3びきのタコにそれぞれちがった動き方をさせることだ。

36 タコ2のコードを選んで右クリックをし、メニューから「ブロックを削除」を選ぶ。その代わりに下のコードを作ろう。これでタコがネコを追いかけるようになるよ。

```
緑の旗 が押されたとき
大きさを (35) %にする
(0.5) 秒待つ
ずっと
  (ネコ▼) へ向ける
  (5) 歩動かす
  もし <(ネコ▼) に触れた> なら
    すべてを止める▼
```

このブロックによって、タコはネコを追いかけ始める

37 プロジェクトを実行してみよう。タコの動きが速すぎてにげ切れないかな？　タコのスピードをおそくするために「〜歩動かす」の数字を2にへらそう。

```
(2) 歩動かす
```

この数字でタコのスピードをコントロールしているぞ

38 だんだんとゲームがむずかしくなっていくようにもできるよ。タコ2のスプライトを選んで、ブロックパレットの「変数」をクリックする。「スコア」のブロックを「〜歩動かす」のウィンドウに置こう。さあ、ゲームをプレイしてみよう。スコアが上がるとタコがどんどん速く泳ぐようになるよ。

「スコア」ブロックを「〜歩動かす」の丸いウィンドウに入れる

```
スコア
(2) 歩動かす
(スコア) 歩動かす
```

タコはスコアと同じ歩数、動くようになる

39 タコ2のスピードが速すぎるなら、もっとゆっくりにできるよ。ブロックパレットの「演算」から緑色の「◯/◯」ブロックを選ぼう。そして「〜歩動かす」のブロックを下のように変えるんだ。緑色のブロックの2つ目のウィンドウには3の数字を入力するよ。

```
((スコア) / (3)) 歩動かす
```

緑色のこのブロックはわり算をする。ここでは、スコアに入っている数字を3でわったものをタコのスピードにしている。これでタコのスピードの上がり方はゆっくりになるね

40 次はタコ3が決まったコースを動くようにしよう。タコ3のコードを、下のように2つのコードブロックに変えよう。2つのコードブロックが同時に動くよ。上のコードブロックは、タコを決まったルートで動かすもの。下は、ネコとぶつかったか調べるためのものだ。

コードは2つのブロックにわかれる

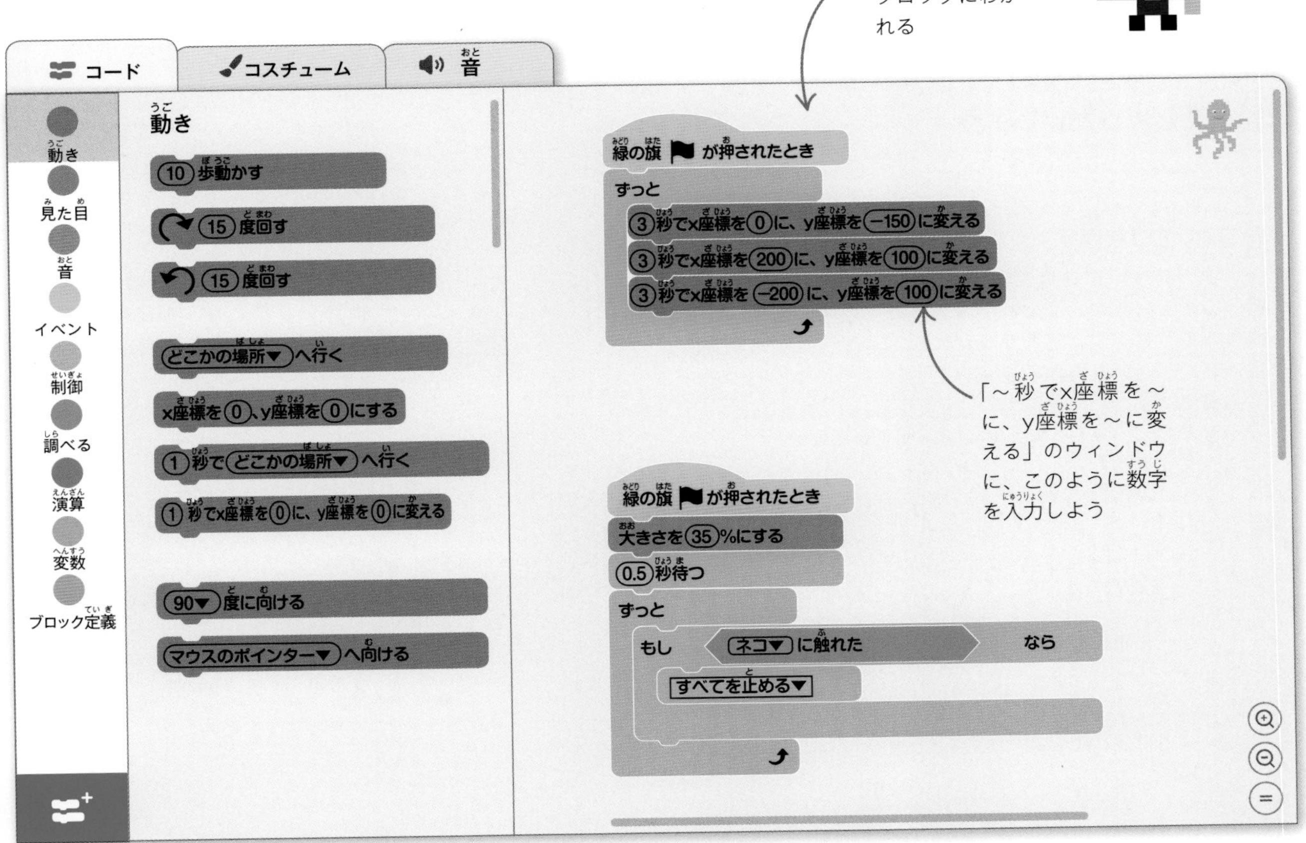

「〜秒でx座標を〜に、y座標を〜に変える」のウィンドウに、このように数字を入力しよう

41 プロジェクトを実行してタコ3の動きを見てみよう。同じ三角形のコースを泳ぎ続けるよ。

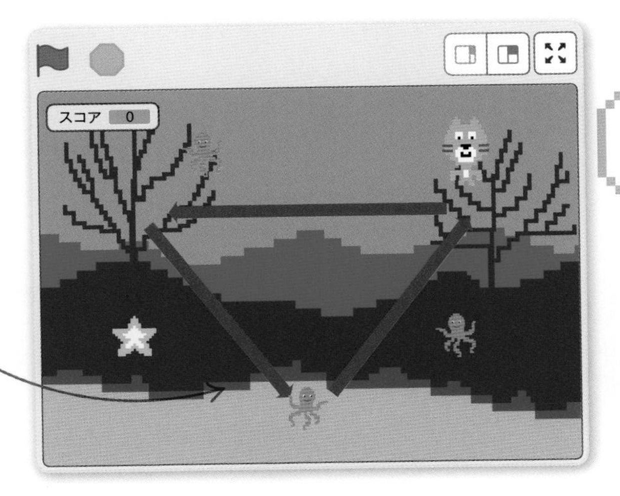

コースの形を変えたいときには、「座標を〜に変える」のブロックの数字を変えてみる

ぐるぐる回って泳いでる！

ゲームを改造する

スクラッチではコードをかんたんに変えられるので、ゲームを君の好きなように改造できるんだ。それに、バグ（まちがい）が見つかれば直さなければならないし、ゲームのむずかしさを変えたくなるかもしれない。ここでは、コードを変えるときのヒントをしょうかいしよう。

▼タコ2の動きを直す

ゲームオーバーになったとき、タコ2がステージの右上でネコを追いつめていると、次の回ではあっという間にゲームオーバーになってしまうよ。これをふせぐには、ゲームが始まる前にタコ2をステージの角から遠ざけておけばいいね。タコ2のコードの最初の方に「x座標を〜、y座標を〜にする」というブロックを入れて、タコ2をステージ中央に動かそう。

タコ2がプレイヤーをステージ右上に追いつめるかもしれない

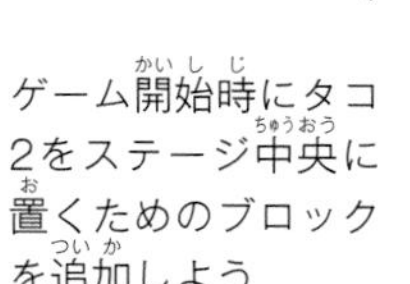

おぼえておきたいことば

バグ

バグとは、プログラムの中のまちがいのことだ。その昔、コンピューターがまちがった動作をしたとき、機械の中に本物の虫（英語でバグというよ）がいたことから、このようによぶようになったんだ。プログラマーは、プログラムを書くときと同じくらいの時間をかけて、バグを見つけて直しているんだ。

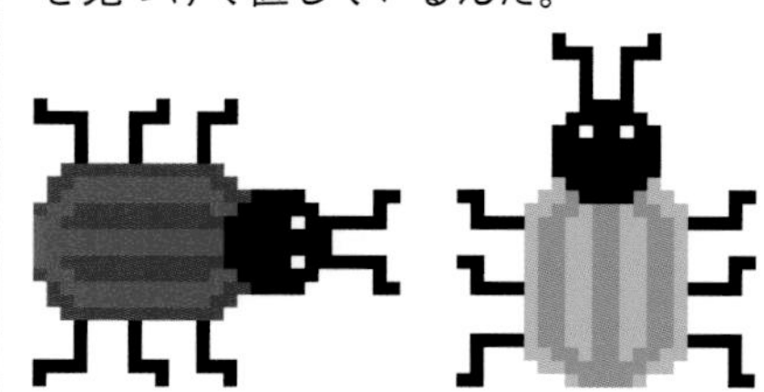

▲うまく調整する

よくできたゲームは注意深くテストして、楽しくプレイできるようになっているよ。プログラムを変えたらうまく動くかテストして、できれば友達にプレイしてもらって感想を聞こう。

▼色を変えてみる

「見た目」の中の「色の効果を～にする」というブロックを使って、タコの色を変えてみよう。「大きさを35%にする」のすぐ下に入れるんだ。

```
色▼ の効果を (50) にする
```

－100から100の間の数字を入れてみれば、いろいろな色に変わるのを見られるよ

▲ネコを変えてみる

海の中のふん囲気をもっと出すために、ネコをダイバーに変えよう。スプライトリストのネコをクリックしてからコスチュームタブをクリックし、下にある顔のアイコンをクリックすればライブラリーが開く。ダイバーのコスチュームをさがして好きなものを選ぼう。

▼色がつぎつぎ変わる

点滅するような感じでタコの色が変わるようにもできる。下のコードを加えてみよう。「色の効果を～ずつ変える」の数字を変えて、どうなるか実験しよう。

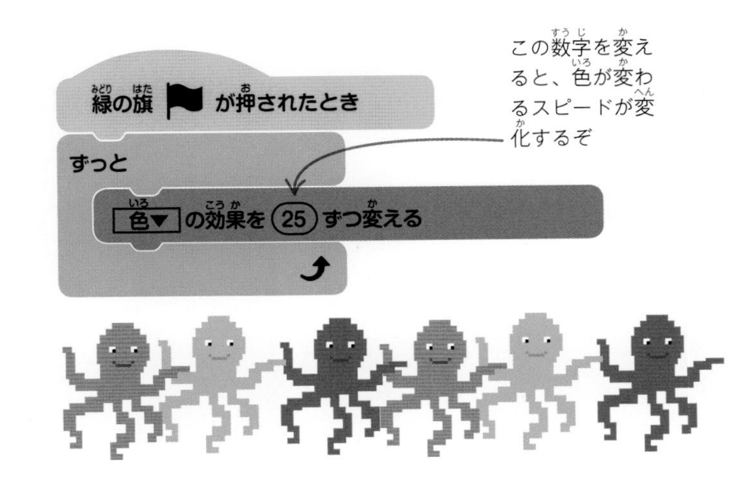

▼サイズを変えてみる

スプライトのサイズを変えることで、ゲームのむずかしさを調整できるよ。タコのコードの「大きさを～%にする」ブロックの数字を変えれば、タコを大きくしたり小さくしたりできる。ちょうどよいむずかしさになるまで、数字を変えてみよう。

```
緑の旗 が押されたとき
ずっと
  次のコスチュームにする
  (0.1) 秒待つ
```

◀泳いでいるように見せる

ゲームをリアルな感じにするため、タコが泳いでいるように見せよう。それぞれのタコのコードエリアの空いているところに、左のコードを加えれば、2つのすがたが交互に表示されて、タコが泳いでいるように見えるぞ。

チーズをさがせ！

チーズをさがせ！の作り方

昔はやったコンピューターゲームには、迷路を使ったものがいくつかあるよ。直角に曲がっている道を走りぬけ、モンスターをよけながら宝物や食べ物を集めるんだ。迷路ゲームでは、すばやく考えることが重要になるよ。

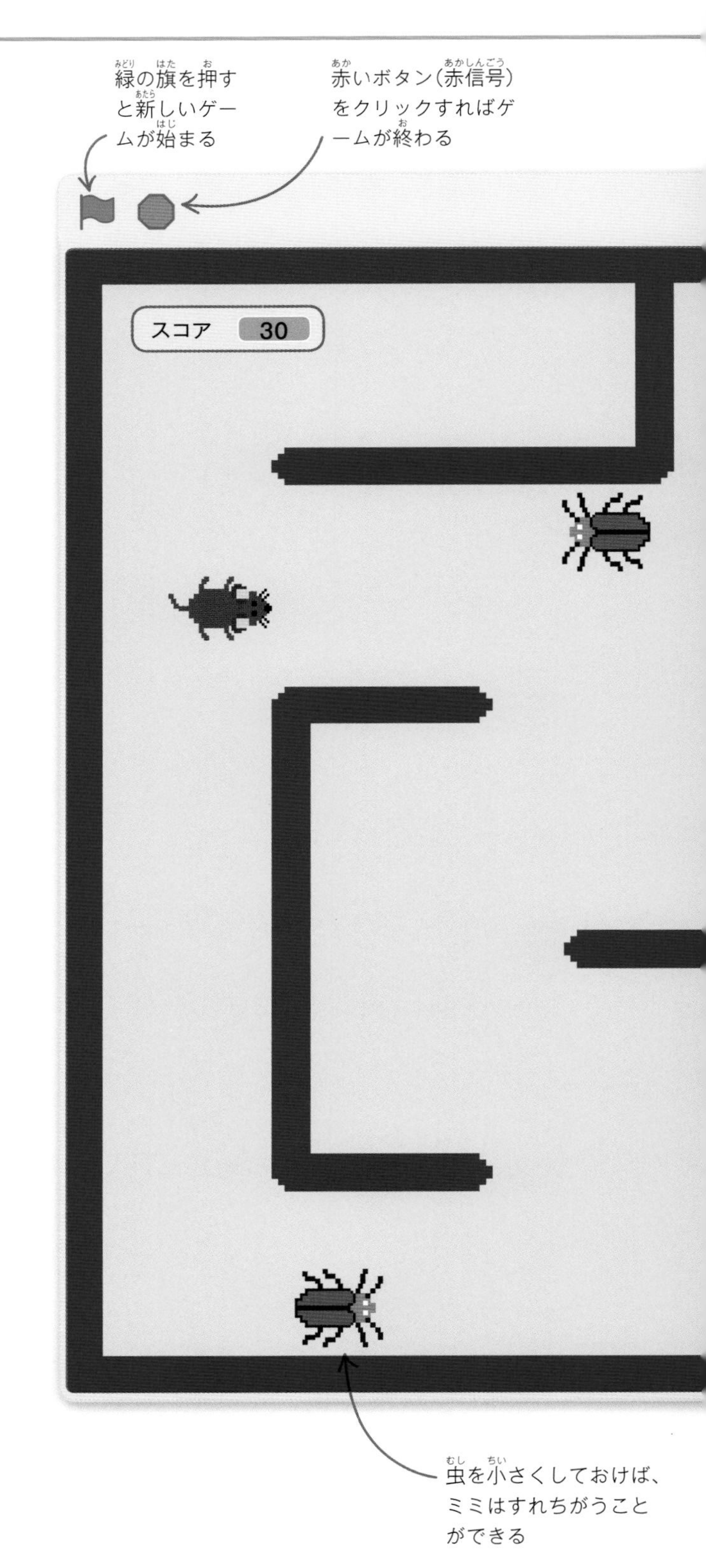

ゲームの目的

おなかを空かせたネズミのミミが、迷路に入りこんでしまったよ。ミミがチーズを見つけられるように助けてあげよう。ただし、こわい虫やゆうれいに気をつけないといけない。この迷路はおそろしい所なんだ。

◀ミミ
君はネズミのミミになってゲームをすることになる。キーボードの矢印キーで、ミミを上下左右に動かそう。

◀虫
虫はカベにそって歩き回る。カベにぶつかると、ランダムに方向を変えるぞ。

◀ゆうれい
ゆうれいはカベを通りぬけてしまうよ。突然あらわれて、突然消えてしまうんだ。

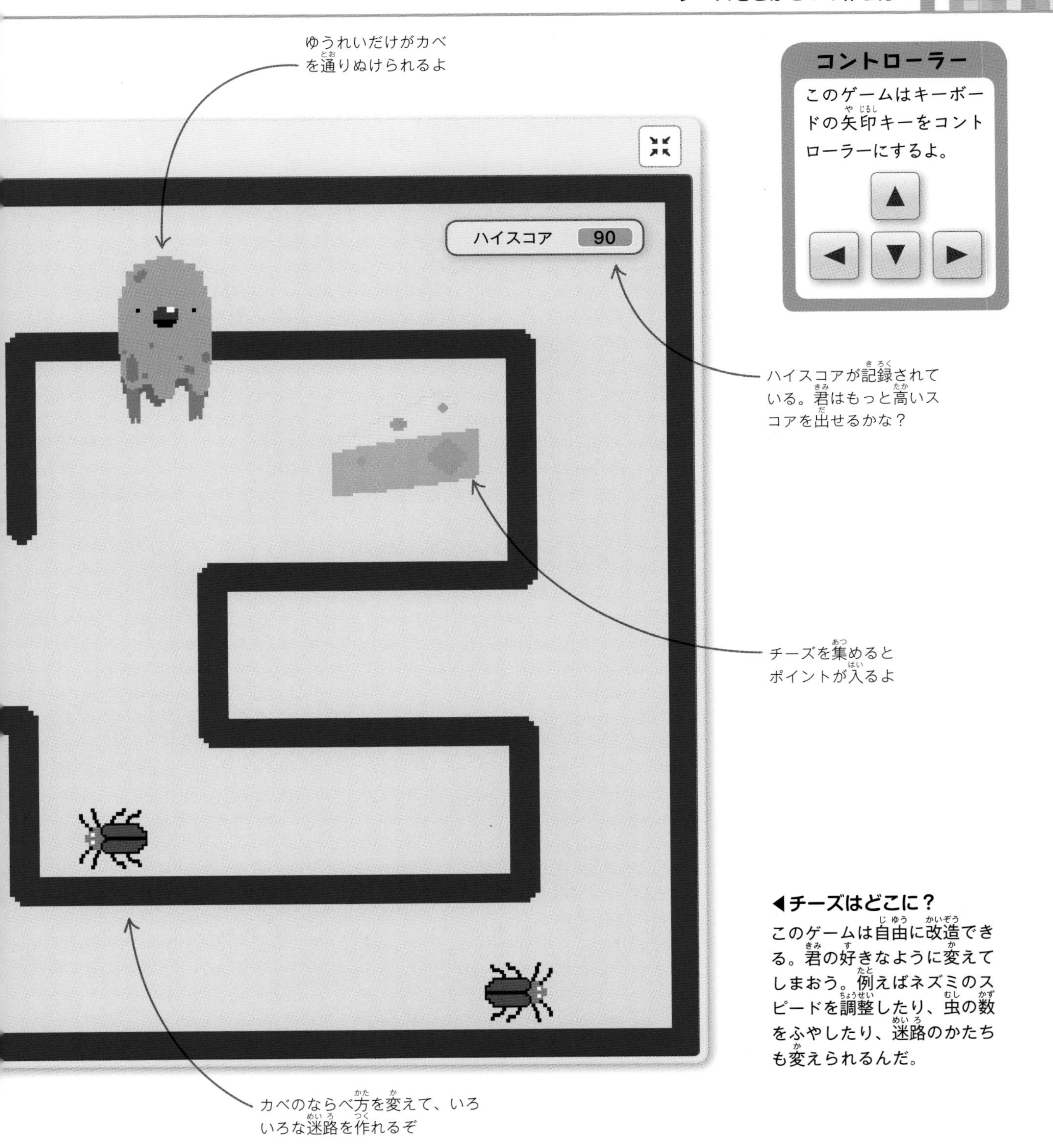

◀チーズはどこに？

このゲームは自由に改造できる。君の好きなように変えてしまおう。例えばネズミのスピードを調整したり、虫の数をふやしたり、迷路のかたちも変えられるんだ。

キーボードのコントロール

キーボードでキャラクターを操作するゲームは多いよ。このゲームでもネズミのミミを動かすのに、キーボードの矢印キーを使うんだ。まずキーボード操作をするためのコードを作ろう。

1 スクラッチを起動したらファイルメニューから「新規」を選ぶ。スプライトリストのネコの上でマウスを右クリックし、「削除」してしまおう。マッキントッシュを使っているなら、コントロールキーをおしたままマウスをクリックだね。

2 スプライトリストの顔のアイコンをクリックして、ライブラリーを開く。「Mouse1」をさがしてクリックすれば、ステージとリストにあらわれるよ。

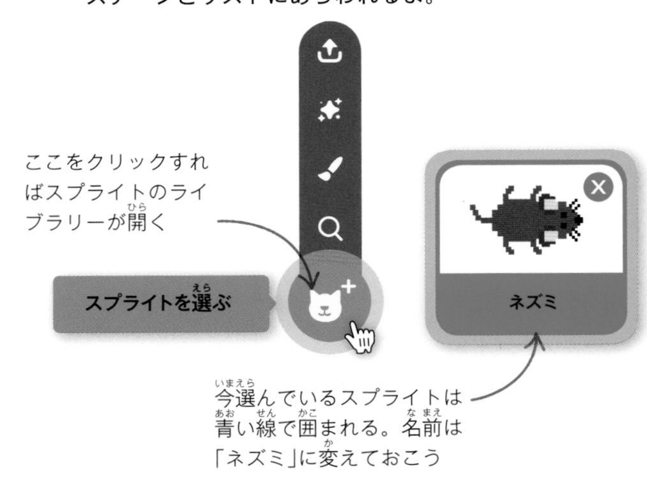

3 右のコードをネズミのスプライトに加えて、上向き矢印キーをおしたとき、スプライトが上に動くようにするよ。色がちがうブロックを使いたいときは、「動き」や「制御」をクリックしよう。右のコードをよく見て、何をしようとしているか考えてみよう。そうしたら緑の旗を押して、実際にコードを動かしてみるよ。上向き矢印キーをおせば、ネズミのスプライトが上に動くね。

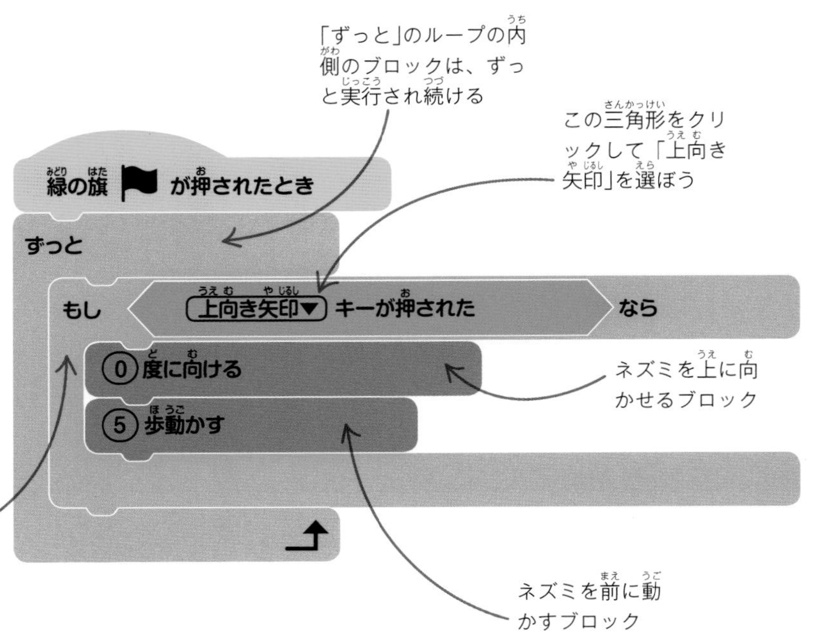

4 上向き以外の矢印キーも使えるようにしよう。「もし～なら」のブロックを使ってみるよ。ただし、今度はブロックごとにちがう向きの矢印キーを選ぶんだ。そして下のように、矢印が右向きなら90度、下向きなら180度、左向きなら−90度にネズミを向けよう。コードができ上がったら、何をしているのかしっかり理解するようにしよう。

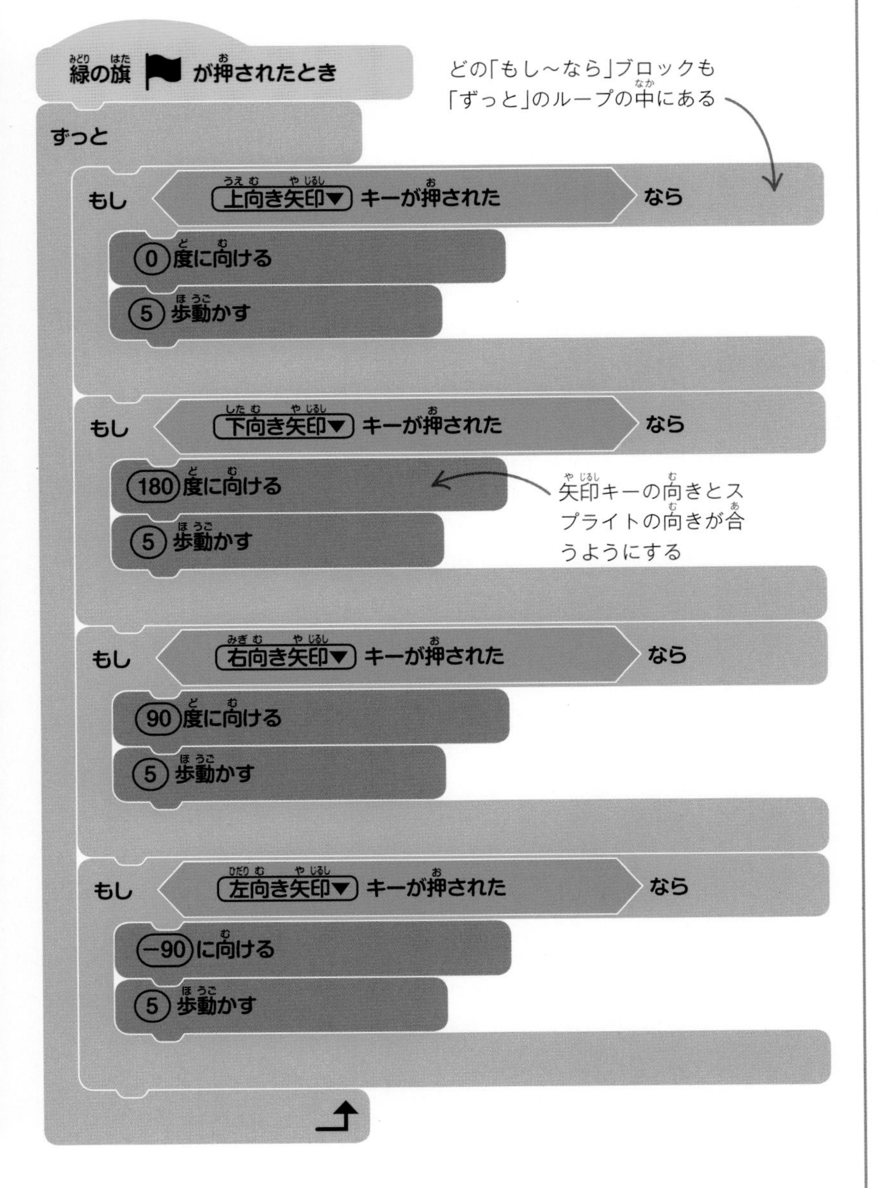

5 緑の旗を押してコードを動かしてみよう。矢印キーを使えば、ステージ上でネズミをどの方向へも動かせるね。うまく動かないようなら、コードをもう1回見直そう。

ゲームをデザインする

コントローラー

このゲームでは矢印キー、「スター・ハンター」ではマウスを使ったね。コンピューターゲームでは、他にもいろいろなコントローラーがあるよ。

▶ゲーム用コントローラー

指を動かして操作する小さなコントローラーが2つついている場合が多いよ。ボタンもいくつかついている。いろいろな操作が必要なふくざつなゲームにはこのタイプがぴったりだ。

▶ダンスマット

大きなダンスマット（マットコントローラー）をふんで、ゲームをプレイすることもできる。体を動かしてプレイするゲームには合っているけど、キャラクターを細かく動かすのは苦手だよ。

▶モーションセンサー

プレイヤーの動きを感じとってコントロールするんだ。ラケットやバットをふるようなスポーツゲームにちょうどいいよ。

▶カメラ

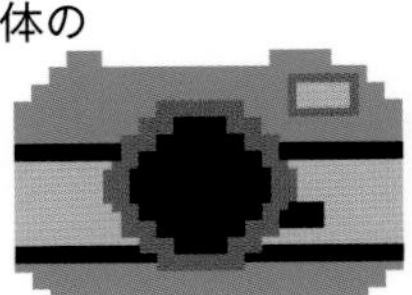

特別なカメラでさつえいして、プレイヤーの体の動きに合わせてキャラクターをコントロールするゲーム機もあるよ。

ペイントエディターを使う

ネズミのミミを動かせるようになったね。ミミははらペコだけど、まだどこにもチーズがないよ。スプライトのライブラリーにはチーズの絵がないから、自分で作ってしまおう。ペイントエディターを使えば大丈夫だ。

6 スプライトリストの筆のアイコンをクリックして、下のようなペイントエディターを開こう。左下に「ベクターに変換」と表示されているかチェックしてね。

7 それではチーズをかいてみよう。まず筆を選び、左上の「塗りつぶし」のカラーパレットで色を黒にする。右のようにチーズの輪かくをかいてね。もしまっすぐな線を引きたければ、筆の下にある「直線」を使おう。チーズは大きくかいても大丈夫。あとで小さくできるんだ。

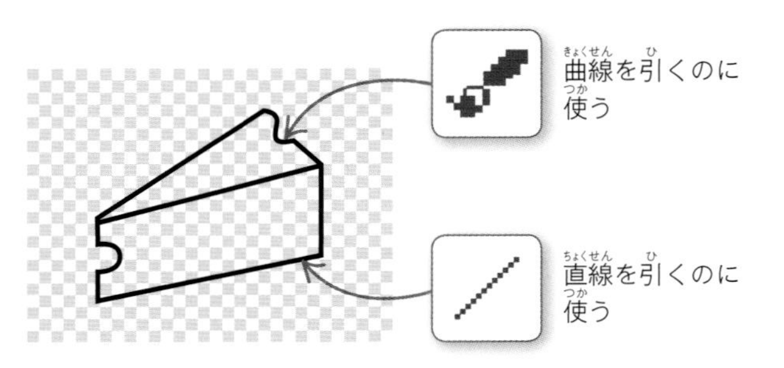

8 「円」を使ってチーズに丸いあなをかいてもいいね。キャンバスの上で「塗りつぶし」ではなく「輪郭」が選ばれているのをかくにんしよう。

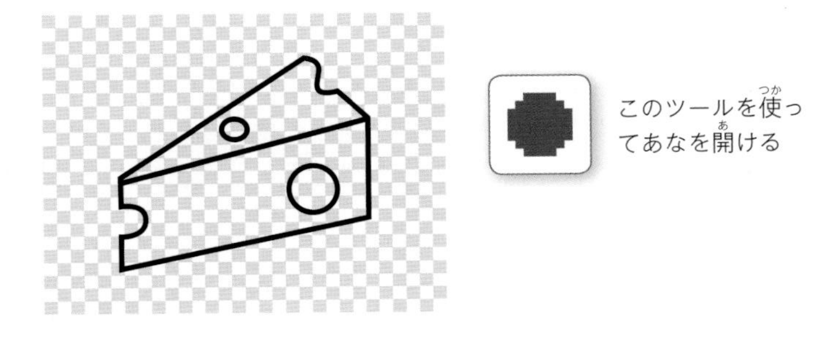

9 チーズに色をつけよう。黄色を選んで、ぬりつぶすためのツール（コップの絵のアイコン）を使うよ。もし色がはみ出してスクリーン全体が黄色くなったら、「元にもどす」ボタンをクリックしよう。線に切れ目があったらうまくいかないぞ。

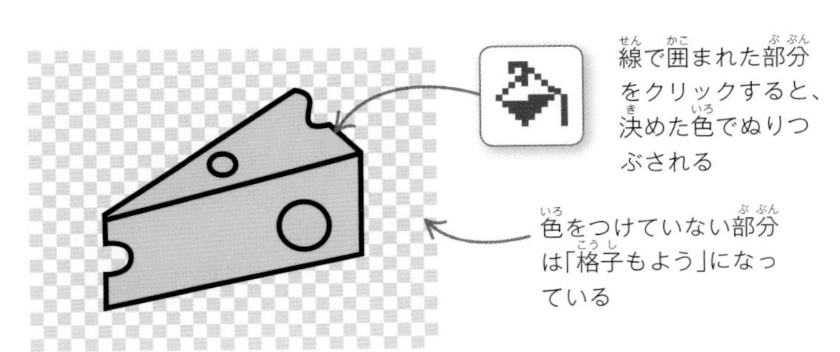

10 スコアを記録するために「スコア」という変数を作ろう。ブロックパレットで変数を選び、「変数を作る」をクリックする。ポップアップボックスに「スコア」と入力しよう。スコアの前の四角にチェックを入れると、ステージにスコアが表示されるよ。

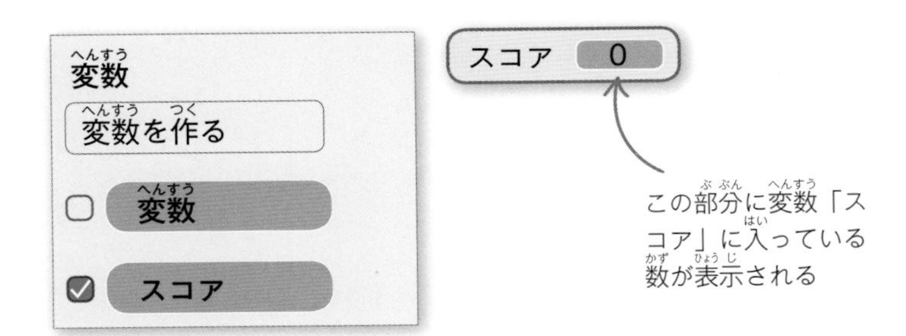

11 ステージのランダムな場所にチーズがあらわれるように新しいコードを作るよ。ネズミのミミがチーズにタッチしたら、音が鳴って10ポイントになる。するとチーズが別の場所にあらわれるんだ。コードを動かしてチーズをゲットしよう。でも、これだとかんたんすぎるかもしれない。まだ「てき」が出てこないから…

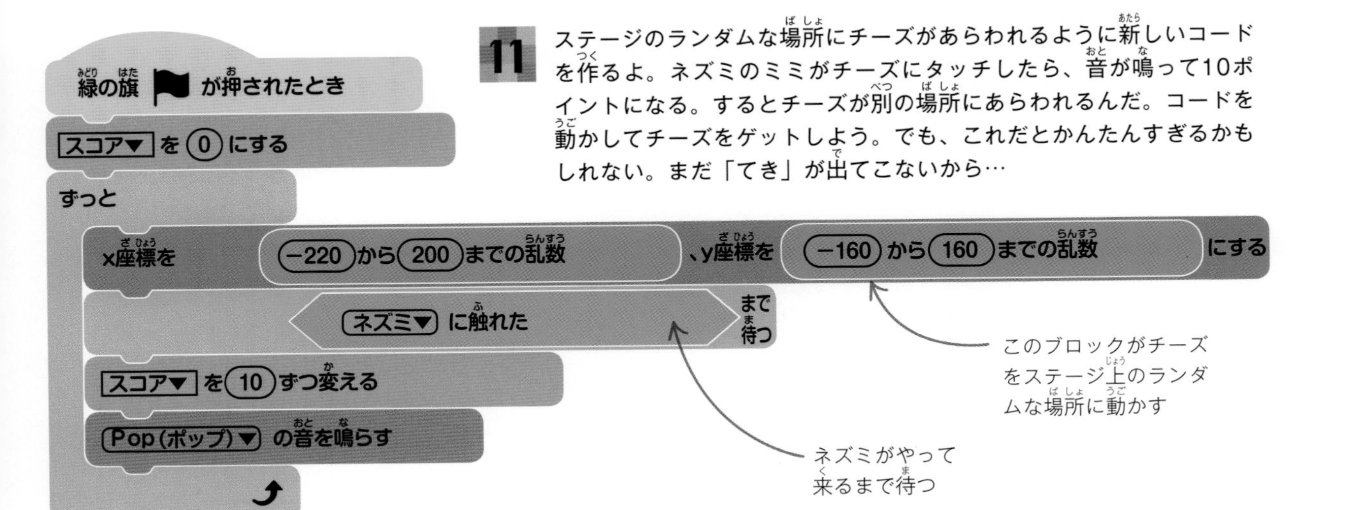

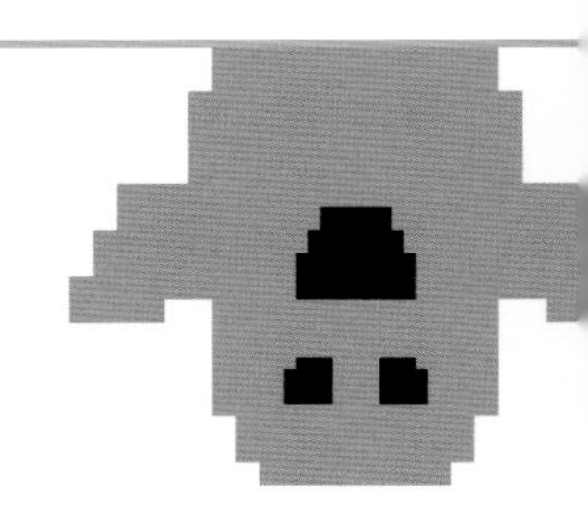

ゆうれいを入れる

てきを入れれば、もっとゲームらしくなるね。カベを通りぬけるゆうれいは、最初のてきとしてふさわしいぞ。カベを通りぬけるから、あとで迷路をゲームに組み入れても、ゆうれいのコードは変える必要がないんだ。

12 スプライトリストの顔のアイコンをクリックして、ライブラリーからゆうれい（「Ghost」）のスプライトを選ぼう。「OK」をクリックしてプロジェクトに加えるよ。

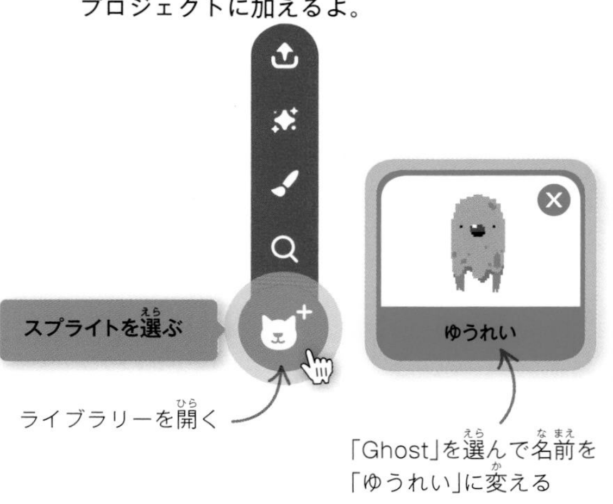

13 ゆうれいのために下のコードを作って、ネズミのミミを追いかけるようにしよう。ゆうれいがミミにタッチすればゲームオーバーだ。

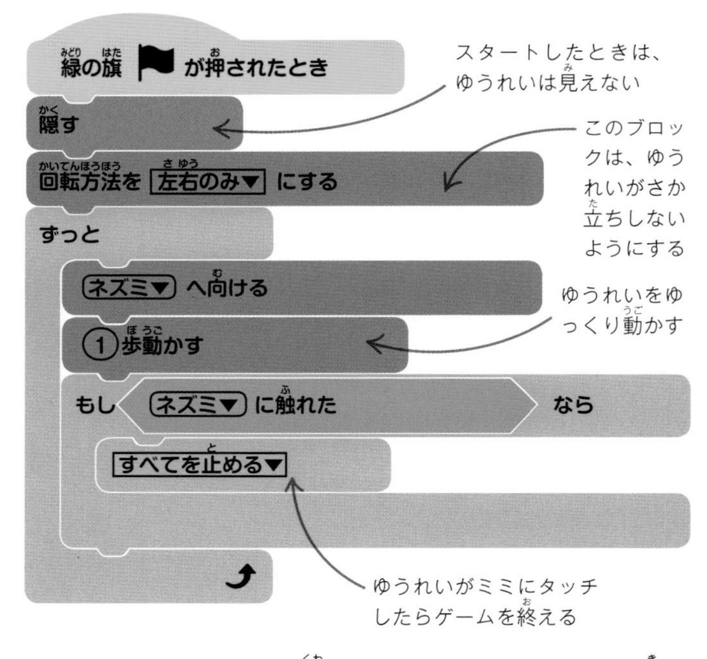

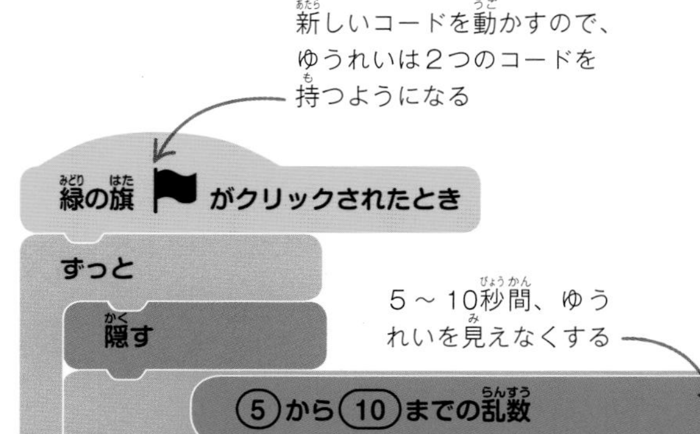

14 もう1つのコードを加えて、ゆうれいがあらわれたり消えたりするようにしよう。ゆうれいが見えている時間はランダムに決まるぞ。「隠す」ブロックがスプライトを見えなくして「表示する」ブロックが見えるようにするんだ。

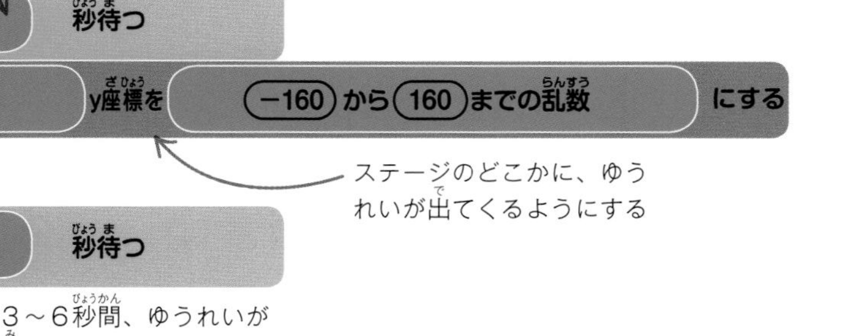

15 次に音が出るようにしよう。スプライトではなく、ステージに音をつけるよ。スプライトリストの右にある「ステージ」をクリックすると、青い線で囲まれる。そうしたら「コード」タブをクリックして、下のコードを作ろう。これは音を鳴らし続けるためのものだ。「終わるまで～の音を鳴らす」というブロックを「音」のブロックパレットからさがそう。

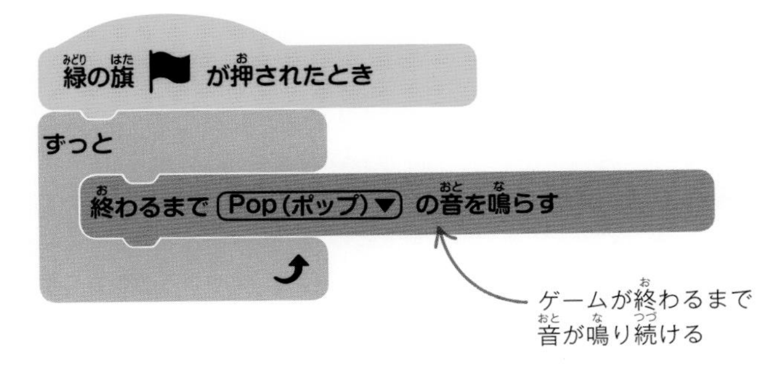

16 ブロックパレットの上の「音」タブをクリックし、スピーカーのアイコンをクリックしよう。音のライブラリーが開くから、「ループ」を選ぶ。まず「Xylo1」をさがしてクリックし、それから「Dance Celebrate」もクリックしよう。

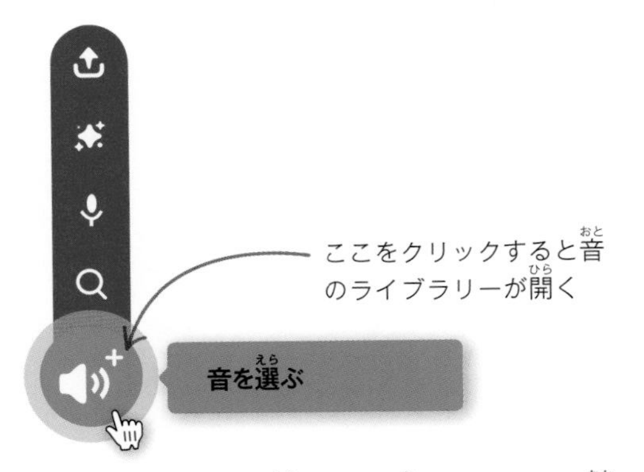

17 次にコードのタブを選んで、「終わるまで～の音を鳴らす」の音を「Pop(ポップ)」から「Xylo1」に変える。ゲームを実行してどんな感じになるか試してみよう。次に音を「Dance Celebrate」に変えよう。君のお気に入りはどれかな？

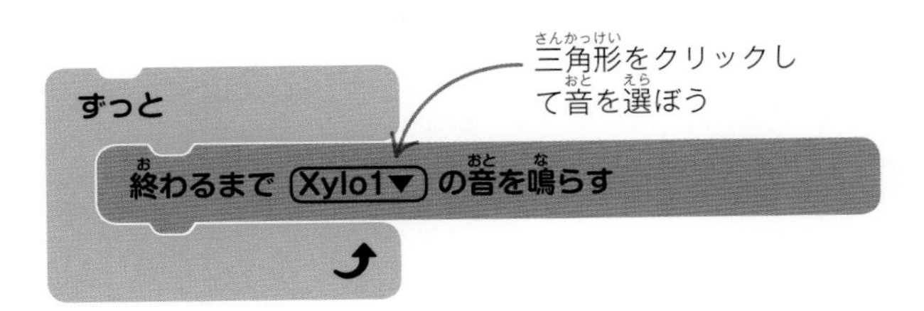

ゲームをデザインする

ゲーム音楽

音が出ないようにしてホラー映画を観ると、それほどこわくないね。ゲームでも同じだよ。音楽がふん囲気を作っているんだ。速いペースで進むゲームでは、テンポのよい音楽でプレイヤーをいそがせる。ホラーゲームでは気味の悪い音楽で不安な気持ちにさせ、陽気で元気のいい音楽で明るいふん囲気にもどす。パズルゲームなら不気味な音楽で、なぞときをもり上げる。プレイするときに音が欠かせないゲームもあるね。プレイヤーがダンスをしたりリズムにあわせてドラムをたたくゲームだ。

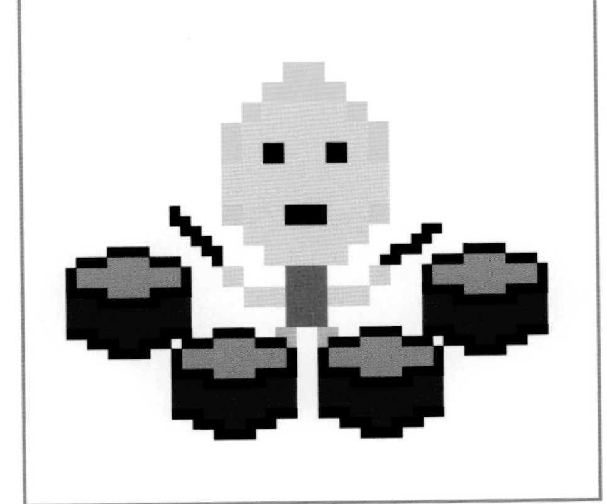

迷路を作る

今のミミはステージ上の好きな所に走っていける。では、迷路を作ったらどうなるだろう？　ある地点から別の地点にかんたんには行けなくなるね。そうなるとこのゲームがさらにむずかしくなるね。

迷路はこちら

18 迷路は背景ではなくスプライトとして作るよ。これは、他のスプライトが迷路のカベにぶつかったかどうかを調べやすくするためだ。チーズをかいたときと同じように、ペイントエディターを使ってかくよ。

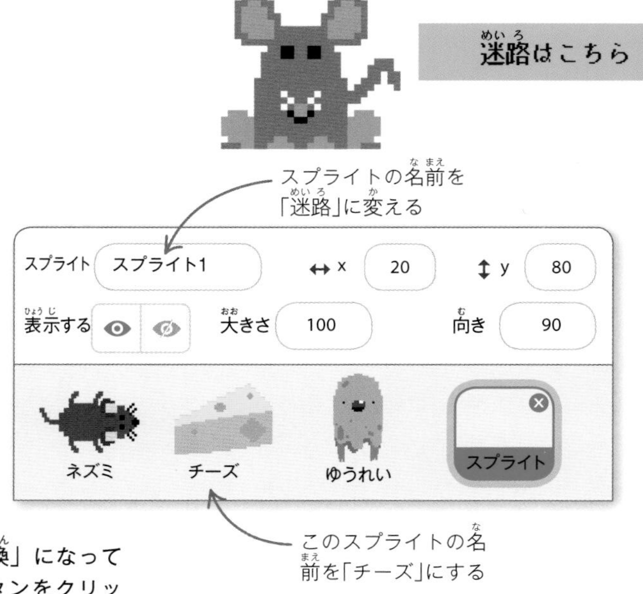

19 ペイントエディターの左下を見て「ベクターに変換」になっていなかったら、「ビットマップに変換」というボタンをクリックする。「直線」のツールを選び、絵を描くスペースの上にある数を20にする。これは線の太さだよ。迷路のカベは、黒やこい青色を選ぼう。

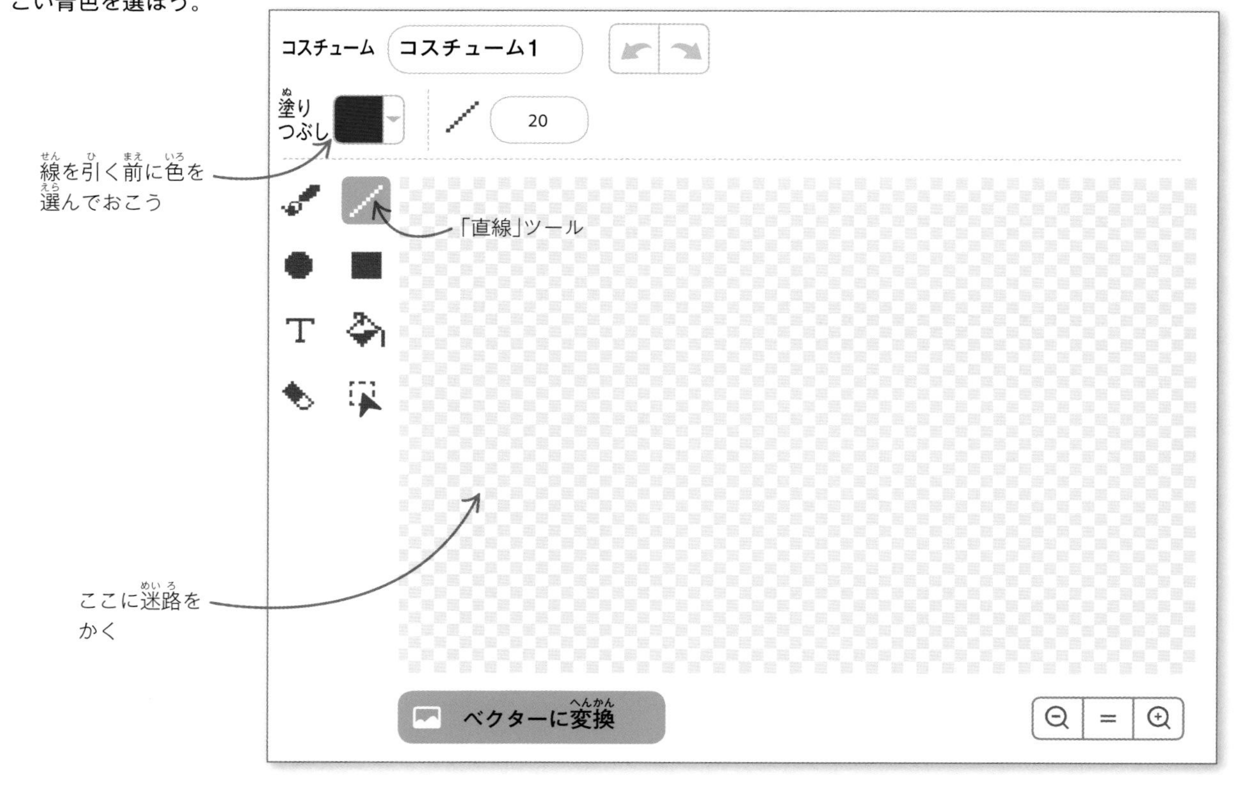

20

それでは、迷路をかいてみよう。まず、格子もようのパレットの「ふち」を線で囲もう。Shiftキーをおしながらかくと、上下左右にまっすぐな線が引けるぞ。それから迷路の中のカベをかこう。

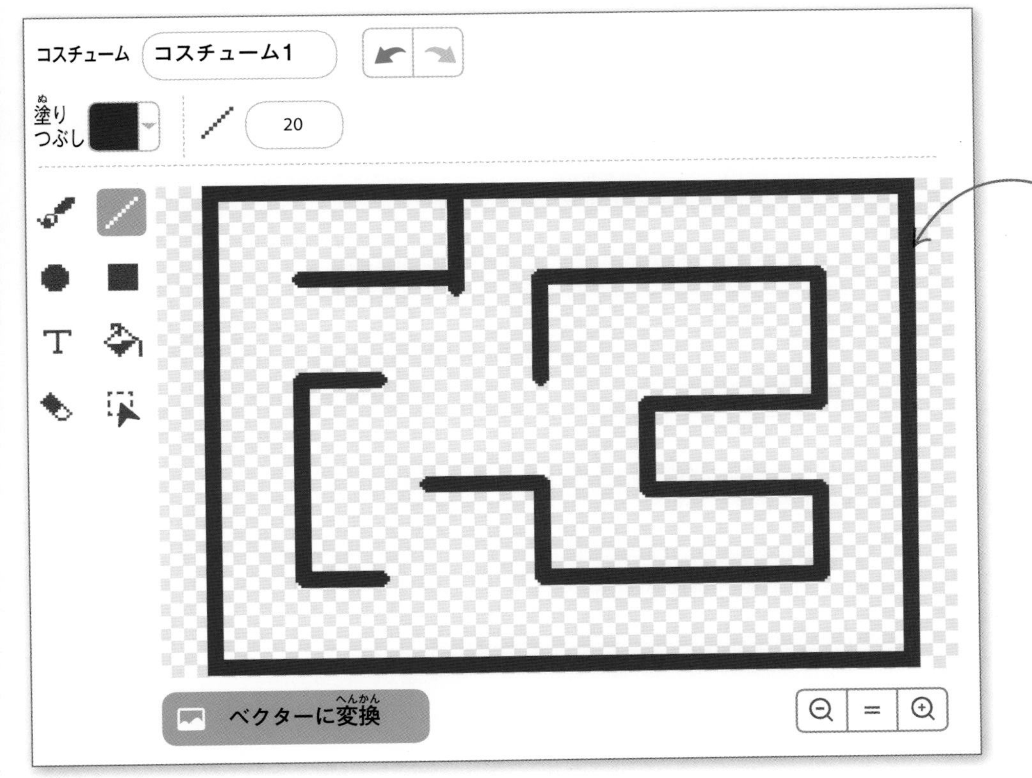

カベはまっすぐにかこう

21

迷路がいつもステージの真ん中に表示されるようにしよう。そうしないと、迷路の一部が見えなくなってしまうぞ。迷路のコードタブを選んで、下のコードを作ろう。

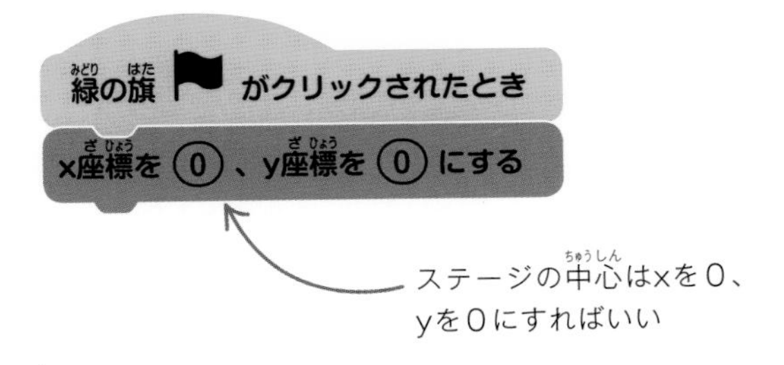

ステージの中心はxを0、yを0にすればいい

22

プロジェクトを動かしてみよう。ミミがカベを通りぬけてしまうぞ！ でも大丈夫。あとで直すことにしよう。

23 ネズミのミミ、ゆうれい、チーズはどれも大きすぎるから、小さくしなければならないね。ミミのコードの最初のところ（「ずっと」ブロックの上）に次のブロックを入れよう。ブロックの中の数字も下のように変えてね。

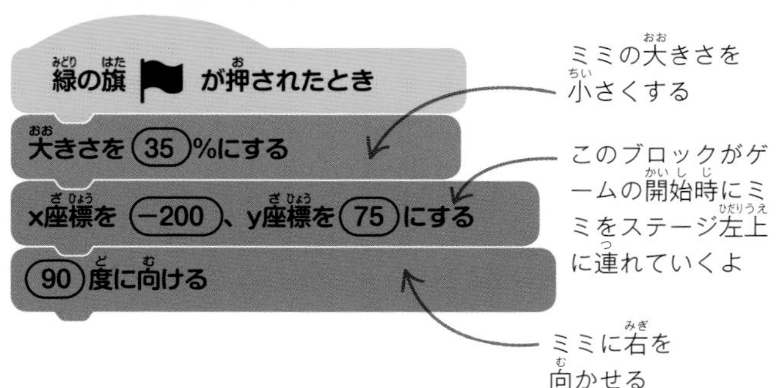

24 むらさき色の「大きさを～%にする」というブロックを、ゆうれいのコードにも入れてサイズを35%にしよう。チーズにも同じブロックを入れるけれど、サイズは自分で調整してね。ミミの倍ぐらいの大きさにしよう。

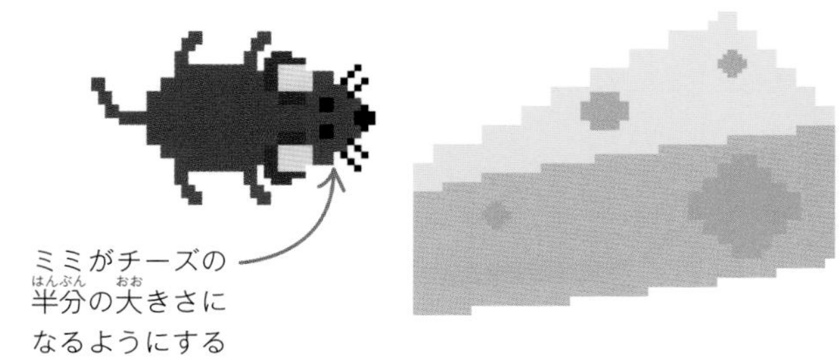

25 ミミがてきの虫（あとで追加するよ）とすれちがうことができるように迷路の道はばを調整する必要があるかもしれないね。迷路を変えるには、迷路のスプライトを選んでからコスチュームのタブをクリックしよう。「消しゴム」でカベを消すか、「選択」で選んでカベを動かすよ。

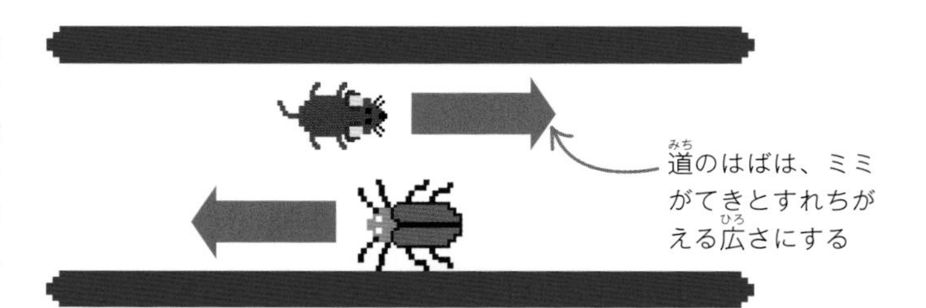

26 カベを消したときに、はしが残らないよう気をつけよう。ミミがぶつかると止まってしまうぞ。つき出たところは消してしまおう。

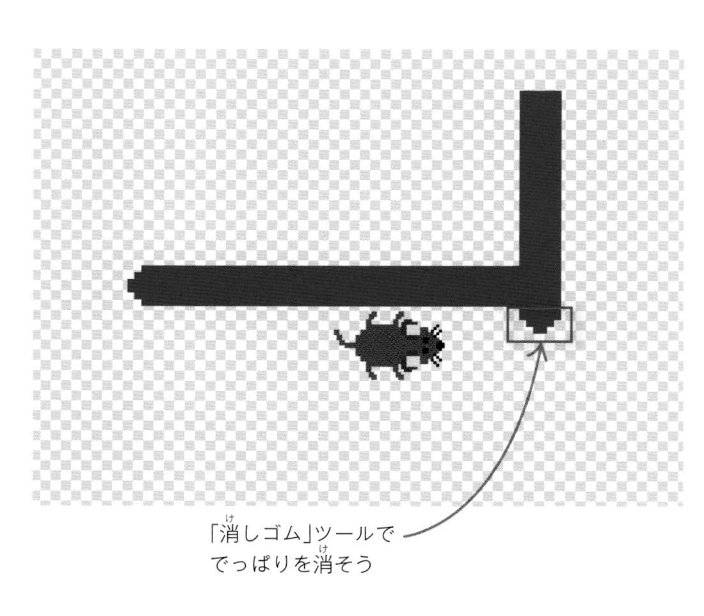

27 背景に色をぬってみよう。画面右下の「ステージ」という部分にある筆のアイコンをクリックすると、背景用のペイントエディターが開く。左下に「ベクターに変換」と表示されているかチェックしよう。

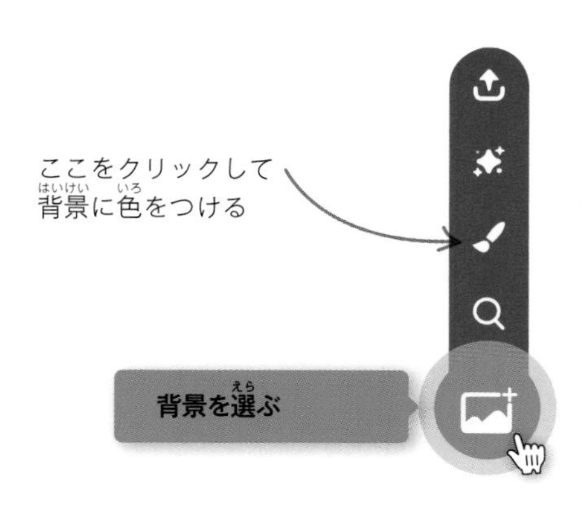

28 色を選んでから「塗りつぶし」をクリックし、さらに背景の上でクリックすれば、全体が選んだ色でぬりつぶされるよ。

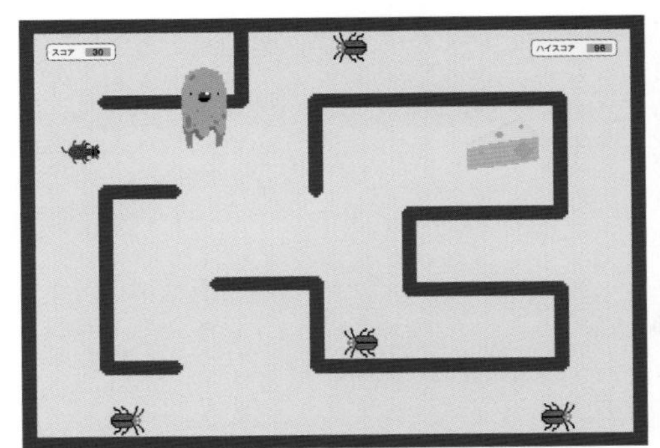

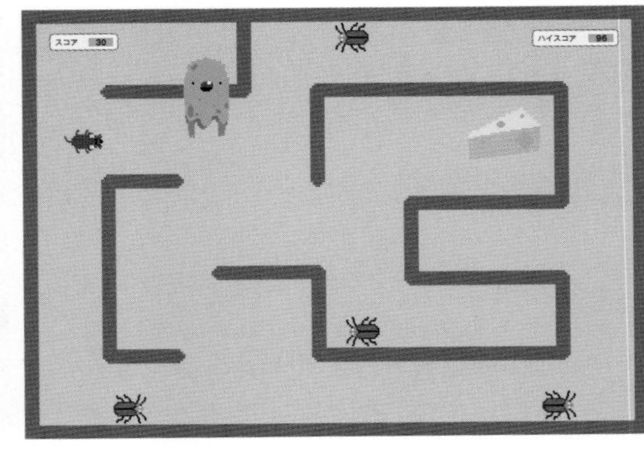

色を変えてみて、どれが一番見やすいかチェックしよう

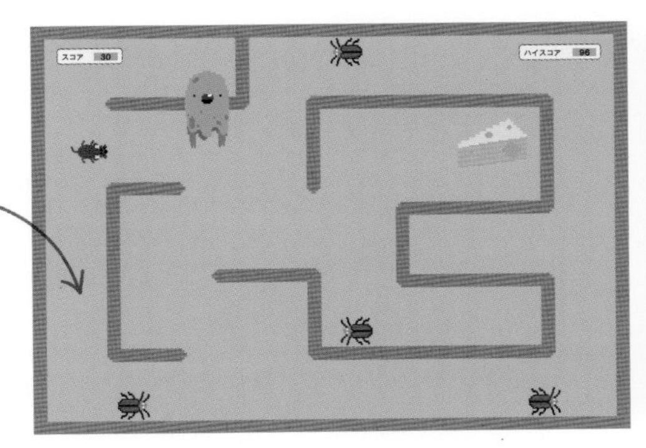

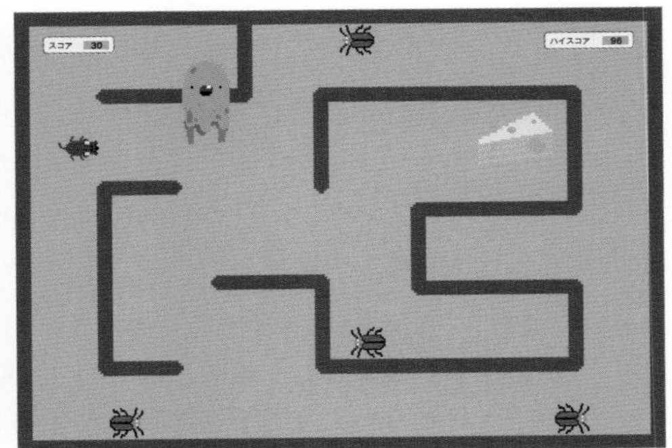

ゲームをデザインする

迷路の作り方

カベの置き方で、ゲームのむずかしさが大きく変わるよ。迷路だと、そのことがよくわかるね。

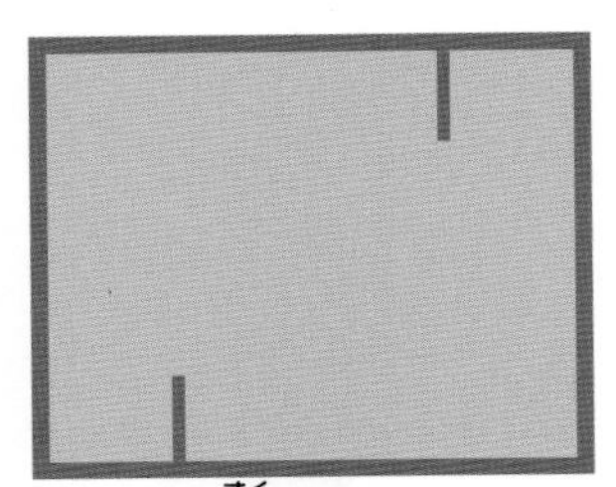

▲カベが少ない

どちらの方向にも、ほとんどじゃまされずに動けるね。この場合、ゲームをむずかしくするには、てきの動きを速くするか数をふやすんだ。

カベのせいで自由に動けない

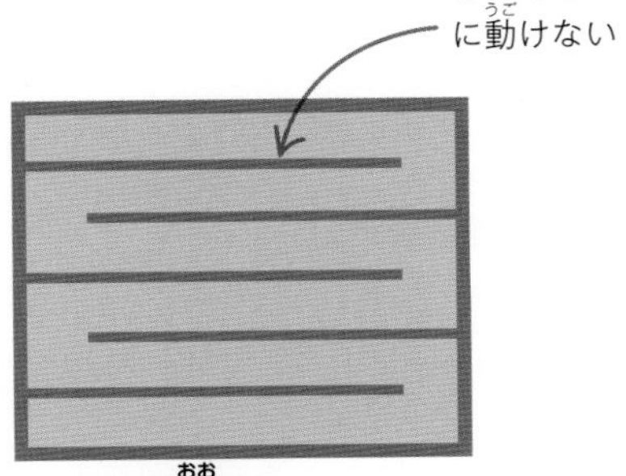

▲カベが多い

プレイヤーは決まったコースしか動けないぞ。てきの数が1つだけでも、とてもむずかしいゲームになる。プレイヤーはてきからどうにげるか、いつも先のことを考えないといけないね。

▲バランスがとれている

カベの数はこのくらいがちょうどいいぞ。プレイヤーの動きをじゃましているけど、自由に動ける場所もあるのでゲームがおもしろくなるよ。

ミミと迷路

今のままだと、ネズミのミミはゆうれいのようにカベを通りぬけて真っ直ぐに進んでいける。ミミが迷路の中の道だけを動けるようにしたいね。ミミのコードを変えることにしよう。

29 スプライトリストでミミを選び、コードエリアの空いている場所に右のコードを作ろう。この1組のブロックは、ミミがカベにぶつかったときにあともどりさせるんだ。

30 29番で作ったブロックを、ミミのコードに組みこむよ。ブロックをコピーするには、この1組のブロックの上で右クリック（マッキントッシュならコントロールキーをおしながらクリック）して、メニューから「複製」を選ぼう。できたコピーを「5歩動かす」のブロックのあとに1つずつ入れるんだ。全部で4カ所に入れるよ。

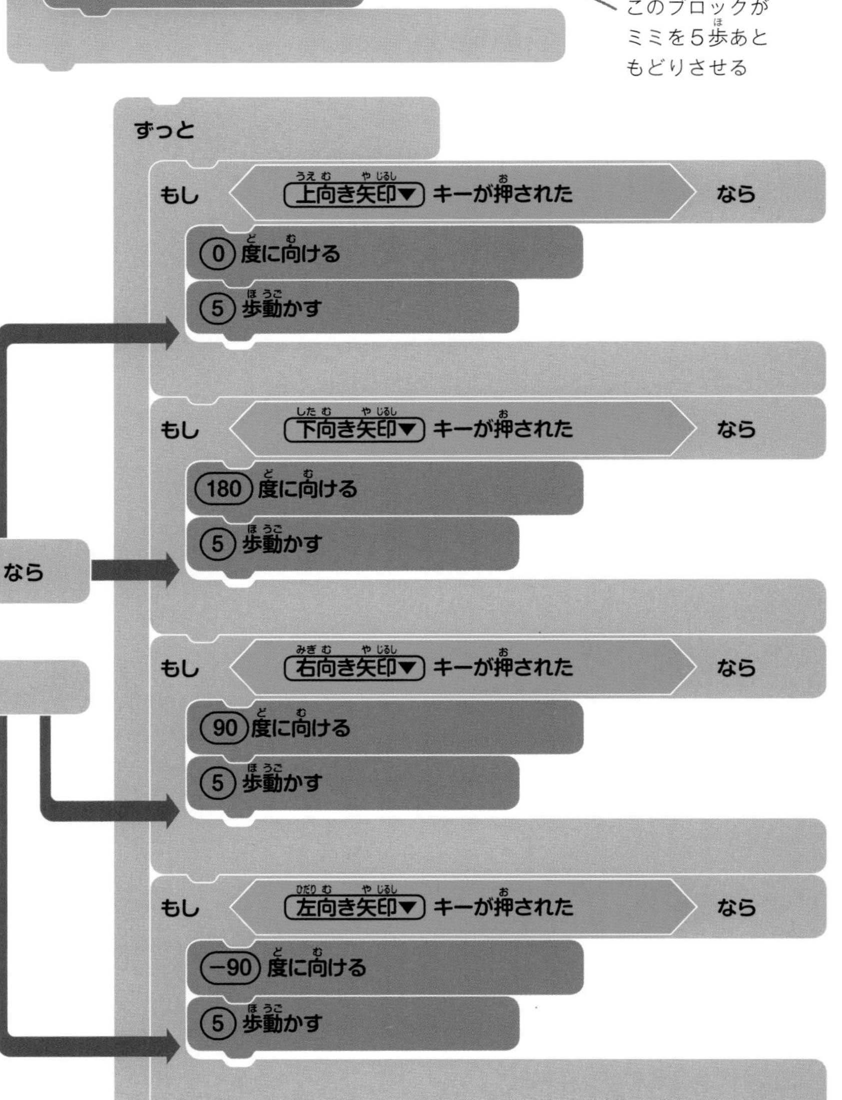

もし 迷路▼ に触れた なら
−5 歩動かす

この新しい1組のブロックを、右のコードの4カ所に入れる

▶どのように動くのか

なぜミミが５歩あともどりしなければならないのか、不思議に思うかもしれない。理由は、ミミが５歩ずつ前に進んでいるからなんだ。５歩進んだあとで５歩もどると、前と同じ場所にいることになる。このような動きを、とても速いスピードで行うので、まるで同じ場所に止まっているように見えるんだ。

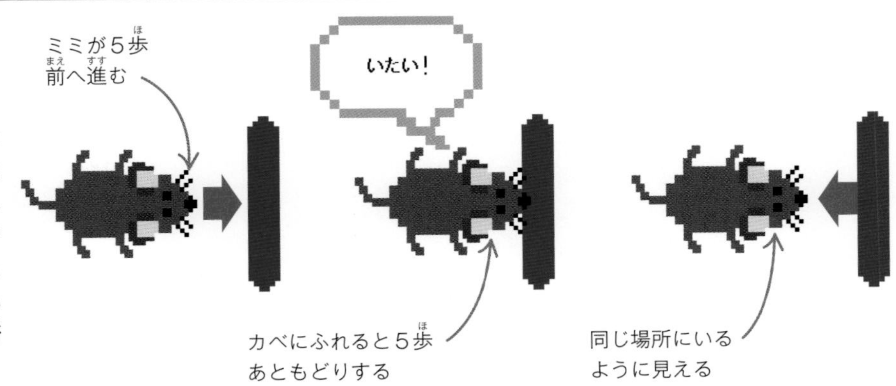

31 ミミが向きを変えたときに、しっぽや足がカベにふれると身動きできなくなるね。これはバグなので、ミミのコスチュームをペイントエディターでかき変えて直そう。

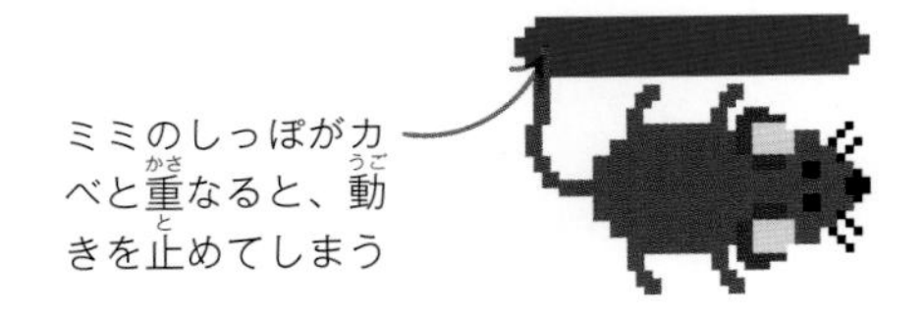

32 スプライトリストからネズミを選び、コスチュームのタブをクリックする。左下の「ビットマップに変換」ボタンをおし、「消しゴム」ツールでミミのしっぽを短くしよう。

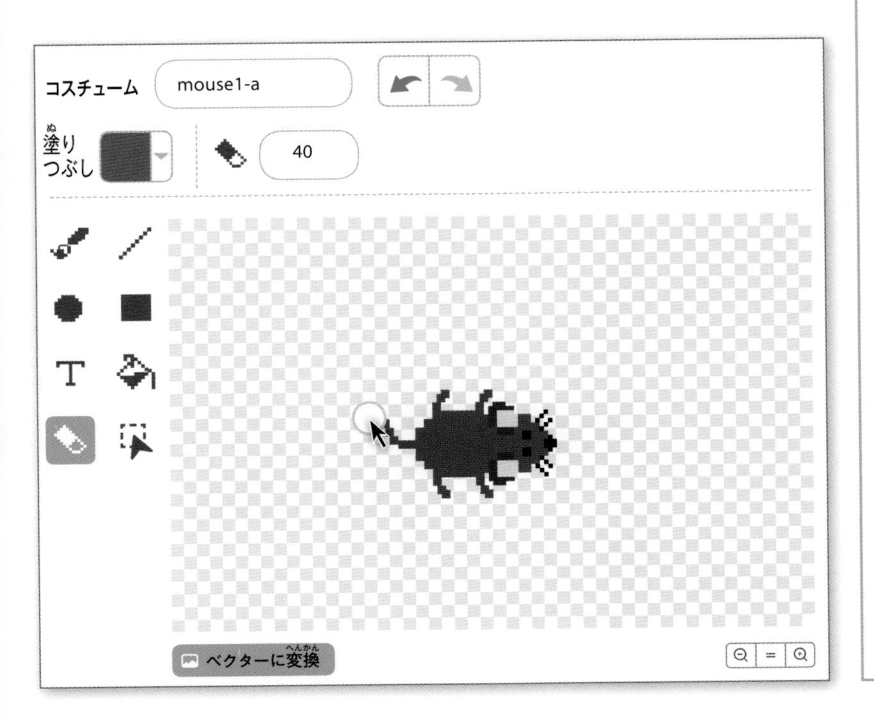

うまくなるヒント

境界ボックス

ゲームを作るときの大きな問題の１つが、ふくざつな形のスプライトが何かにぶつかったか判定することなんだ。二次元のかんたんなゲームでも、このしょうとつ判定はやっかいだよ。よく使われる解決方法が「境界ボックス」だ。スプライトのまわりを、目に見えない長方形や円が囲んでいると考える。この図形が何かと重なったら、ぶつかったということにするんだ。

虫が大発生

いよいよミミの一番のてきが登場だよ。小さな虫が迷路の中をチョコチョコ動き回るんだ。ミミが虫にぶつかったらゲームオーバーだ。

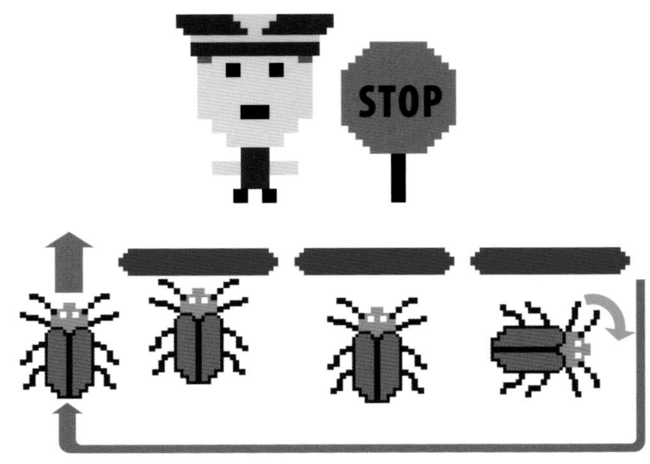

33 虫を自動的に動かすための手順をアルゴリズムとよぶよ。ここで使うアルゴリズムは、それぞれの虫がカベにぶつかるまで前に進むようになっている。カベにぶつかったら止まって向きを変え、また前に進むぞ。

34 顔のアイコンをクリックしてライブラリーを開き、「Beetle」のスプライトを選ぶ。名前は「虫」に変えよう。

スプライトリストの中で「Beetle」が選ばれ、青い線で囲まれている

35 下のようなコードを作ろう。「ずっと」ループを使って虫を動かし、カベにぶつかったときは「もし～なら」の中のブロックで、虫を止めて右を向かせるようになっているね。

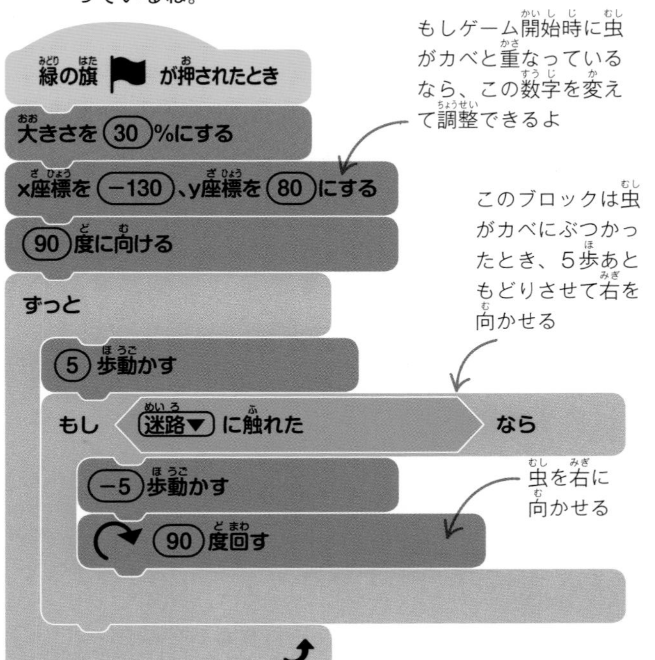

36 コードを動かしてみよう。うまく動かないかもしれないね。虫はいつも右に曲がるから同じルートをぐるぐる回ることになる。そこで「～から～までの乱数」のブロックを使って虫が右にも左にも曲がるようにしよう。空いている場所にこのブロックをドラッグしてきて、2番目の数字を2にしよう。

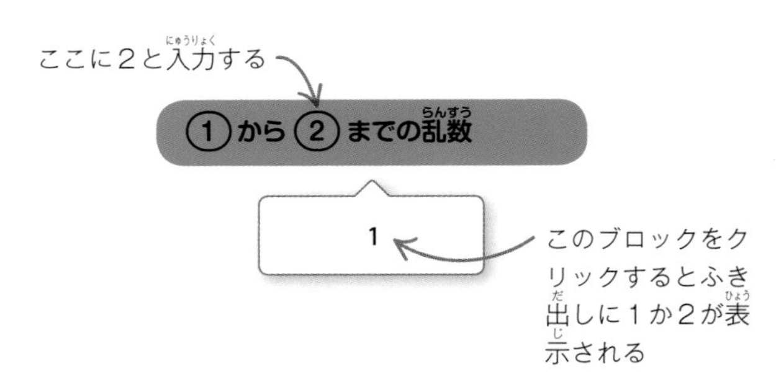

37 乱数のブロックを「＝」のブロックの最初のウィンドウに入れるよ。でき上がったブロックを今度は「もし～なら… でなければ」のブロックに組み入れよう。

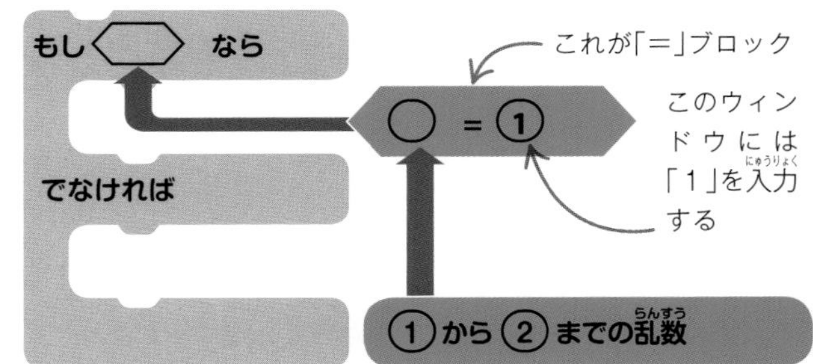

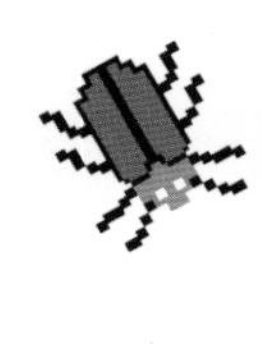

38 「90度回す」というブロックを2つ使って、虫が左右どちらにも向くようにしよう。下のコードをよく見てみよう。どのように虫を動かそうとしているかわかるかな？

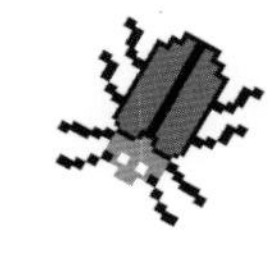

39 虫のコードの「90度回す」のブロックの代わりに、さっき作った「もし～なら… でなければ」のブロックを入れよう。プロジェクトを動かして、何が起きるか見てみよう。ミミが虫とすれちがうための道はばがあるかチェックだ。もしはばがせまければ、ペイントエディターで迷路をかき変えよう。

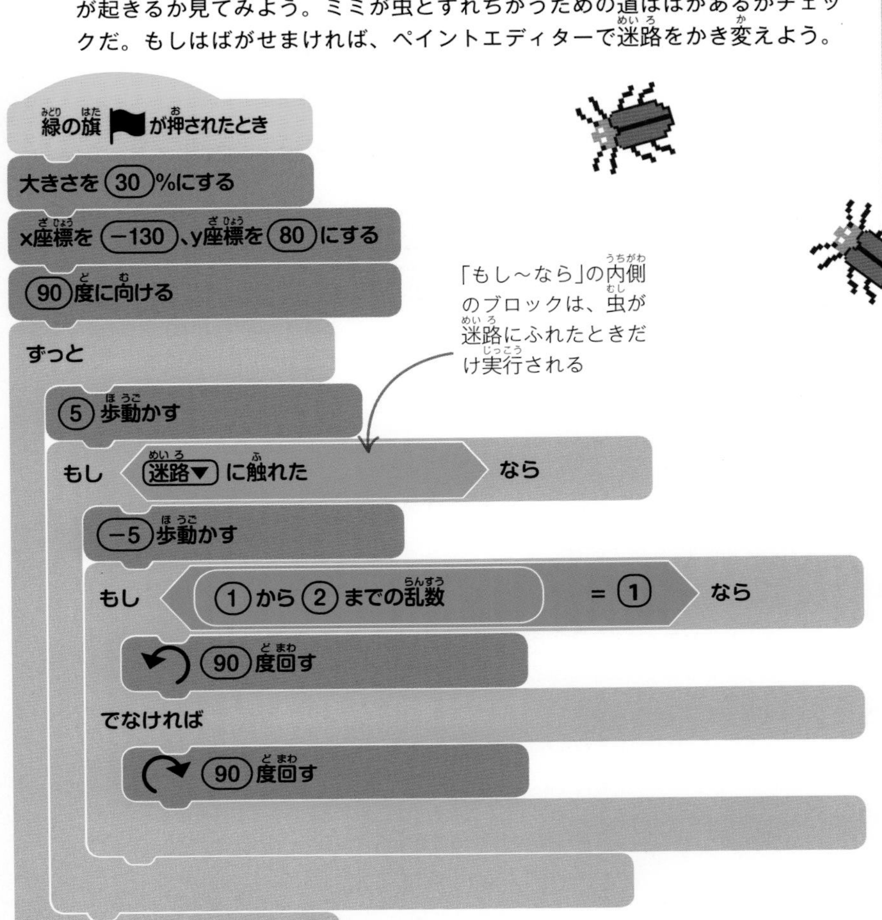

うまくなるヒント

もし～なら… でなければ

このブロックは「もし～なら」のブロックにもう1つ口がついたような形だ。「もし～なら」ブロックは、質問への答えが「はい」の場合だけ、はさんでいるブロックを実行したね。「もし～なら… でなければ」ブロックは、2組のブロックをはさんでおける。質問の答えが「はい」なら初めの、そうでないなら2つ目の口の中のブロックが実行される。どのプログラミング言語にも、このような働きをするものがあるんだ。

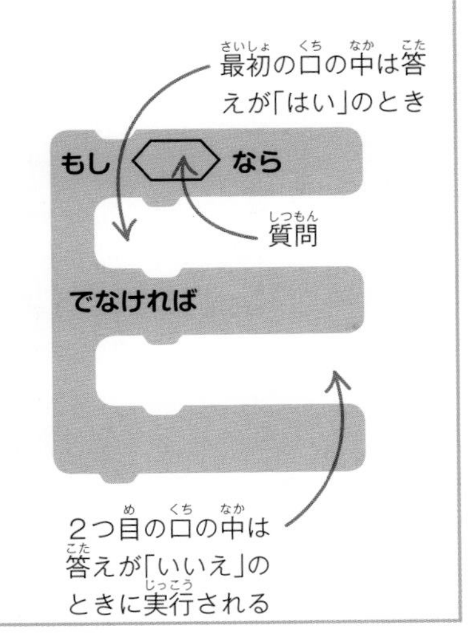

メッセージを送る

次は、ミミが虫にぶつかるとゲームオーバーになるようにしよう。スクラッチではスプライト同士がメッセージをやりとりして、それをきっかけにコードブロックを動かすこともできる。虫からミミにメッセージを送って、ミミのコードを止めるようにしよう。

40 下のように「もし～なら」のブロックを虫のコードに組み入れよう。この新しいブロックは、虫がミミにふれたかを調べて、もしふれたならメッセージを送るようになっているぞ。

41 メッセージにも名前をつけよう。「～を送る」のメニューから「新しいメッセージ」を選び、「ゲームオーバー」と入力しよう。

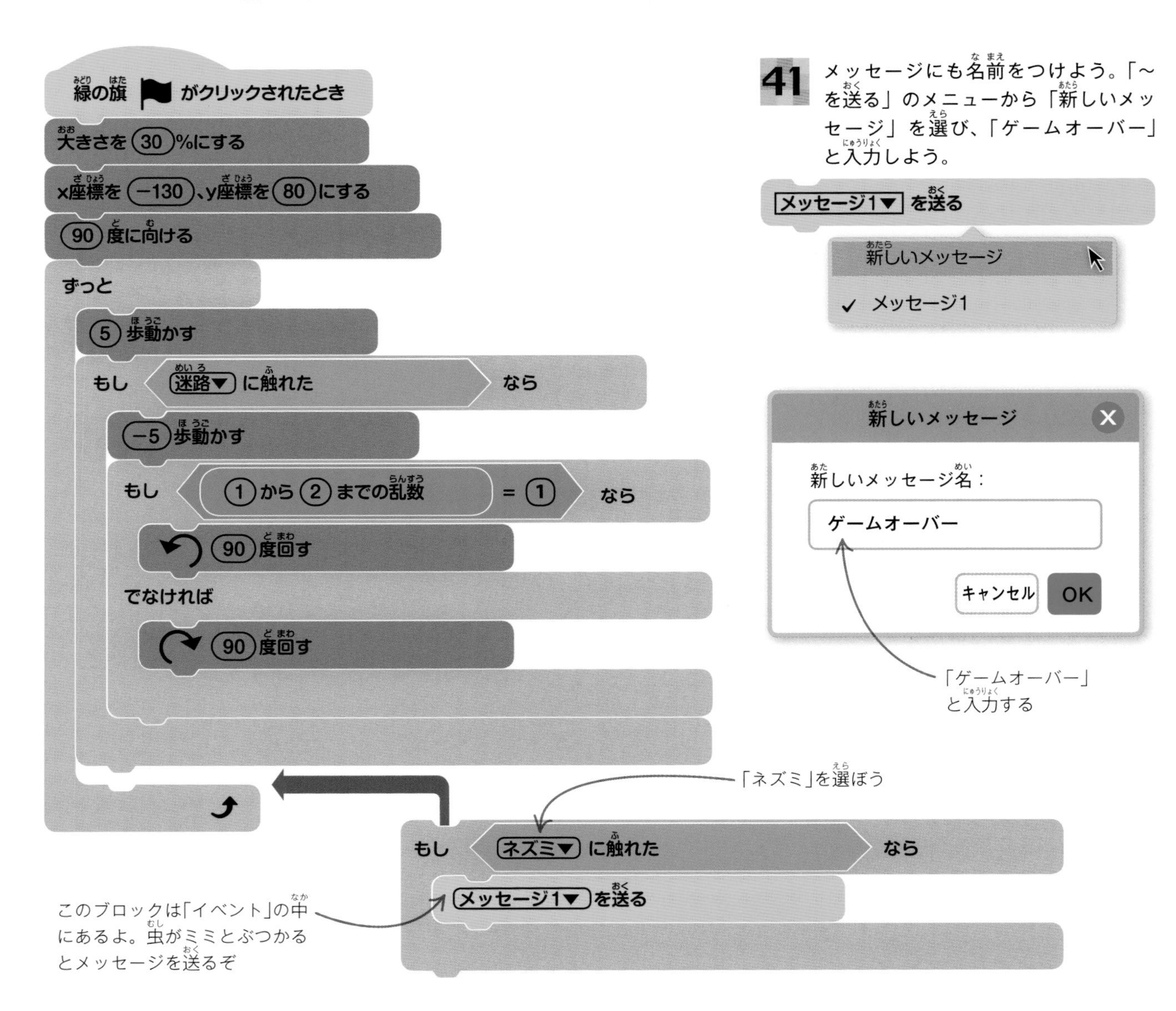

42 ミミのコードが、メッセージを受け取れるようにしよう。ミミのコードエリアの空いているところに、右のようにブロックをドラッグしてくる。このままプロジェクトを実行すると、虫にふれたミミは動きを止めるけれど、虫は動き続ける。あとでステージに「ゲームオーバー！」と表示するために、もう一度メッセージを使うよ。

```
[ゲームオーバー▼] を受け取ったとき
[スプライトの他のスクリプトを止める]
```

すべてを止める
このスクリプトを止める
✓スプライトの他のスクリプトを止める

このブロックがミミのコード（スクリプト）を止める

43 もっと虫をふやしてみよう。虫のスプライトを選んで右クリックし、メニューから「複製」を選ぼう。新しく虫を3びき追加しよう。新しい虫は、最初の虫と同じコードを持っているぞ。さあ、プロジェクトを動かしてみよう。

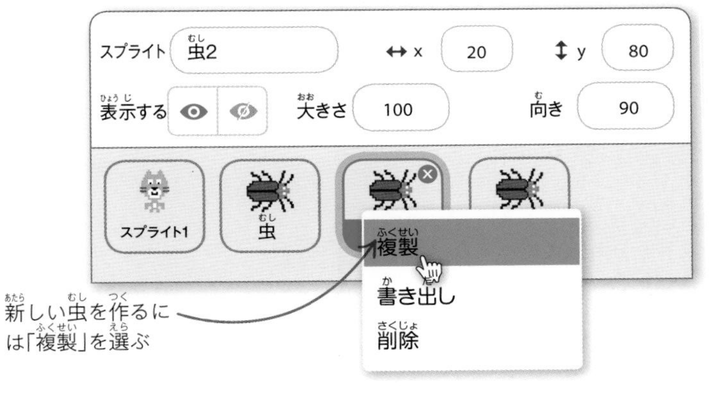

新しい虫を作るには「複製」を選ぶ

44 虫ごとに「x座標を〜、y座標を〜にする」ブロックの数字を変えないと、虫がすべて同じ場所からスタートすることになる。ゲーム開始時には、虫が迷路のあちこちにいた方がいいぞ。さあ、数字を変えて実験だ！

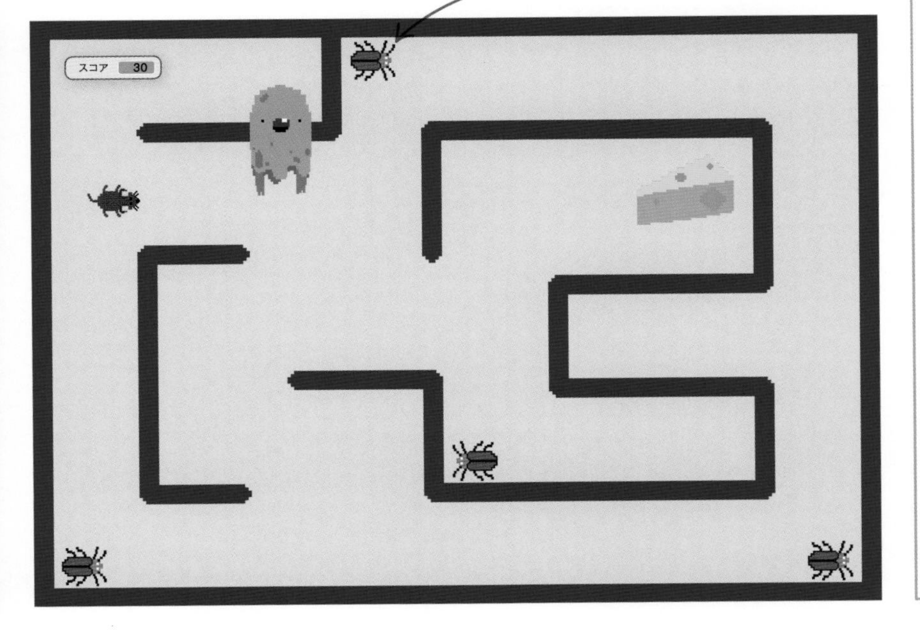

スタート時には虫が迷路の角にいる

うまくなるヒント

メッセージ

ネズミのミミが虫にふれたかを「もし〜なら」ブロックでチェックすることもできるけれど、虫の数と同じ4つの「もし〜なら」ブロックをミミのコードに入れる必要があるんだ。メッセージを使えば、ミミのコードを変えずにてきの数をふやせるね。

ハイスコア

プレイヤーが出した最高点を記録して競争できるようにすると、もっとゲームがおもしろくなるね。スコアをカウントするのと同じようにして、ハイスコアのための変数を作り、ステージに表示するようにしよう。

45 ブロックパレットで変数を選び、「変数を作る」をクリックする。新しい変数には「ハイスコア」という名前をつけよう。新しいブロックがあらわれ、ステージ上にハイスコアのカウンターが表示される。カウンターの位置は、ドラッグすれば自由に変えられるよ。

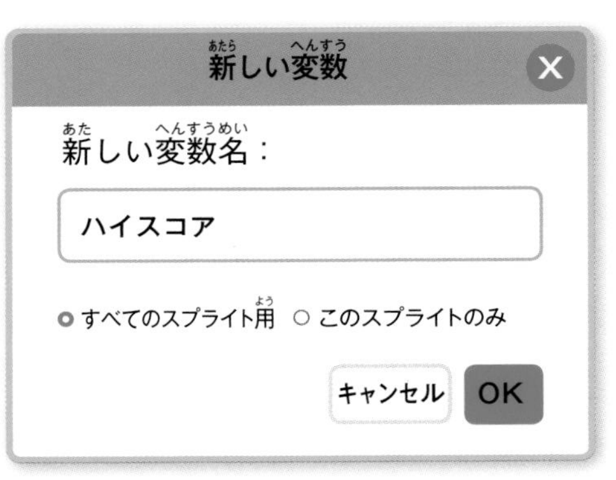

46 チーズのスプライトの「ずっと」ループの中にブロックを追加しよう。プレイヤーがポイントを得るたびにそれまでのハイスコアよりも高いスコアになったかをチェックするんだ。プロジェクトを実行して、だれがハイスコアを出すか競争だ。

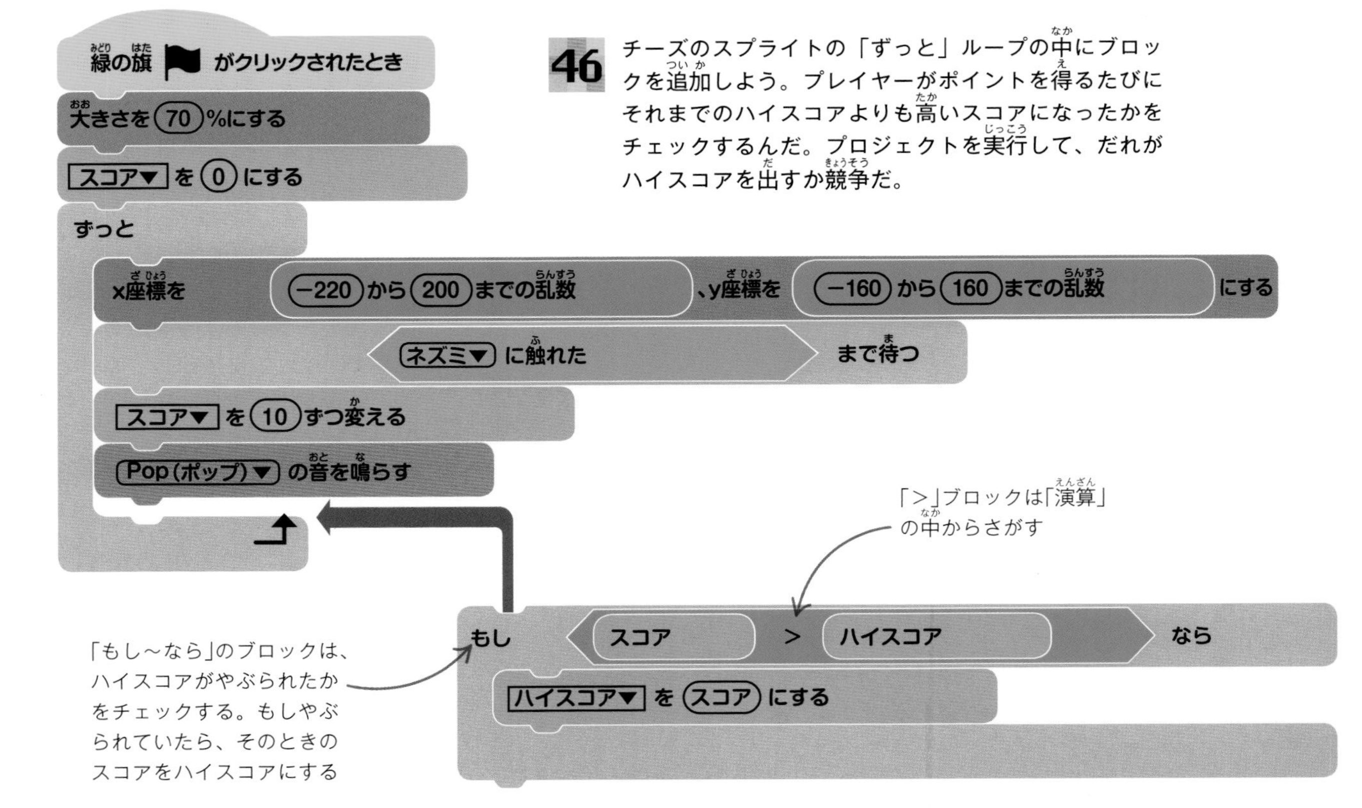

ゲームオーバー！

「ゲームオーバー」のメッセージが送られると、ネズミのミミは動きを止めるよ。ゲームオーバーになると、「ゲームオーバー！」という大きな文字が表示されるゲームが多いね。「ゲームオーバー！」というスプライトを作って、メッセージが流れたらステージの上に出てくるようにしよう。

47 スプライトリストで筆のアイコンをクリックして、ペイントエディターを開こう。左下に「ベクターに変換」と表示されているじょうたいで長方形をかき、黒やこい青などの暗い色でぬりつぶす。次に「ビットマップに変換」に変えてから明るい色を選び、テキストツールで長方形の中に「ゲームオーバー！」と書きこもう。「選択」で文字を選び、小さな四角をクリックしてドラッグすれば、文字の大きさを変えられるよ。

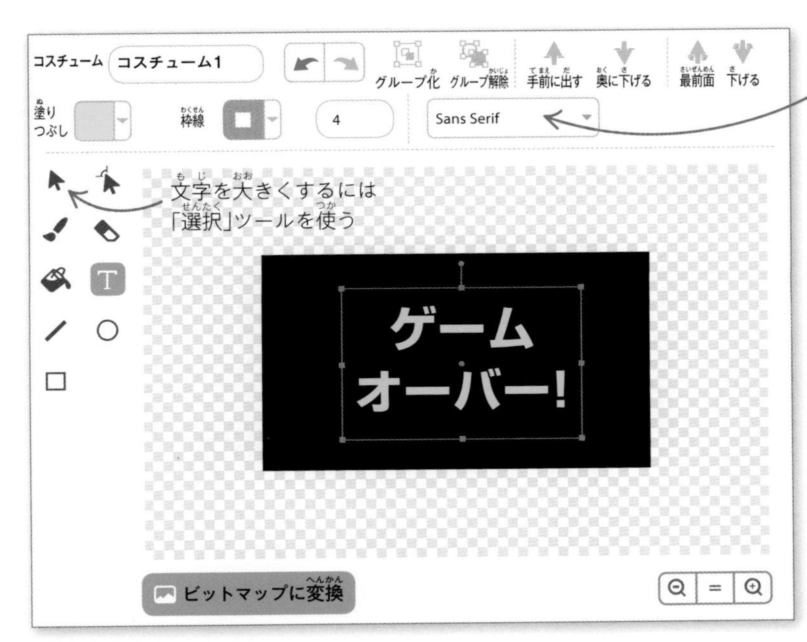

48 「ゲームオーバー!」の文字はコードを使って見えなくしておこう。コードタブをクリックして、右のようなコードを作ろう。

```
緑の旗 が押されたとき
隠す
```

49 次に、ゲームが終わったときに文字を表示するコードを作るよ。ミミの動きを止めたのと同じメッセージで起動するようにしよう。

```
[ゲームオーバー▼] を受け取ったとき
x座標を (0)、y座標を (0) にする
[最前面▼] へ移動する
表示する
```

ステージ中央に「ゲームオーバー！」という文字を表示する

他のスプライトよりも文字を前に表示する

50 ゲームをプレイしてみよう。虫につかまると「ゲームオーバー！」と表示されるね。ゆうれいにつかまった場合にも同じように表示するには、ゆうれいのコードの「すべてを止める」ブロックを「ゲームオーバーを送る」に変えればいいよ。

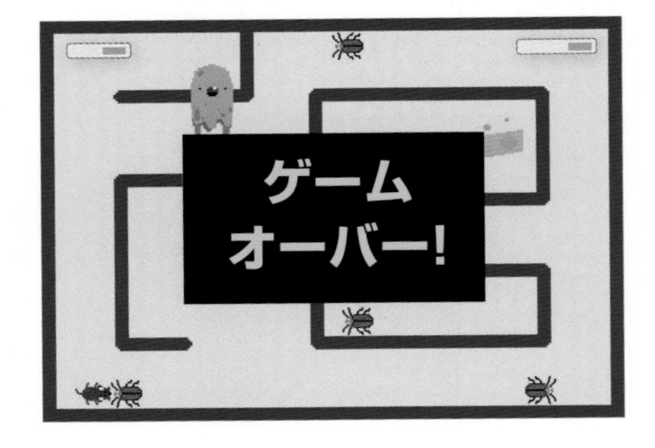

ゲームを改造する

ゲームのルールやスプライトの動き方を変えて「チーズをさがせ！」を改造してみよう。大改造して、まったくちがう種類のゲームにすることもできるよ。

◀遊んでみる
何度もプレイして、どのようにスプライトが動くか、どのように改良できるかを考えてみよう。他の人にプレイしてもらうのもいいぞ。うまく調整するには、いろいろなところに手を入れなければならないよ。

▲音を加える
「～の音を鳴らす」ブロックで効果音をつけて、ゲームをにぎやかにしよう。ゆうれいが出たとき、ゲームが終わったとき、ハイスコアを出したときなんかが音を鳴らすいいタイミングだ。スクラッチの音ライブラリーにはいろいろな音が入っているぞ。

▶タイミングを変える
「チーズをさがせ！」は「スター・ハンター」よりもむずかしく感じるかもしれない。そんなときは虫の動き方をゆっくりにするか、ゆうれいがあらわれる時間を短くしよう。ミミが動くスピードを上げることもできる。虫ごとに動くスピードを変えてもいいぞ。

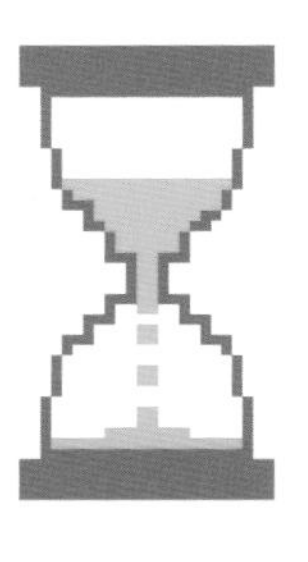

▶パワーアップ
パワーアップのためのアイテムを迷路に置いておき、ミミがふれたらすべてのてきを10秒間消してしまおう。この10秒の間、ミミはてきを気にせず自由に動けるぞ。てきが10秒間だけすがたを消すための新しいコードブロックをてきの１つ１つに追加する必要があるね。

▼チーズを消す
さらにむずかしくするため、チーズが10秒ごとに別の場所にうつるようにしてみよう。チーズに下のコードブロックを追加すればいいね。「ずっと」ループの中に「10秒待つ」のブロックを入れて、「x座標を～、y座標を～にする」のブロックはメインのコードからコピーしよう。

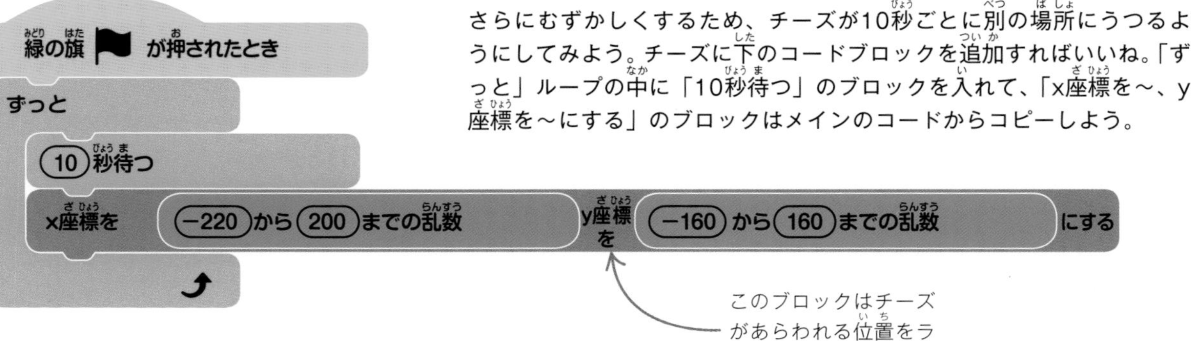

このブロックはチーズがあらわれる位置をランダムに決める

▶カベにさわれないようにする

ミミがカベにさわってもゲームオーバーになるようにしてみよう。迷路にコードを加えて、ミミがカベにふれたら「ゲームオーバーを送る」ようにするんだ。これでゲームはとてもむずかしくなるよ。もっとむずかしくしたければ、プレイヤーがキーボードではなくマウスで操作するようにしよう。

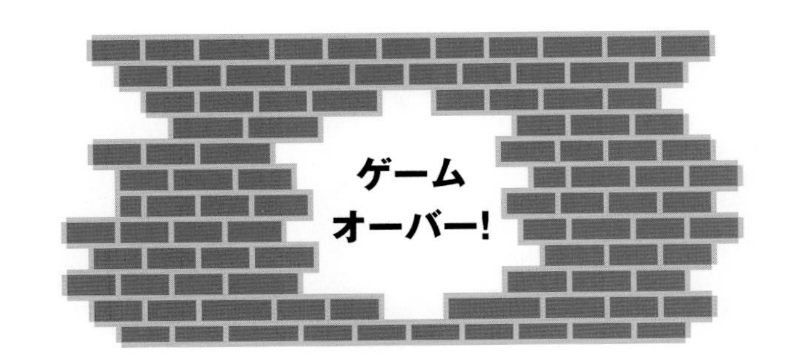

ゲームの説明

プレイヤーにはゲームを始める前に、わかりやすいルール説明が必要だ。ここではゲームの説明を書くための方法を3つしょうかいするよ。

▼説明のためのスプライト

ペイントエディターを使って、説明文を表示するスプライトを作ることもできる。下のコードを使えば、ゲーム開始時に説明文を表示して、プレイヤーがスペースキーをおすと説明文を消すようにできるよ。

▼プロジェクトのページ

最もかんたんな方法は、プロジェクトのページの「使い方」に説明文を入力することだ。オンライン版のスクラッチのアカウントにログインする必要があるよ。

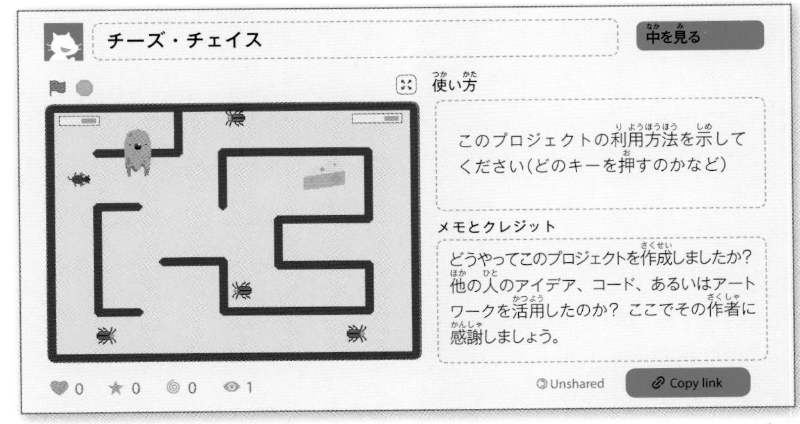

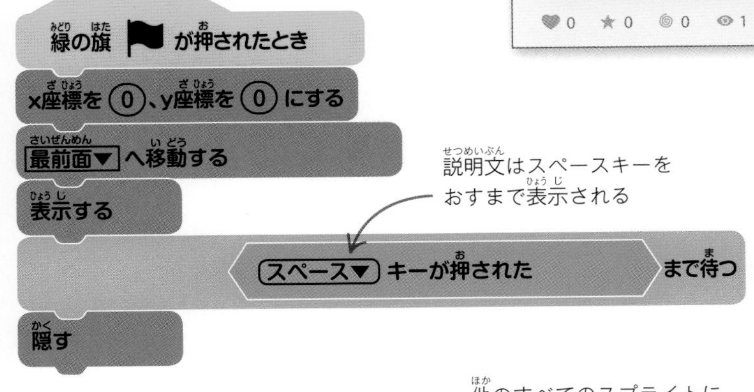

緑の旗 が押されたとき
大きさを 35 %にする
スペース▼ キーが押された まで待つ

他のすべてのスプライトに「〜まで待つ」ブロックを加えよう。これで、プレイヤーがゲームを始めるまでスプライトは動かないよ

▼ふき出し

ふき出しを使えば、ゲームのキャラクターが説明をしてくれる。ミミのコードの最初の方に「〜と言う」ブロックを入れてみよう。てきのコードに「〜まで待つ」のブロックをわすれずに入れよう。そうしないとプレイヤーが操作する前にゲームオーバーになるかもしれないぞ。

サークル・ウォーズ

サークル・ウォーズの作り方

このゲームでは、すばやい反応が重要になるよ。君は赤いサークル（円）に追いかけられながら、緑のサークルをつかまえるんだ。スクラッチのクローンという機能を使って、1つのスプライトからたくさんのコピーが生まれるようにしているぞ。

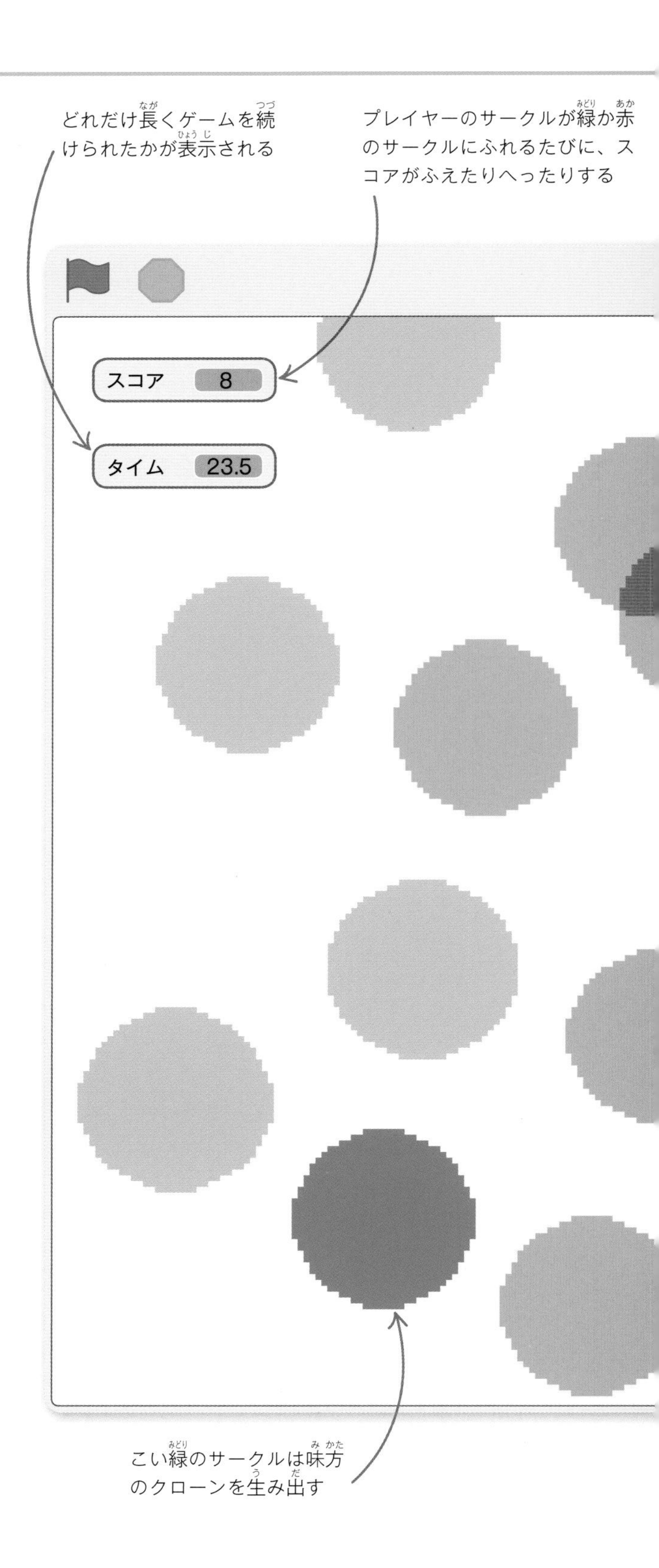

ゲームの目的

マウスを使い、青色のサークル（円）をステージの中で動かして、うすい緑色のサークルを集めよう。でも赤色のサークルがゾンビの大群のように、近よってくるよ。緑と赤の色のこいサークルが、ステージ上を動きながらクローンを生み出している。スコアが20ポイントをこえると勝ち、－20ポイントより低くなると負けだ。

◀プレイヤー

プレイヤーは青いサークルだ。すばやく動かないと、すぐにてきのサークルにもみくちゃにされてしまうぞ。

◀味方

味方のサークルは緑だ。青いサークルがふれるたびにポイントが入り、緑のサークルはポップ音とともに消えるんだ。

◀てき

赤いサークルには近よらないようにしよう。さわってしまうとシンバルの音がして、3ポイントがスコアから引かれるぞ。

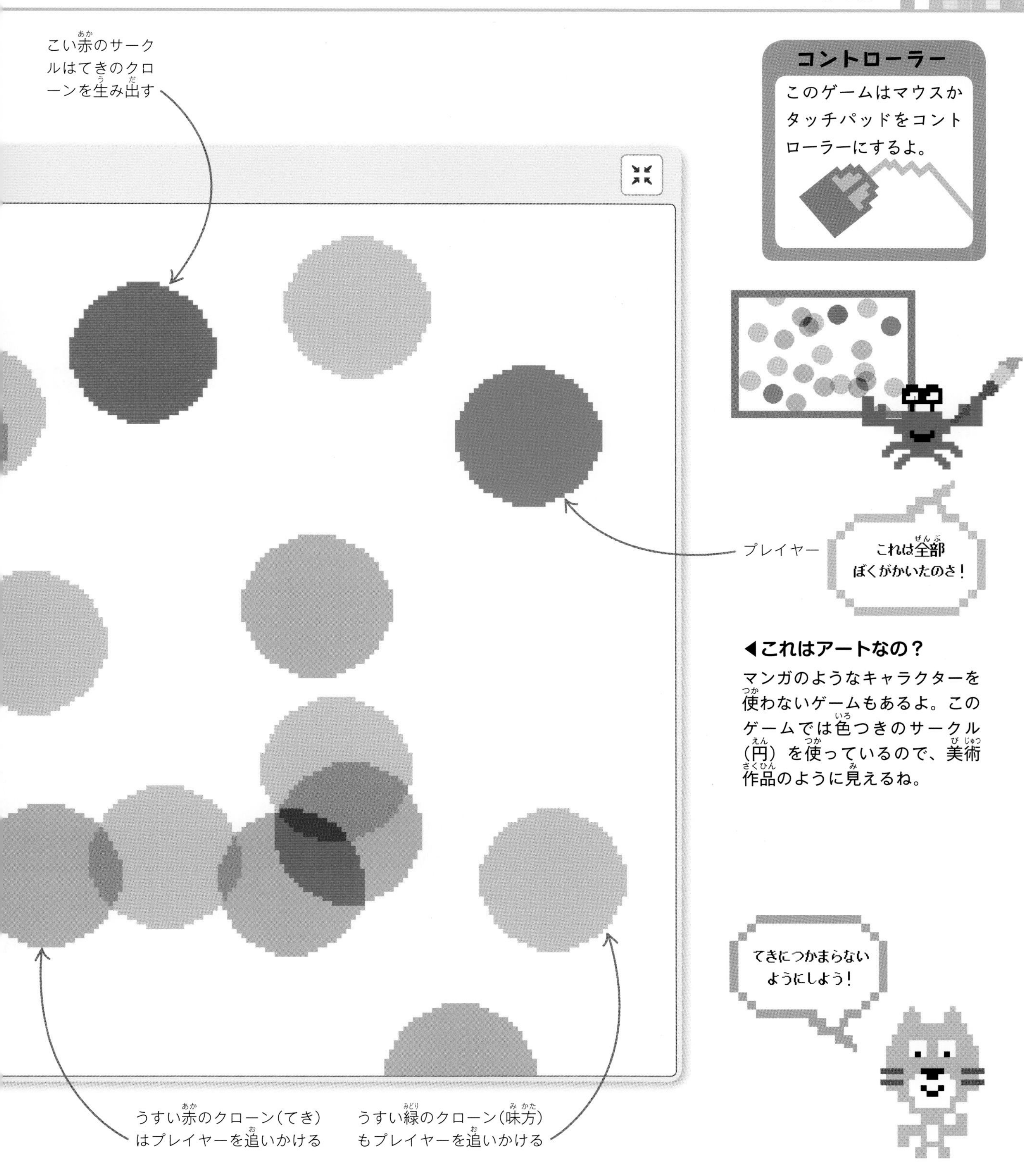

コントローラー

このゲームはマウスかタッチパッドをコントローラーにするよ。

◀これはアートなの？

マンガのようなキャラクターを使わないゲームもあるよ。このゲームでは色つきのサークル（円）を使っているので、美術作品のように見えるね。

スプライトを作る

最初にやらなければならないのは、3つのサークルを作ることだ。君の好きなように色を変えてみるのもいいね。まずプレイヤーのキャラクターになる青いサークルを作ろう。

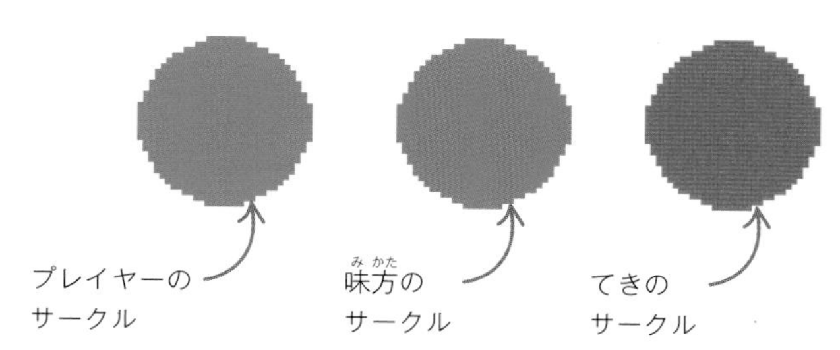

1 新しいプロジェクトを開始して「サークル・ウォーズ」という名前をつけよう。まず新しいスプライトを作るよ。

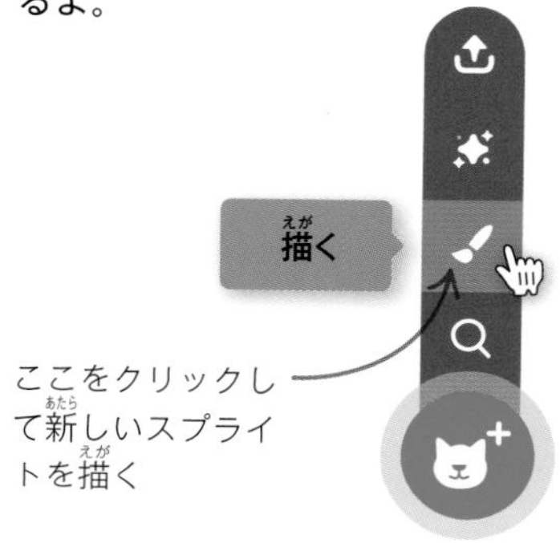

2 青いサークルをかくには、まずペイントエディター左下の表示を「ベクターに変換」にしよう。それからカラーパレットの青を選ぶんだ。

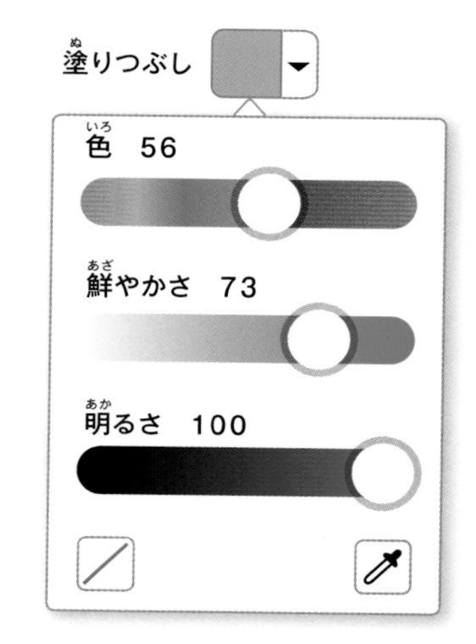

3 左にならぶアイコンから「円」ツールを選び、ペイントエディターの上のアイコンで、ぬりつぶす方を選ぶ。

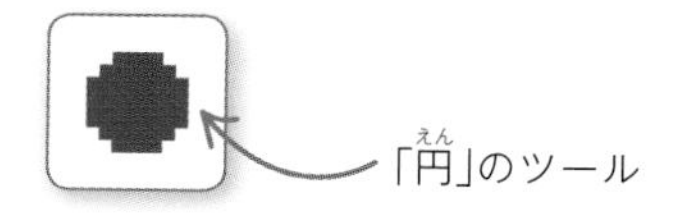

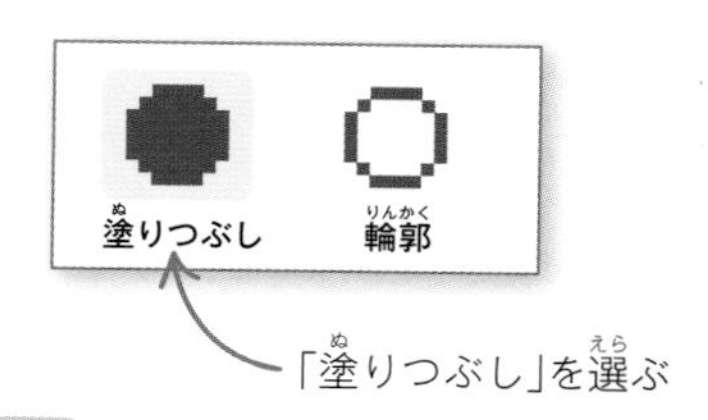

4 シフトキーをおしたままマウスをクリックしてドラッグすれば、円がかけるよ。シフトキーをおさないと「だ円形」になるんだ。ネコのスプライトの頭ぐらいの大きさのサークルがかけたら、ネコは消してしまおう。ネコのスプライトの上でマウスを右クリックし、「削除」を選べばいいね。新しくかいたスプライトの名前は「プレイヤー」にしよう。

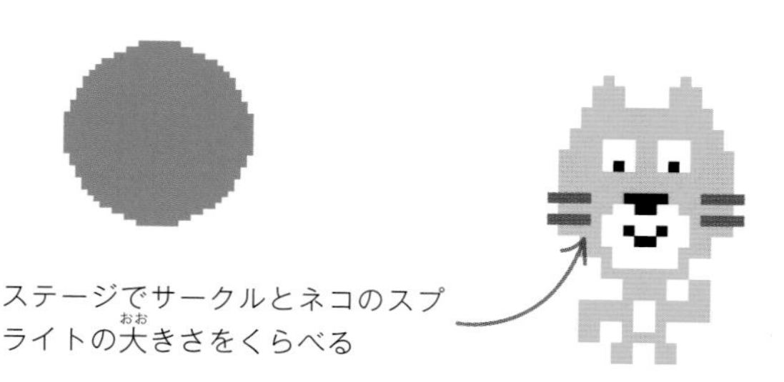

うまくなるヒント

サークルの大きさを変える

サークルが大きすぎたり小さすぎたら、「選択」ツールで変えてみよう。カーソルの位置を決めてクリックし、ペイントエリアのスプライトをかこむようにドラッグする。回転ツールも表示されるよ。

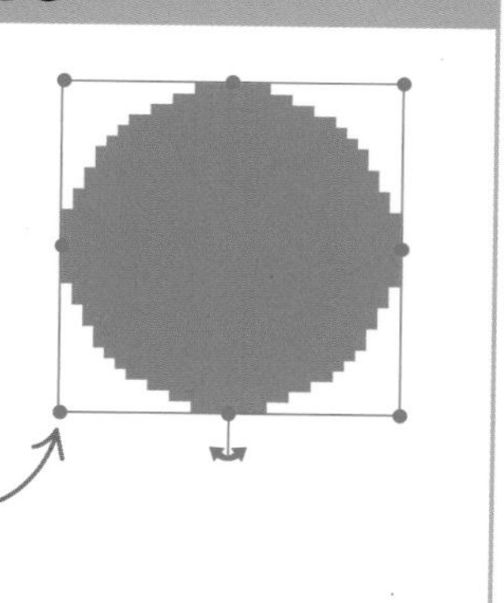

角にあるポイントを動かして大きさを変える

味方とてきを作る

次に緑の味方と赤いてきのサークルを作ろう。他の色に変えてもいいけれど、プレイヤー、味方、てきがすぐに見分けられる色にしておこう。

5 プレイヤーのスプライト上で右クリックし、メニューから「複製」を選ぶよ。2回行うと青いサークルが3つならんだね。「プレイヤー2」の名前を「味方」、「プレイヤー3」を「てき」に変えよう。

6 味方のスプライトを選んで「コスチューム」タブをクリックしよう。カラーパレットで緑を選んでから「塗りつぶし」で青いサークルを緑色にしよう。

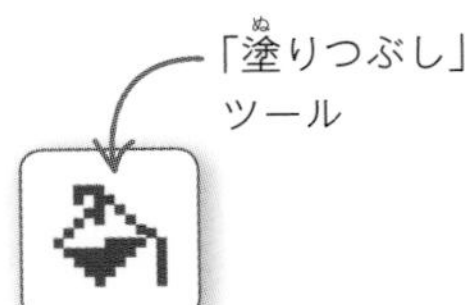
「塗りつぶし」ツール

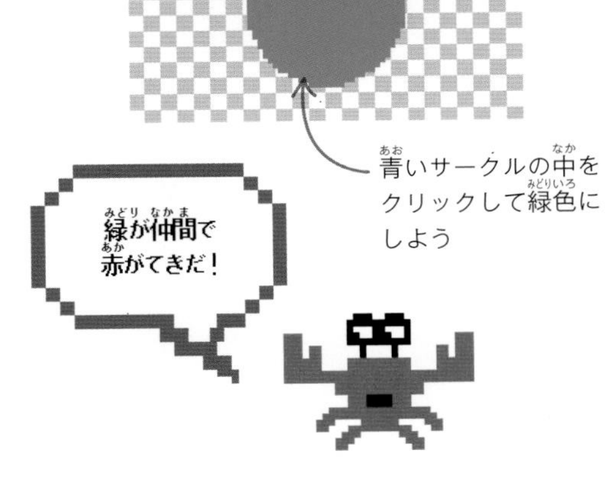
青いサークルの中をクリックして緑色にしよう

7 てきのスプライトも同じようにして赤に変えよう。これで3色のスプライトができたね。

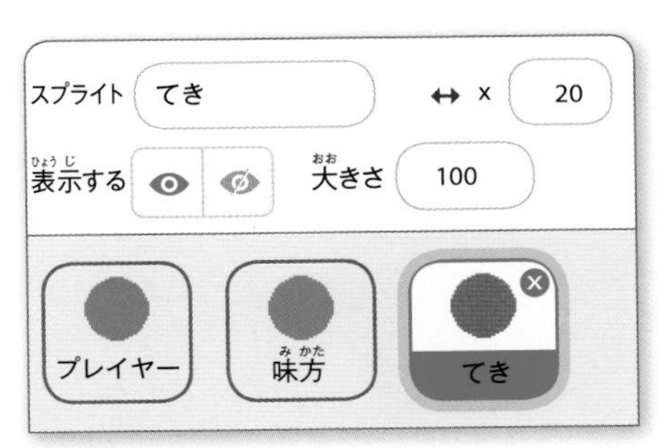

緑が仲間で赤がてきだ！

スプライトをコントロールしてみる

変数「スコア」を作ってステージに表示しよう。それからプレイヤー用のコードを作って、青いサークルがマウスのポインターに向かうようにするよ。

8 プレイヤーのスプライトを選び、変数をクリックしよう。「スコア」という変数をすべてのスプライト用に作るんだ。チェックボックスをチェックしておけば、「スコア」がステージに表示されるよ。

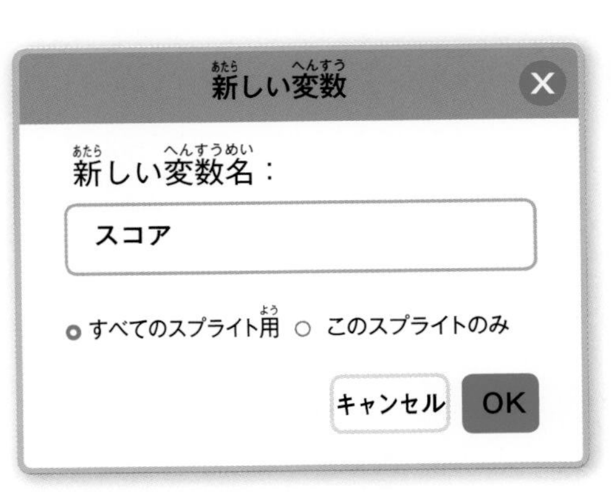

9 下のコードを青いサークルのために作ってマウスのポインターを追いかけるようにしよう。コードを実行してみて、青いサークルがどう動くかチェックしよう。

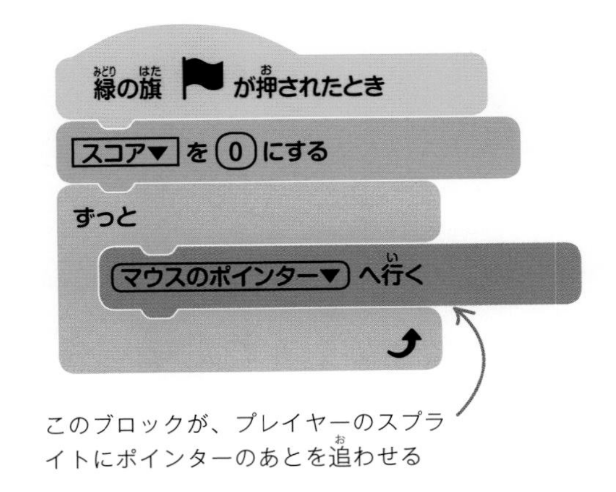

このブロックが、プレイヤーのスプライトにポインターのあとを追わせる

クローンがいっぱい

たった２つのスプライト（緑と赤のサークル）から味方とてきがたくさん生まれて、プレイヤーの青いサークルを追いかけるようにできるんだ。これができるのは、スクラッチでクローンを作れるからだよ。クローンを作る前に、味方のスプライトがステージ上をランダムに動くようにしよう。

ぼくらは、みんなちがうんだ！

ぼくらは、みんなちがうんだ！

ぼくらは、みんなちがうんだ！

ほんとに？

10　緑の味方のスプライトを選び、右のコードを加えよう。緑のサークルは250歩進むごとにランダムに向きを変えて、ステージ上を動き回るよ。

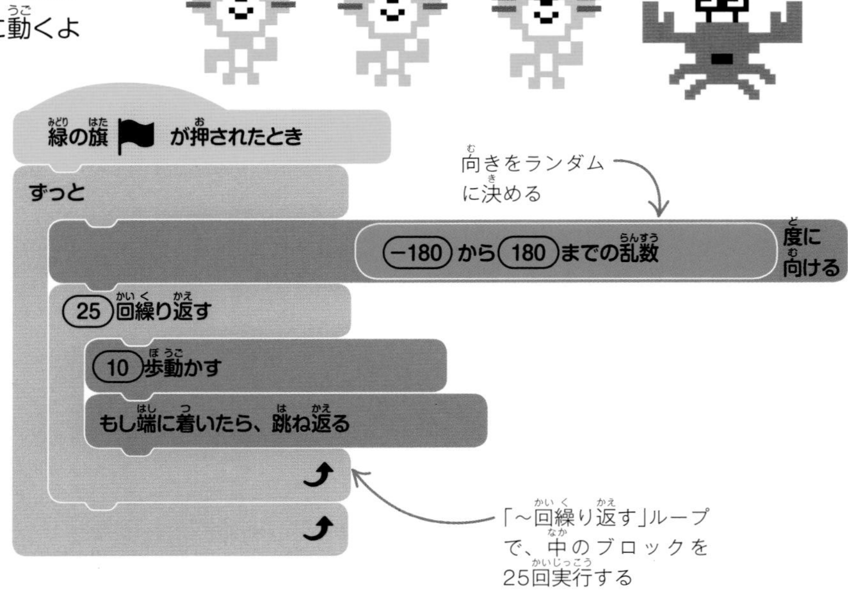

11　プロジェクトを動かして、緑のサークルがいろんな方向に動き回るかチェックしよう。このスプライトは10歩ずつ合計250歩進んでから向きを変えるけれど、その間にカベにぶつかっても動けなくなることはないよ。250歩進むと「ずっと」ループの初めにもどる。それから向きを変えて、また前に進むんだ。

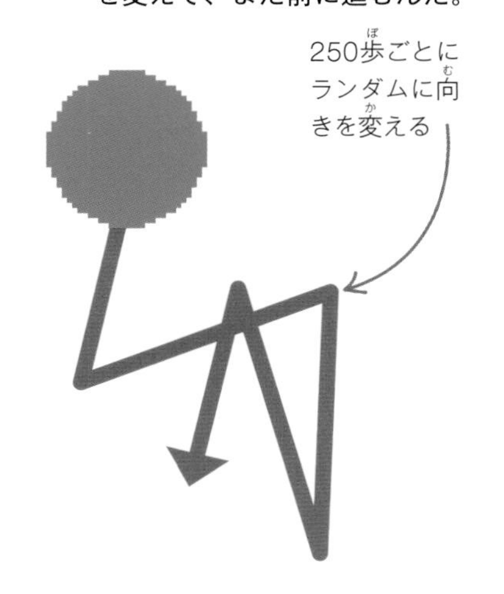

うまくなるヒント

くり返し

「ずっと」ループは中のブロックをずっとくり返し、「〜回繰り返す」は中のブロックを決まった回数だけくり返す。「〜回繰り返す」というループは、他のプログラミング言語にもあって「for」という言葉で書かれる場合が多いよ。右の例では、線を引くという動作を４回くり返して四角形をかいているよ。

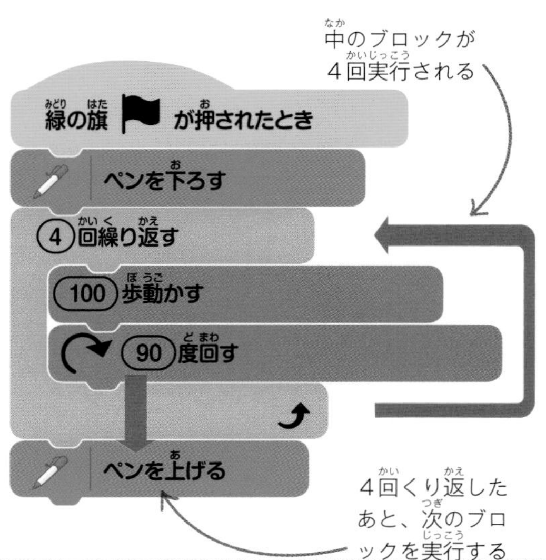

クローンを作る

次に、味方のクローンを作っていこう。この緑のクローンをつかまえるとポイントが入るぞ。

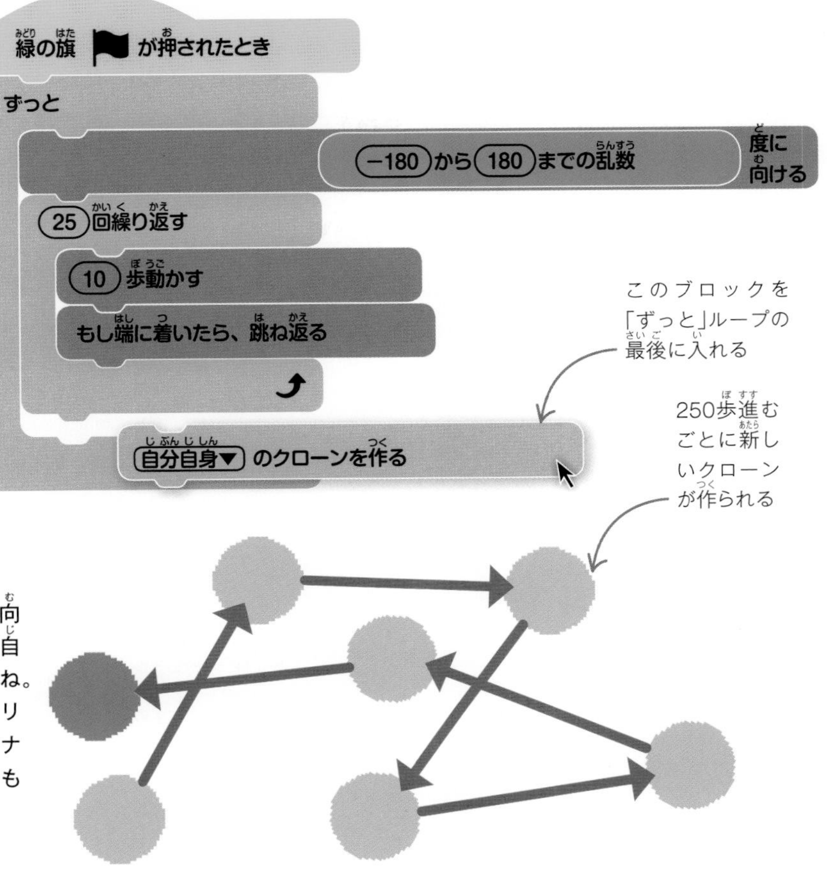

12 「自分自身のクローンを作る」というブロックを、「ずっと」ループの最後に入れるぞ。このブロックは「制御」の中にある。これで250歩進むごとに味方のクローンを1つ作るようになるよ。

13 プロジェクトを実行してみよう。進む向きが変わるたびに、緑のスプライトが自分のコピー（クローン）を残していくね。クローンはただの円に見えるけど、オリジナルと同じ働きができるし、オリジナルとは別の命令をあたえて動かすこともできるよ。

14 新しく作られたクローンは、「クローンされたとき」で始まる特別なコードでコントロールするよ。右のコードを味方のスプライトに追加しよう。このコードはそれぞれのクローンにプレイヤーのサークルに向けて300歩進み、その後ステージから消えるよう指示している。クローンは一度に1歩ずつ進むので、もとの味方のサークルよりもゆっくり動くぞ。

15 コードを動かして、うすい緑のサークルがプレイヤーの青いサークルに向けてゆっくり進んでくるか見てみよう。緑のサークルは味方だから大丈夫だぞ。

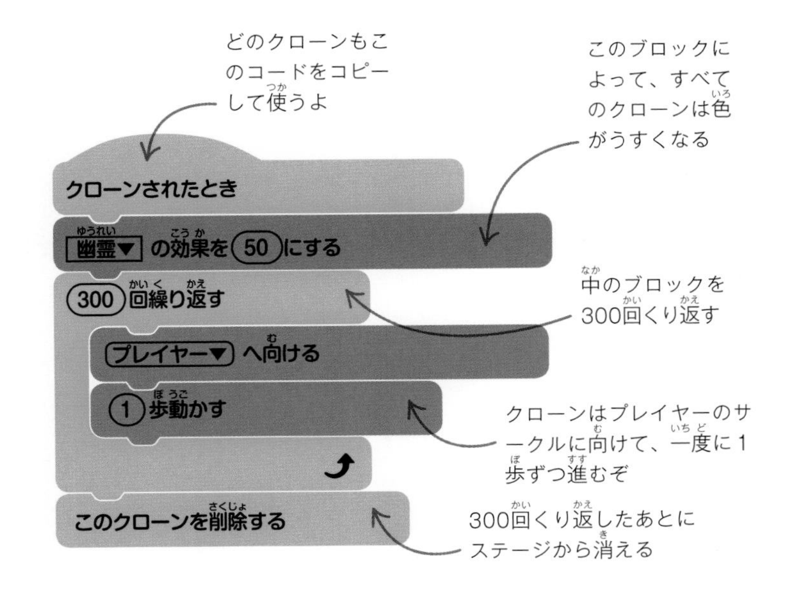

クローンを消す

味方クローンのコードの仕上げは、クローンがプレイヤーのサークルにふれたら消えるようにすることだ。

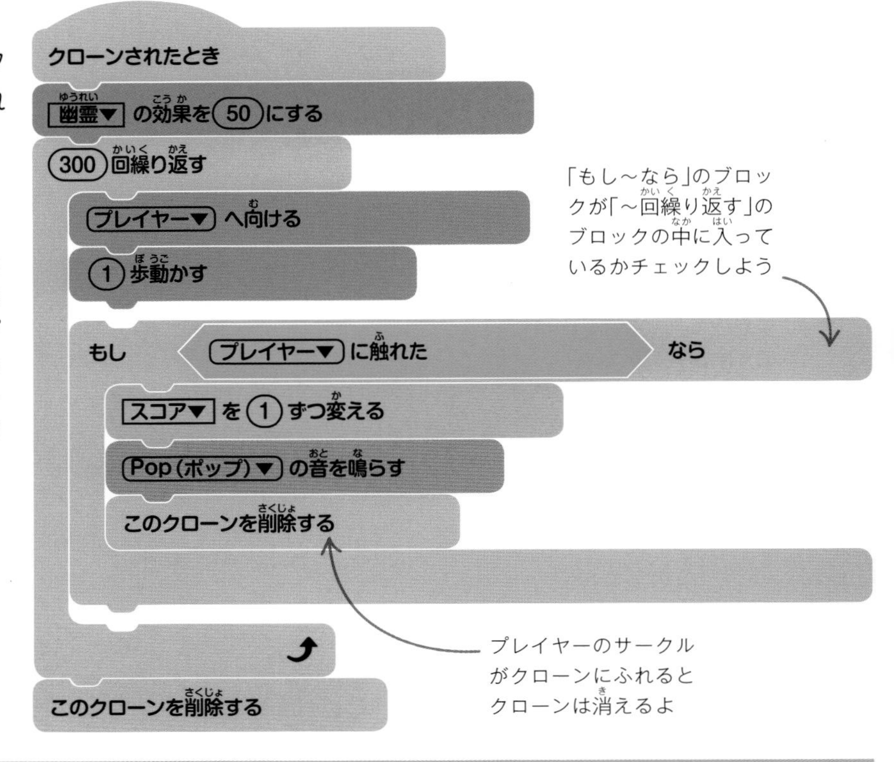

16 「もし～なら」のブロックをクローンのコードに加える。その中に右のようにブロックを入れて、プレイヤーが緑のサークルにふれるたびにスコアが上がり、緑のサークルは音を鳴らして消えていくようにしよう。

うまくなるヒント

クローン

スプライトのコピーをたくさん作るときはクローンを使うのが便利だ。プログラミング言語の多くはクローンを作れるようになっているけど、ふつうはクローンではなくてオブジェクトという言い方をしているよ。そうしたプログラミング言語は「オブジェクト指向」言語とよばれていてJava(ジャバ)やC++(シープラスプラス)などがある。スクラッチでは下の3つのブロックが、クローンをコントロールするためのものになっているぞ。

自分自身▼ のクローンを作る

▲このブロックはスプライトのクローンを作るためのものだ。クローンはオリジナルと同じ位置に同じ向きであらわれるので、クローンがオリジナルからはなれないと重なって見えてしまうよ。

クローンされたとき

▲作られたクローンは、この「クローンされたとき」で始まるコードのとおりに動く。もとのスプライトのコードにはしたがわないんだ。ただし「メッセージを受け取ったとき」などのコードの指示にはしたがうよ。

このクローンを削除する

▲このブロックでクローンを消すよ。プロジェクトが止まったときにはすべてのクローンがステージから消えてしまう。残るのはオリジナルだけだ。

てきのクローン

てきのスプライトにもクローンを作るコードを加えて、クローンがプレイヤーを追うようにするよ。味方のスプライトのコードをコピーして利用しよう。

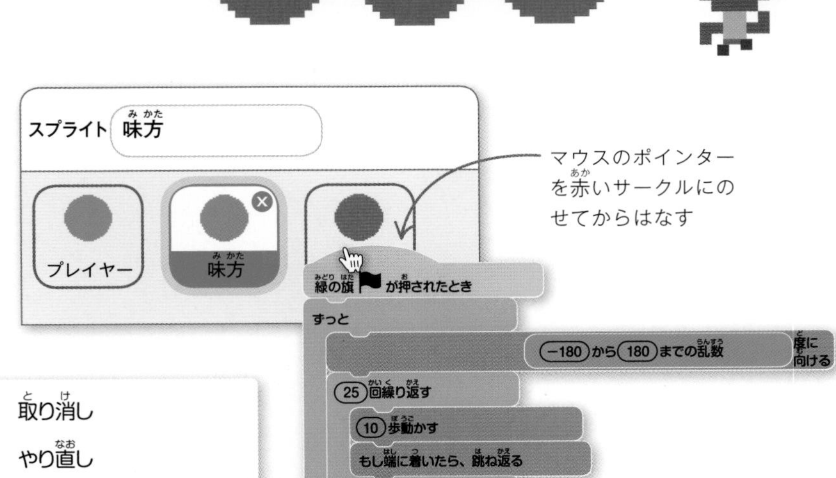

17 コードブロックをコピーするには、コードブロックをクリックし、スプライトリストの目的のスプライトまでドラッグするだけだ。味方のスプライトのために作った2つのコードブロックを1つずつ、てきのスプライトまでコピーしよう。

18 てきのスプライトを選ぶと、さっきコピーしたコードブロックが重なっているはずだ。コードエリアの空いているところで右クリックし、メニューから「きれいにする」を選ぶと見やすくならべてくれるよ。

19 てきのクローンのコードを変えて、プレイヤーが赤いクローンにふれたらポイントが引かれるようにしよう。「スコアを〜ずつ変える」ブロックの数字を1から−3にするよ。

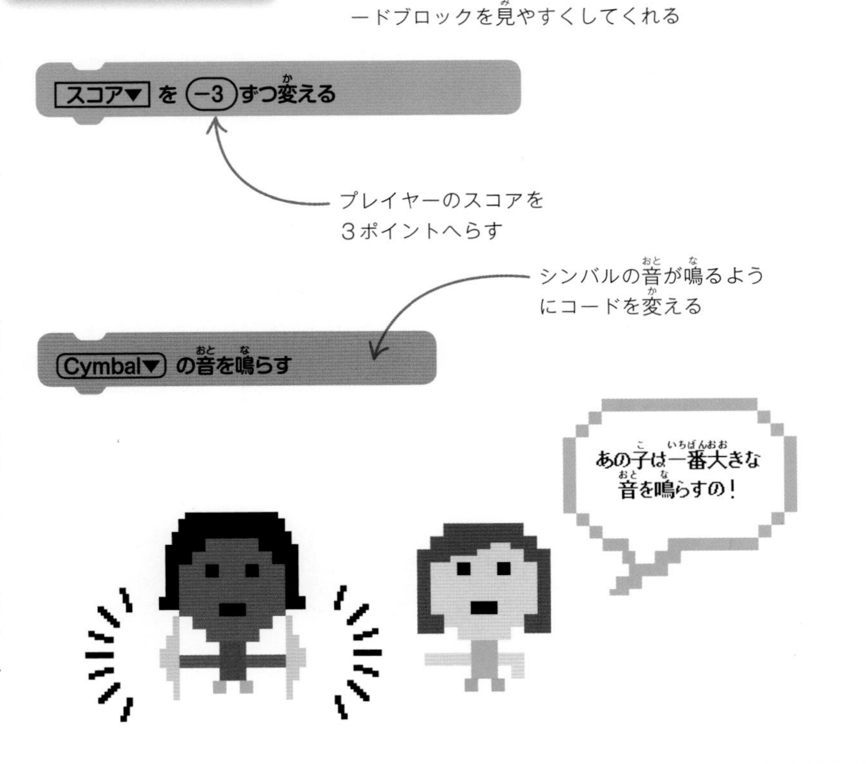

20 ポイントがへったことをプレイヤーに教えるため、鳴らす音を変えよう。音ライブラリーで「Cymbal」を選び、てきのスプライトが使えるようにする。「〜の音を鳴らす」のブロックのメニューで「Pop（ポップ）」を「Cymbal」に変えよう。

21 プロジェクトを実行してみよう。赤と緑のクローンが作られて、赤いクローンにふれると3ポイントのスコアがへるようになっているかチェックだ。

勝ち負け

どんどん数をふやすクローンのグループが2つできたね。一方は味方でプレイヤーのポイントをふやしてくれるけれど、もう一方はてきなのでポイントをへらしにくるよ。今度は、勝ち負けを判定して教えてくれるブロックを加えよう。

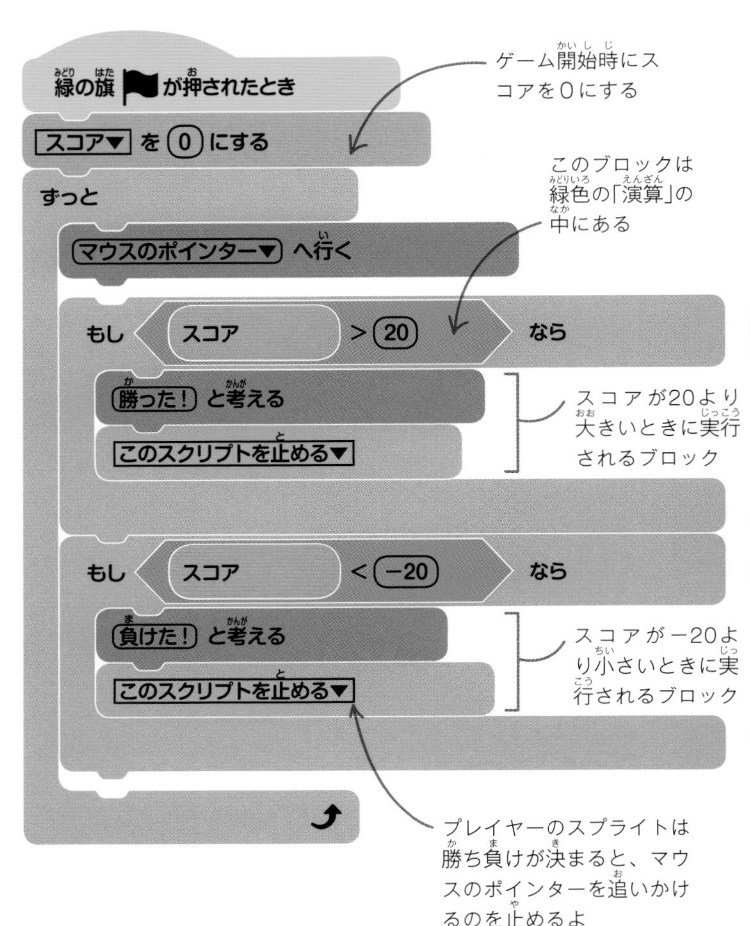

22 プレイヤーのコードに「もし～なら」というブロックを2つ追加しよう。プレイヤーのスコアをチェックして、20ポイントをこえていたら「考える」ブロックのふき出しで「勝った！」と表示する。もし−20ポイントよりも少ないなら「負けた」と表示するよ。

おぼえておきたいことば

比較演算子

これまで見てきたように「もし～なら」ブロックは、「正しい」か「まちがい」かのどちらかが答えになる式（論理式）の結果によってちがう処理をする。例えば「スター・ハンター」のゲームでは「もしネコに触れたなら」「Fairydustの音を鳴らす」というブロックが使われている。これでネコが星にさわったときだけ、この音が鳴るんだ。論理式で数字をくらべても同じことができる。そのとき使われるのが比較演算子だ。

2 < 5
～より小さい

3 = 3
～と同じ

5 > 1
～より大きい

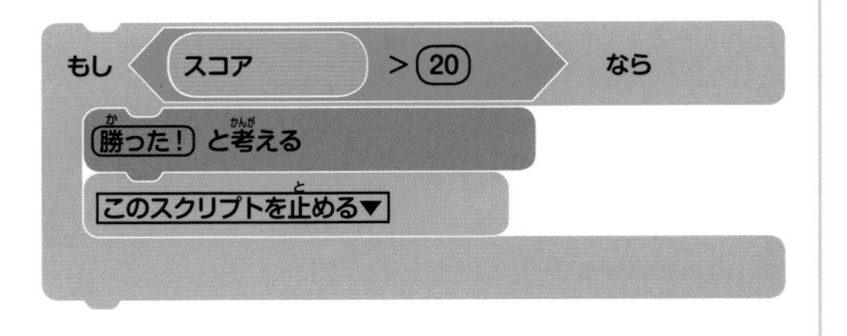

23 ゲームを動かしてみよう。緑のサークルだけ選んでふれることができるかな？ プレイヤーのスプライトは、スコアが20ポイントをこえたら「勝った！」、−20よりも低くなったら「負けた！」と考えてゲームを終わらせるよ。ゲームがむずかしすぎるなら、勝つのに必要なポイントを低くしたり、サークルの動きをおそくしてみよう。

タイマーを加える

スコアの他にも競争できるものを加えよう。プレイヤーがどれだけの時間でゲームを終わらせたかがわかるタイマーだ。これをステージに表示するよ。

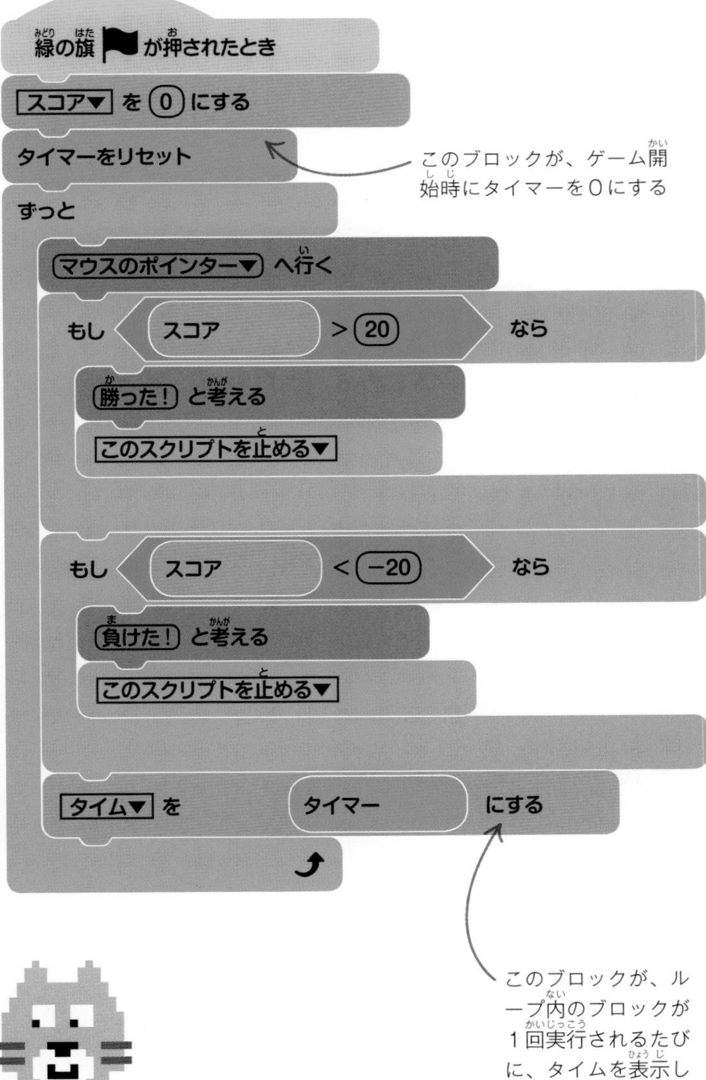

24 「変数」を選び、新しい変数「タイム」をすべてのスプライト用に作る。チェックボックスをチェックして、ステージに表示しよう。次にプレイヤーのスプライトを選び、ブロックパレットの「調べる」から「タイマーをリセット」をドラッグして「ずっと」ループのすぐ前に入れる。それから「変数」の「タイムを〜にする」というブロックをコードにドラッグしよう。ウィンドウには「タイマー」を入れて「ずっと」ループの終わりに組み入れよう。

25 ループの中を1回実行するたびに、「タイマー」を変数「タイム」にコピーし、その時のタイムをステージに表示するんだ。でもプレイヤーの勝ち負けが決まるとコードが止まるので、タイムはふえなくなる。このとき表示されているのは、プレイヤーが勝つか負けるまでにかかった時間だよ。

ルール説明

プレイヤーにゲームのルールを知ってもらうためのスプライトを作って、説明文をゲーム開始前に表示するようにしよう。

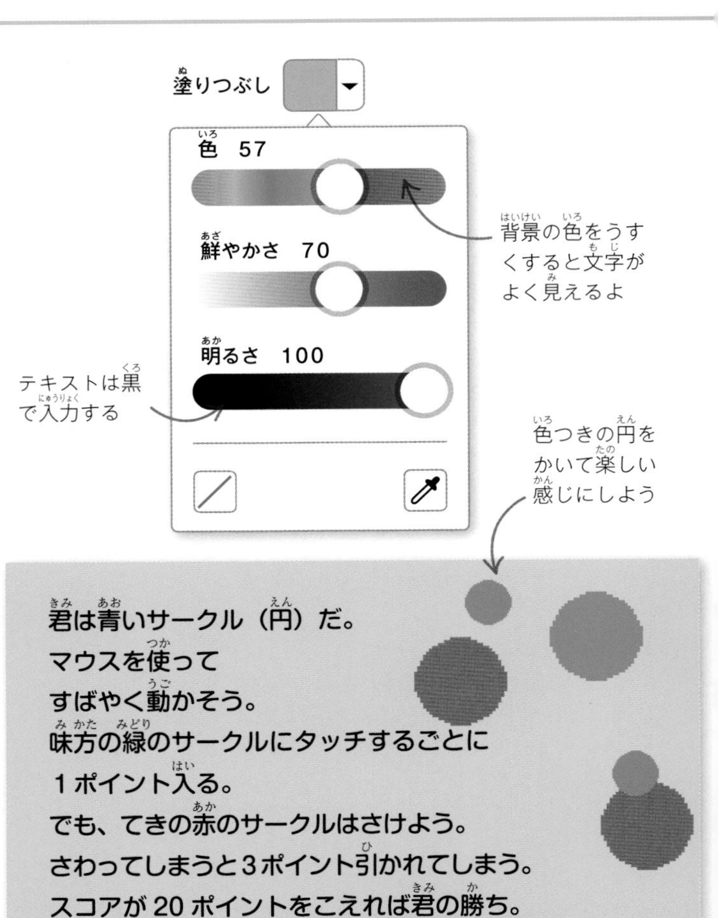

26 スプライトリストの筆のアイコンをクリックして、新しいスプライトを作るよ。スプライトの名前は「説明文」に変えよう。左下に「ベクターに変換」と表示されているじょうたいで好きな色を選び、「塗りつぶし」のツールで色をつけるよ。

27 次にカラーパレットで、文字の色として黒を選んでから「テキスト」のツールを使って文字を入力しよう。

28 説明文がうまく画面におさまらない場合は、「選択」ツールで説明文を選び、小さな四角をドラッグすれば、大きさを自由に変えられるぞ。

■■ ゲームをデザインする

ゲームのストーリー

コンピューターゲームでは、そのゲームの世界を伝えるストーリーが設定されていることが多い。今のところこのゲームにはストーリーはないので、君が作ってみてはどうだろう。宇宙で戦っていることにして、青い宇宙船がてきの赤い宇宙船をよけながら、味方の緑の宇宙船を助けるということにしてもいいね。ゲームの説明文にこうしたストーリーを入れておくと、プレイヤーはゲームをとても楽しんでくれるよ。

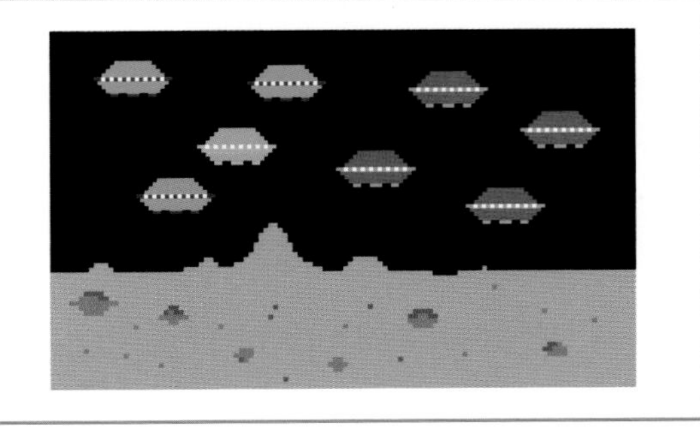

29 右のコードを追加して、ゲームを始めたら説明文がステージ上に表示されるようにするよ。コードをよく見てみよう。どのように動くかわかるかな？

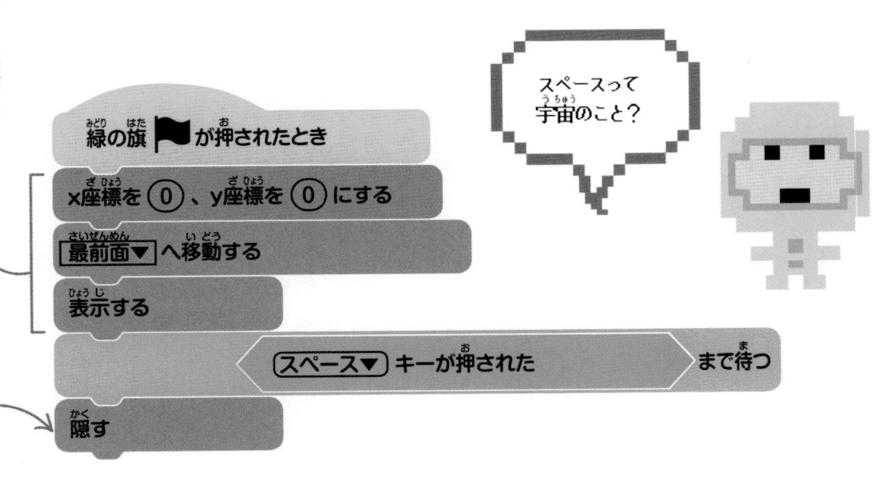

これらのブロックによって、説明文はステージの中央、しかも他のスプライトよりも前に置かれる

プレイヤーがスペースキーをおしてゲームを始めるとこのブロックが説明文のスプライトを見えなくする

30 プレイヤー、味方、てきのスプライトのコードを表示して、「緑の旗が押されたとき」の直後に「スペースキーが押されたまで待つ」のブロックを入れよう。スペースキーがおされるまで、スプライトは何もせずに待っているよ。

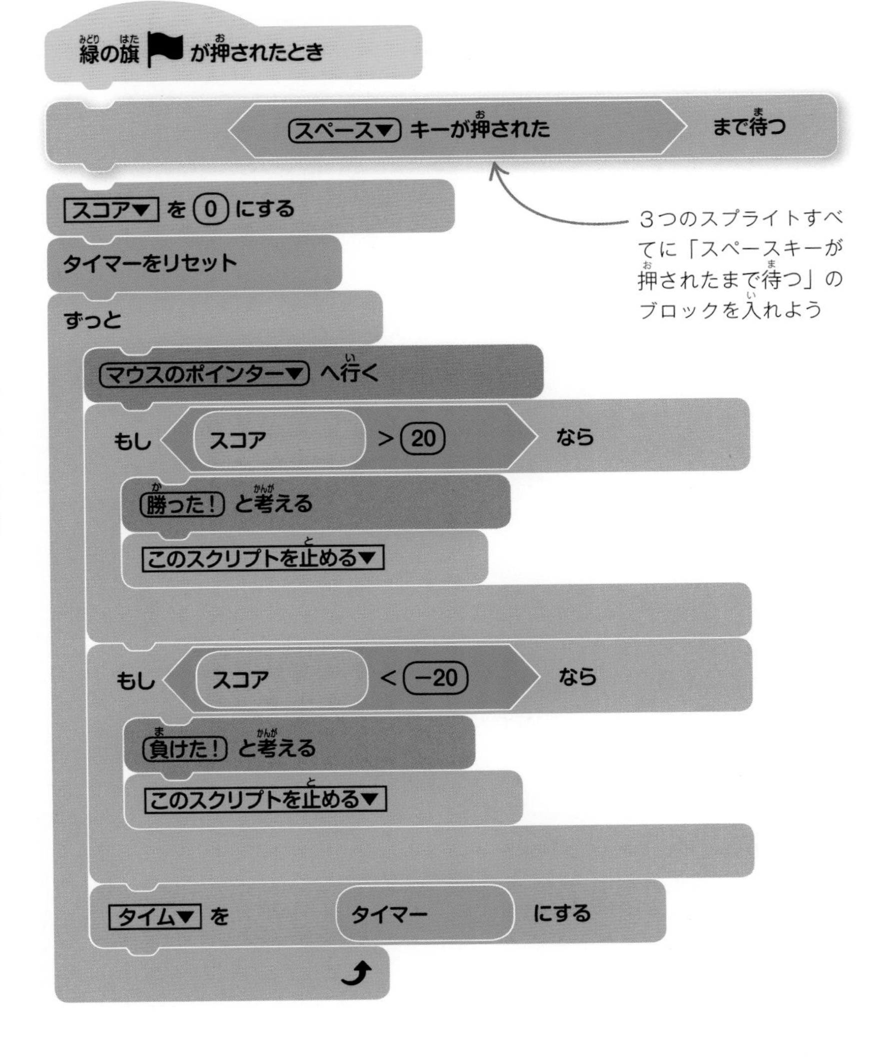

3つのスプライトすべてに「スペースキーが押されたまで待つ」のブロックを入れよう

31 プロジェクトを実行して、スペースキーがおされるまで説明文がステージに表示されるかチェックしよう。説明文を読むための時間はたっぷりあるね。説明文を読んだらゲームをプレイしよう！

ゲームを改造する

これでサークル・ウォーズがちゃんと動くようになったよ。やったね！ 今度はゲームを改造して、君だけのゲームにしよう。これからしょうかいするヒントや、君自身のアイデアを試してみよう。ユニークなものができたら、スクラッチのウェブサイトで公開してはどうかな？

▲バランスをとる

スプライトのスピードを変えたり、味方とてきのスプライトにさわったとき、ふえたりへったりするポイントを変えてみよう。ゲームをむずかしく（あるいはやさしく）できるぞ。ちょうどよいゲームバランスになるよう工夫しよう。

▼どんなストーリー？

ゲームの世界を説明するストーリーを考えたかな？ ドラゴンがおそってきたので、プリンセス（青いサークル）はケーキ（緑のサークル）を食べて生き残ろうとしているのかもしれない。ストーリーを作って、ゲームの見た目をそれに合うものにしてみよう。

▶戦いは終わった

プレイヤーの勝敗が決まった時にメッセージを送り、「ゲームオーバー！」と書かれたスプライトを表示するようにしてみよう。「チーズをさがせ！」で同じようなことをしたね。

▶プレイヤーをおそくする

ゲームをむずかしくするために青いサークルのコードを変えてみよう。マウスのポインターにくっついて行くのではなく、マウスのポインターをゆっくり追うようにするんだ。

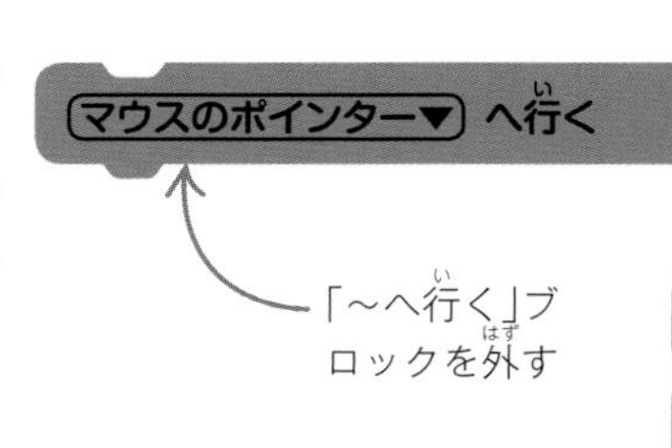

```
マウスのポインター▼ へ行く
```

「～へ行く」ブロックを外す

「～へ向ける」ブロックと「５歩動かす」ブロックを加える

```
マウスのポインター▼ へ向ける
5 歩動かす
```

▼タイマーを変える

タイマーの表示がチカチカするけれど、これは小数点より下の数まで表示しているからだ。表示を秒までにして、それより下は四捨五入してしまおう。緑色の「～を四捨五入」というブロックを使うよ。「チーズをさがせ！」の「ハイスコア」と同じように、「ベストタイム」という変数を作って、勝ったプレイヤーのタイムを記録することもできるぞ。

```
タイム▼ を (タイマー を四捨五入) にする
```

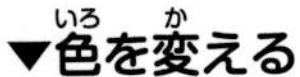

▼色を変える

クローンの色をいろいろ変えてみよう。味方のスプライトを選び、「見た目」の中から「色の効果を～にする」ブロックをクローンのコードに組みこむんだ。次に「演算」の中から「～から～までの乱数」をドラッグして、「色の効果を～にする」ブロックのウィンドウに入れる。乱数のブロックには−30と30の数字を入力するよ。同じことをてきのスプライトのコードにもしよう。これで色とりどりのクローンが生まれるよ。

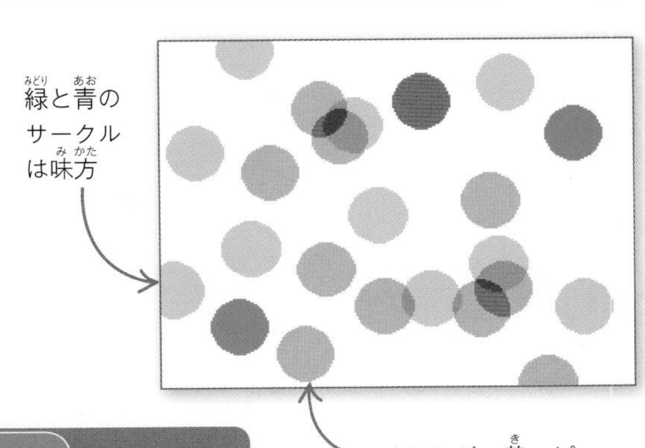

緑と青のサークルは味方

オレンジ、黄、ピンク、むらさきのサークルはてき

```
クローンされたとき
色▼ の効果を (−30 から 30 までの乱数) にする
幽霊▼ の効果を 50 にする
300 回繰り返す
```

「クローンされたとき」のあとにこの命令を入れる

▶サイズを変える

「大きさを～ずつ変える」ブロックをてき味方両方のコードに入れて、大きさをランダムに変えてみよう。サークルにふれたときのサイズによって、入ってくるポイントが変わるよ。勝ち負けを決めるスコアも調整する必要がある。試しに2000ポイントをこえたら勝ち、−2000ポイントより低くなったら負けというのはどうだろう？

緑の「演算」からこのブロックを持ってくる

```
クローンされたとき
大きさを (−30 から 30 までの乱数) ずつ変える
幽霊▼ の効果を 50 にする
300 回繰り返す
```

「−30」から「30」の間で変えよう

味方のスコアを大きさの分だけ変える

```
スコア▼ を 大きさ ずつ変える
```

```
スコア▼ を (0 − 大きさ) ずつ変える
```

てきはこのようにスコアを変えるぞ

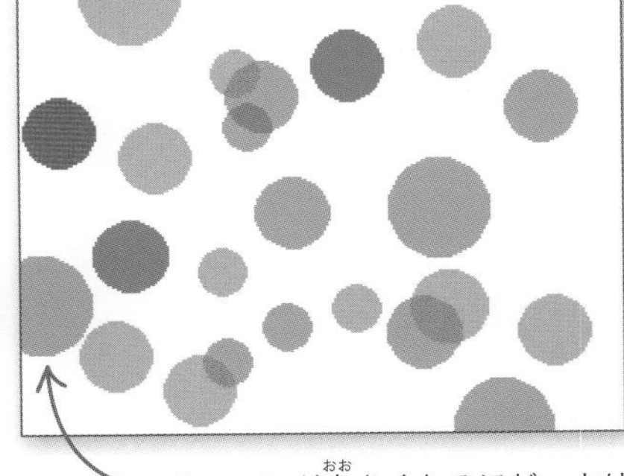

クローンが大きくなるほど、より大きなポイントを得るか失う

◀形を少しずつ変える

円とはちがう形も使ってみよう。例えばてきのサークルを食べてしまう四角形や、プレイヤーからにげる三角形、サイズを変える六角形など、いろいろな形を試してみよう。

おサルのジャンプ

おサルのジャンプの作り方

現実世界には、決してさからえない法則というものがある。例えば重力だ。物を上に投げ上げても、重力のおかげでいつも下に落ちてきてしまう。このゲームでは、重力の働きをゲームにどのように取り入れればよいかがわかるよ。

ゲームの目的

サルがバナナを集めようとしているぞ。サルを飛び出させる向きとスピードを決めてあげよう。木を飛びこえて、できるだけ少ない回数でバナナを集めよう。

◀ランチャー

キーボードの左右の矢印キーを使って、サルを飛び出させたい方向にランチャーを向けるよ。

◀サル

上下の矢印キーで、サルを飛び出させるスピードを変えられる。スペースキーをおせば飛び出すぞ。

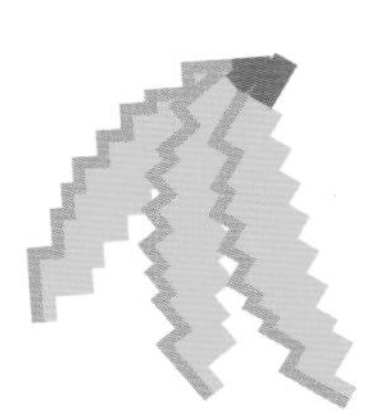

◀バナナ

サルはバナナにタッチすれば食べられるんだ。ステージのバナナを全部食べるまでゲームは続くよ。

ゲーム開始時に説明文が表示されるよ

スペースキーをおすと、矢印からサルが飛び出す

サルが空中を飛んでいくぞ

飛び出したサルのスピードが表示されている

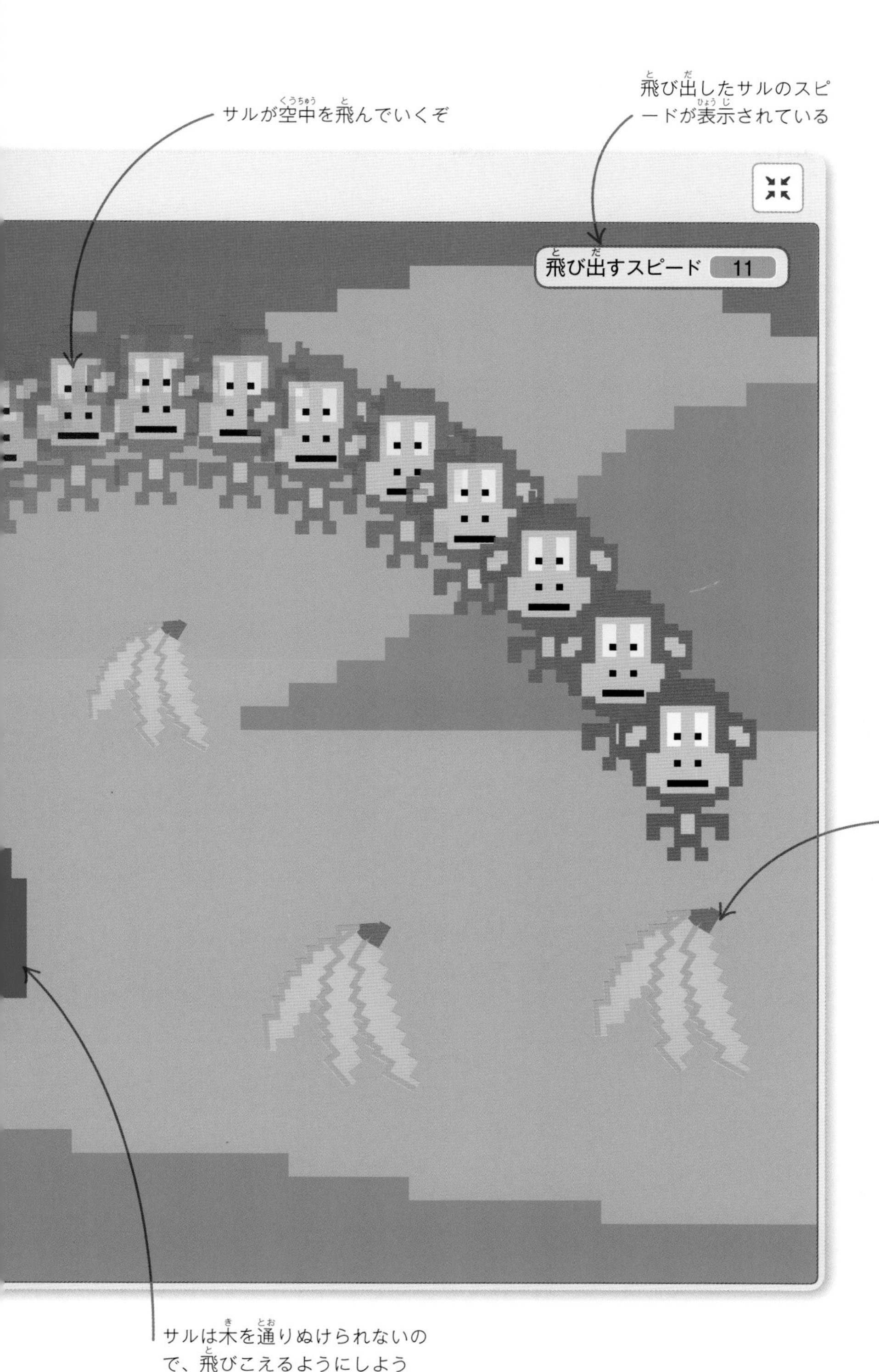

サルは木を通りぬけられないので、飛びこえるようにしよう

ゲームをするたびにバナナが3ふさ出てくるので集めよう

コントローラー

このゲームではキーボードの矢印キーとスペースキーを使うよ。

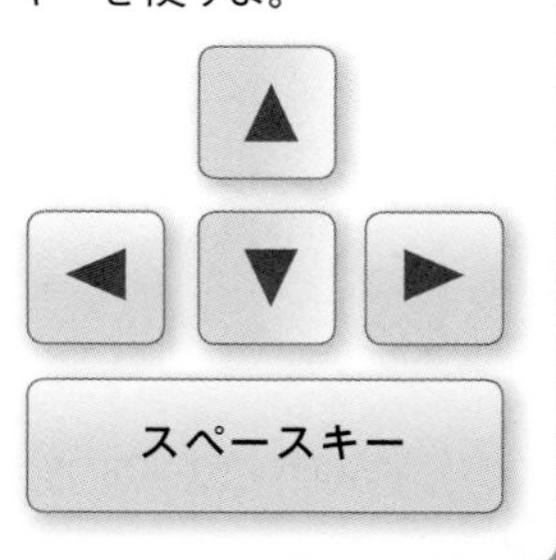

◀空飛ぶサル
できるだけ少ない回数ですべてのバナナを集めよう。ゲームには、何回ランチャーを使ったかが記録されるよ。

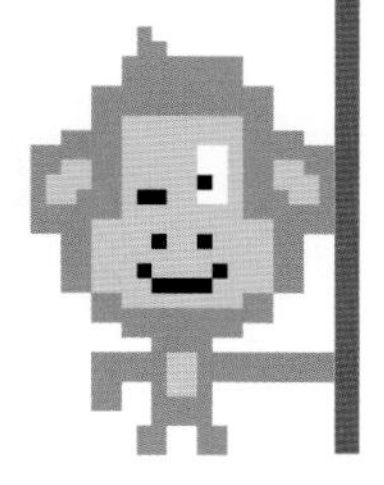

サルを飛び出させる

サルが飛んでいく向きを決めるのに大きな矢印を使っているぞ。最初は重力は考えないでおくけど、じゃまな木を飛びこえるため、あとでゲームに重力を取り入れるよ。

1 新しいプロジェクトを開始して、「おサルのジャンプ」と名前をつけよう。ネコのスプライトは削除して、ライブラリーから「Monkey」と「Arrow1」を加えよう。名前をそれぞれ「サル」と「ランチャー」に変えるよ。

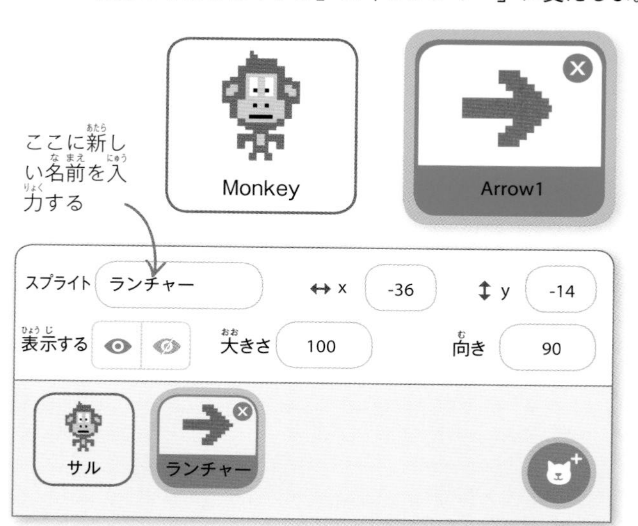

2 「変数」を選び、「変数を作る」をクリックしよう。「飛び出すスピード」という変数を作るよ。新しい変数は自動的にステージに表示されるから、ステージ右上にドラッグしよう。

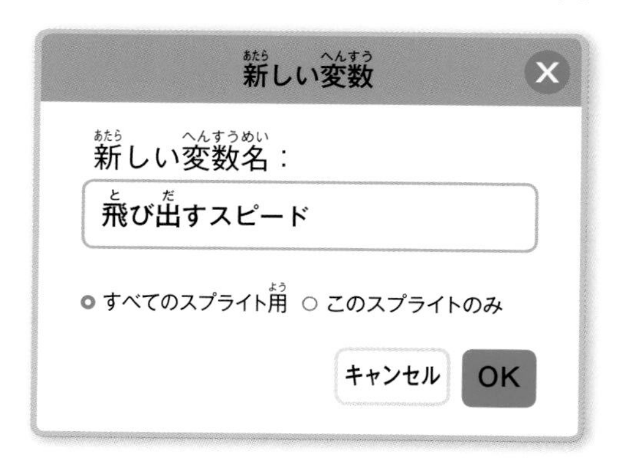

3 ランチャーのスプライトを選んで、下の3つのコードブロックを作ろう。これで、プレイヤーがキーボードで左右の矢印キーをおせば、ランチャーの角度を調整できるようになるぞ。ランチャーの角度を変えれば、サルが飛び出す向きが変わるんだ。

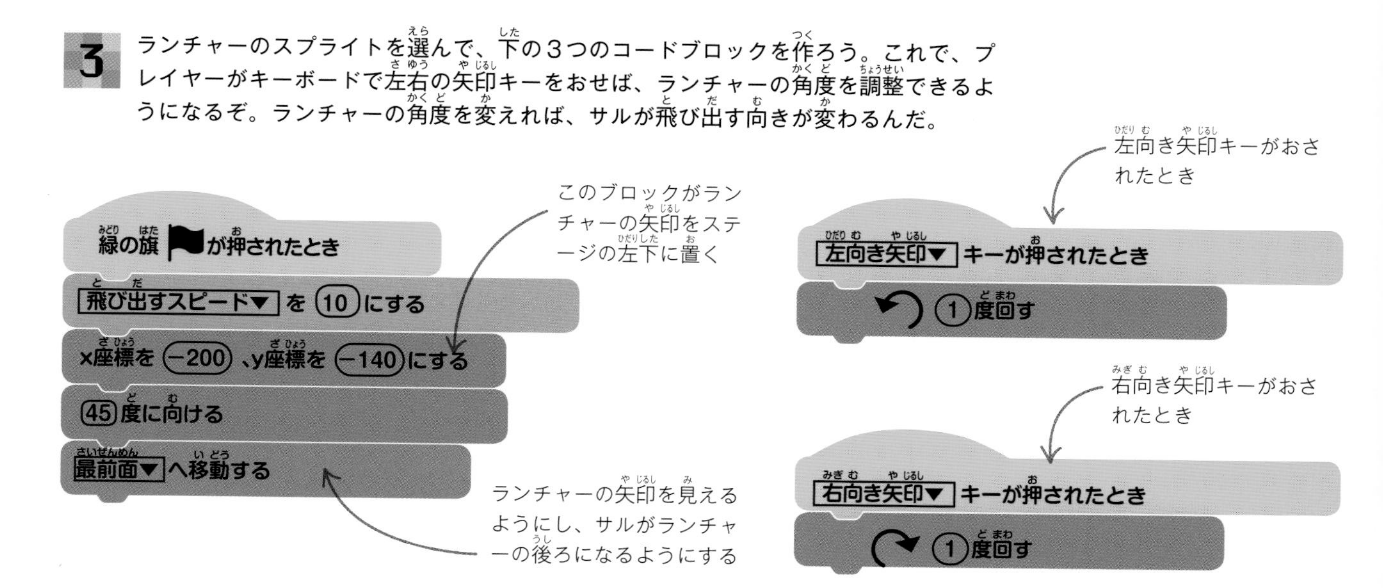

4 ランチャーを動かせるようになったから、今度はサルが飛び出すスピードをコントロールできるようにしないといけないね。下のコードブロックを作って、上下の矢印キーでスピードを変えられるようにしよう。

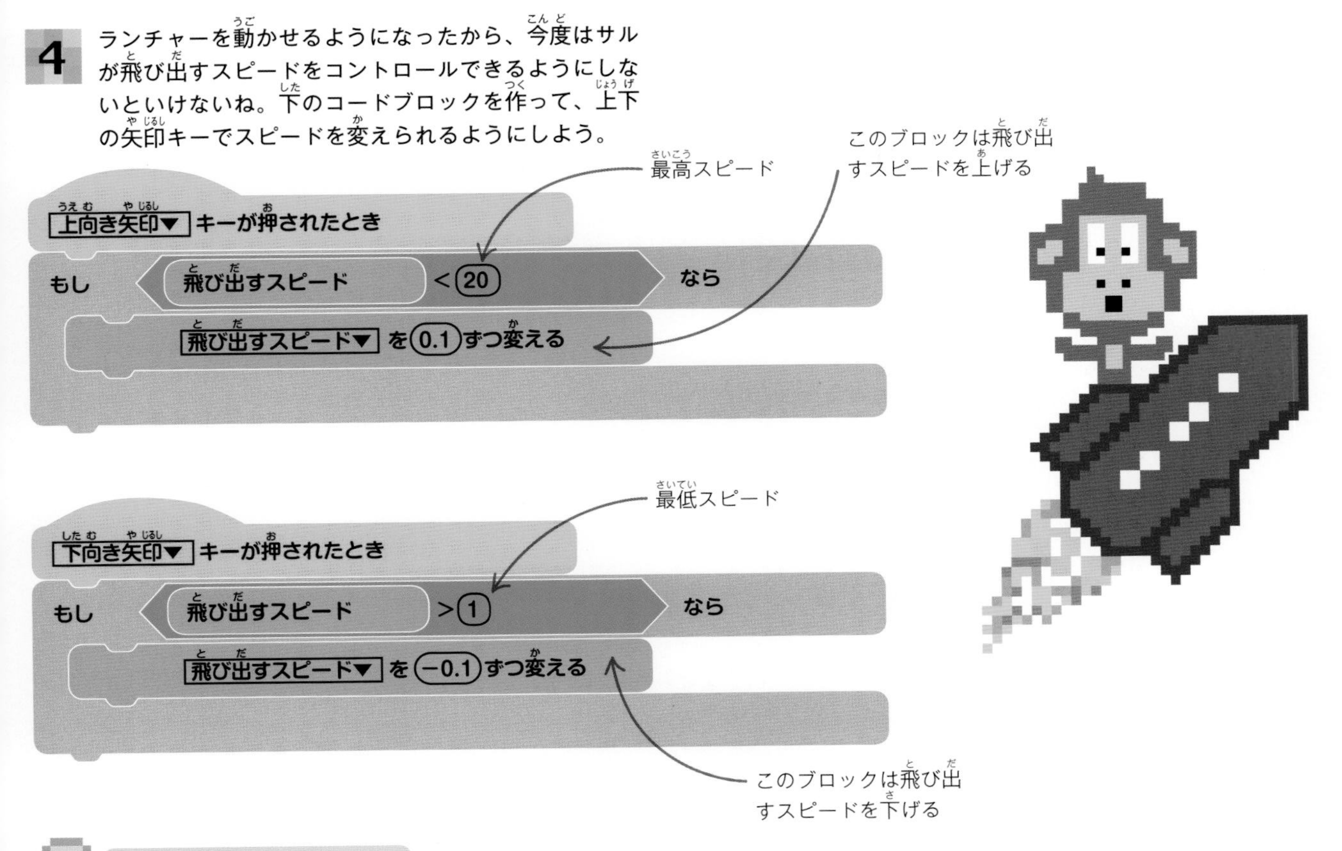

おぼえておきたいことば

イベント

キーがおされたりマウスがクリックされると、コンピューターはイベントが起きたと考えるんだ。スクラッチの「イベント」のブロックは、ある決まったイベントが起きたときにコードを開始するためのものなんだ。「チーズをさがせ！」ではメッセージを流したね。スクラッチではキーボードのキーがおされた、マウスがクリックされた、音量があるレベルになった、さらには、ウェブカメラに何かの動きがうつったこともイベントとして処理され、コードブロックを動かすきっかけになるんだ。いろいろ実験してみよう。

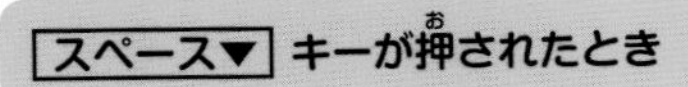

このスプライトが押されたとき

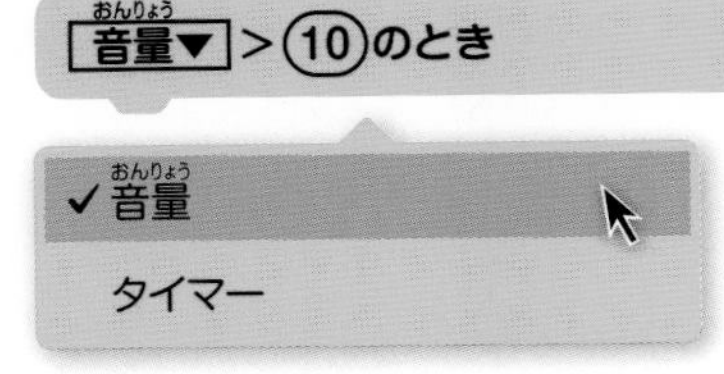

▶右のようなイベントブロックは、書かれているイベントが起きたときにコードを実行するよ。

5 サルのスプライトを選び右のコードを加えよう。サルのサイズをゲームしやすい大きさにして、ランチャーの後ろ側に置くんだ。

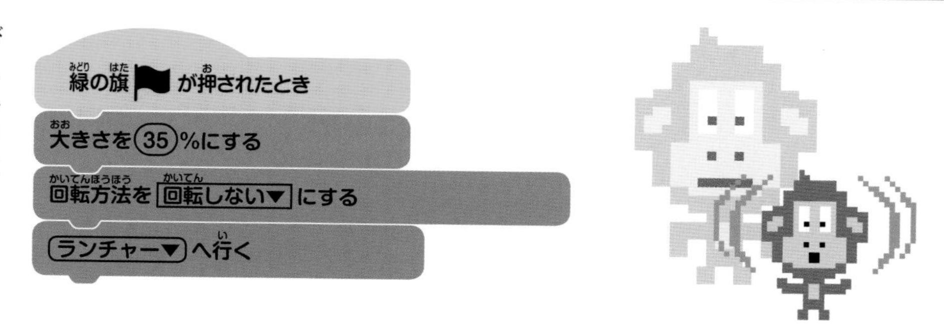

6 スペースキーがおされたらサルが飛び出すようにするためのコードを作ろう。「～まで繰り返す」というループは、決めておいた条件になるまで、内側のブロックを何度も実行するんだ。ここでは、サルがステージのはしに着くまで実行するよ。

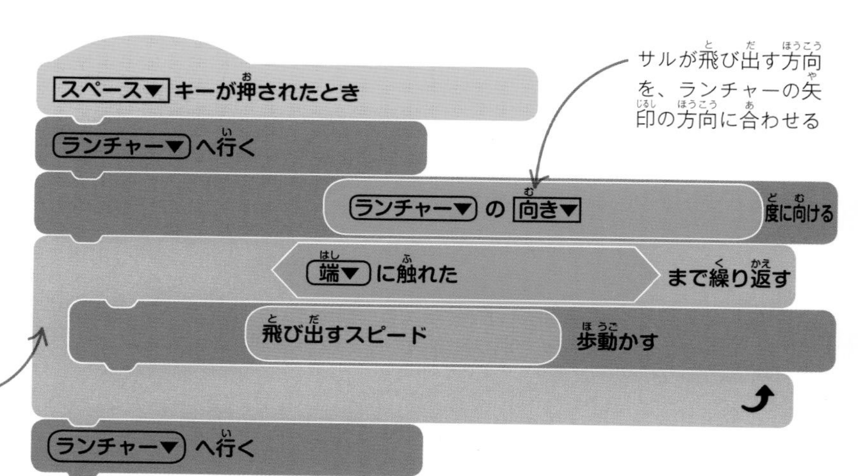

「～まで繰り返す」ブロックは、サルがステージのはしに着くまで中のブロックをくり返し実行する

うまくなるヒント

「～まで繰り返す」

何かが起きるまでは同じことをくり返すけれど、起きたあとにはコードの残りの部分を実行したい。そのような場合には「ずっと」や「～回繰り返す」のループではなく、「～まで繰り返す」ならうまくできるかもしれないよ。ほとんどのプログラミング言語は、同じようなループができるようになっている。一部の言語では「while」という言葉を使っているよ。ただしwhileの場合には、何かの条件が成り立つまでではなく、成り立っている間だけくり返す。同じ問題に取り組む場合でも、別のやり方が必ずあるものなんだ。

7 ランチャーの角度とサルが飛び出すスピードを調整して、スペースキーをおしてみよう。サルが飛び出すぞ。サルはステージのはしに当たるまで、まっすぐ飛ぶね。現実の世界ではこんな飛び方はしないよ。前に進むと、しだいに地面に向けて落ちていくんだ。あとでゲームに重力を加えて、サルの飛び方をもっとリアルにしよう。

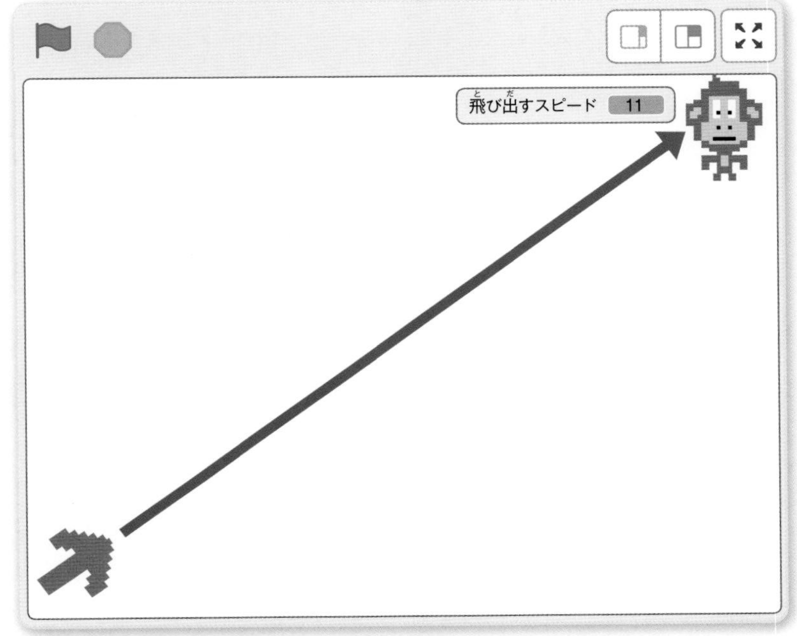

バナナと木

このゲームで大事なのは、サルにバナナを集めさせることだ。クローンを使えば、バナナのスプライトを1つ作るだけで、ステージ上にいくつものバナナを出せるね。スプライトを加えたら、名前を「バナナ」に変えておこう。

8 ステージ上のバナナの数を記録する「バナナの数」という変数をすべてのスプライト用に作ろう。変数に最初にセットしておく数は3だ。バナナのクローンを作るので、右のようなコードを組み立てよう。

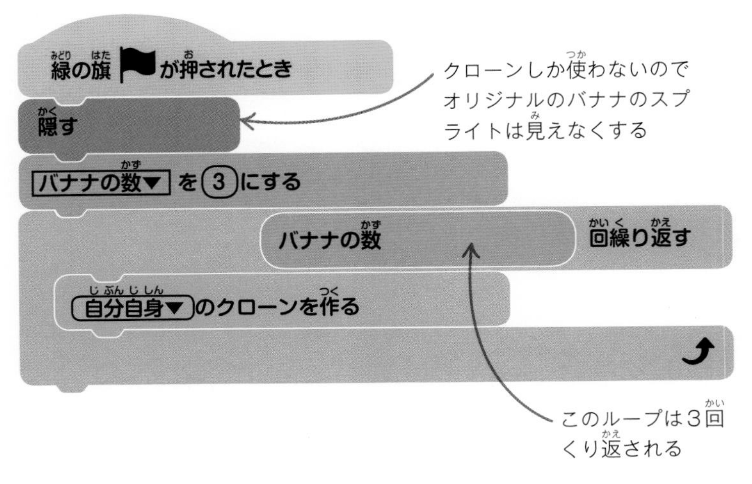

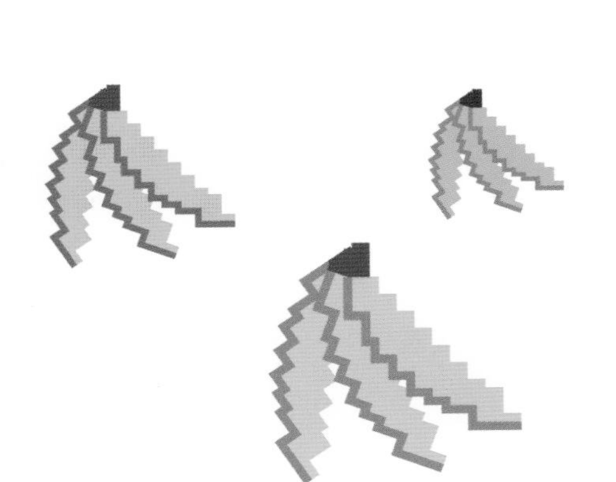

9 クローンのバナナを、ステージ右側のランダムな位置に置くため、下のコードを作るよ。クローンバナナの見た目を変えて、プレイヤーにちゃんと見えるようにしよう。クローンバナナはサルがタッチすると消えてしまう。もし消えたのが最後まで残っていたバナナなら、「ゲームオーバー」のメッセージを送るよ。このメッセージは新しく作らなければならないね。

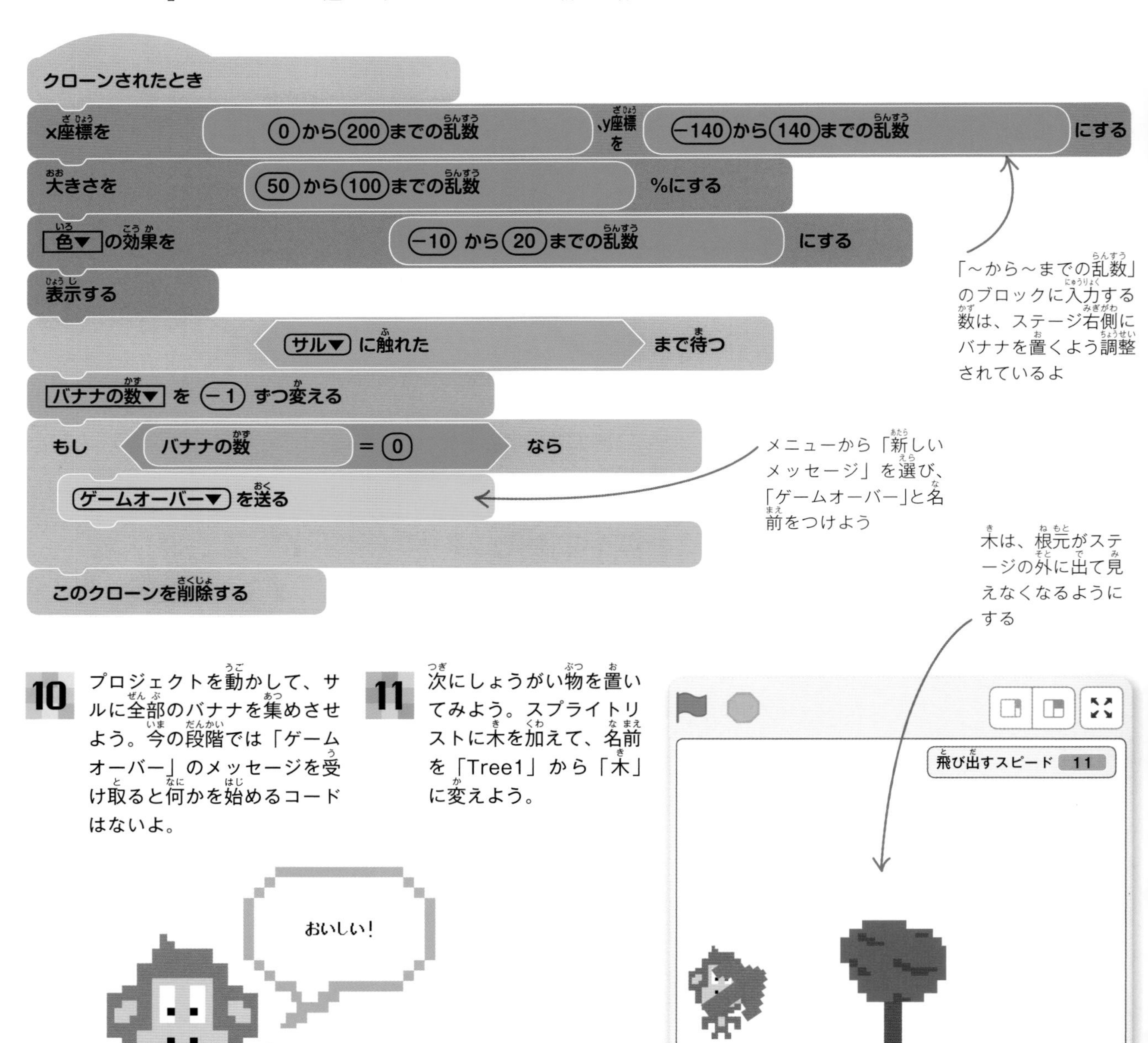

10 プロジェクトを動かして、サルに全部のバナナを集めさせよう。今の段階では「ゲームオーバー」のメッセージを受け取ると何かを始めるコードはないよ。

11 次にしょうがい物を置いてみよう。スプライトリストに木を加えて、名前を「Tree1」から「木」に変えよう。

▲ステージに木を置く
木は、ステージの中央より少し左側に置こう。

12 今のところサルは木をつきぬけて飛んでいくね。サルのコードを変えて、木にふれたらそれ以上飛べないようにしよう。

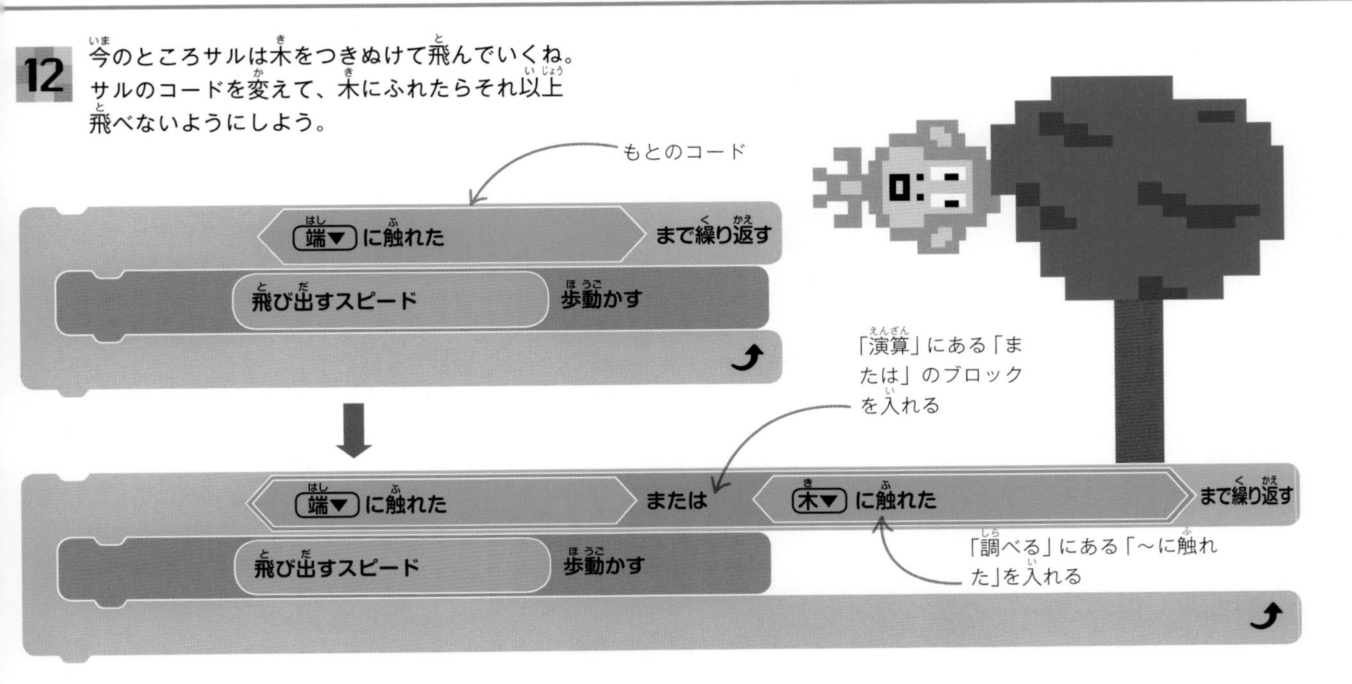

13 プロジェクトを実行しよう。サルは木にぶつかると飛ぶのを止めるから、木の右側にあるバナナがは取れなくなってしまったね。でも心配はいらない。ゲームに重力を入れればうまくいくよ。

うまくなるヒント

「または」、「かつ」、「ではない」

「もし～なら」ブロックの多くは1つの条件だけがあてはまるかをチェックしている。でも「端に触れたまたは木に触れた」というように2つの条件を一度にチェックする必要もプログラミングでは出てくるよ。スクラッチでは「または」「かつ」「ではない」といった「演算」ブロックを使って、こうしたふくざつなケースに対応しているよ。

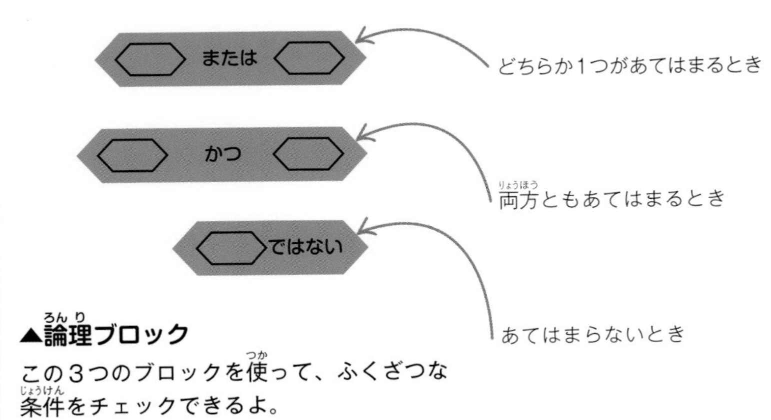

▲論理ブロック
この3つのブロックを使って、ふくざつな条件をチェックできるよ。

14 すべてのスプライト用に新しい変数を2つ作ろう。「落下スピード」と「重力」だ。それからサルの「緑の旗が押されたとき」で始まるコードに「重力を〜にする」のブロックを追加し、「スペースキーが押されたとき」で始まるコードは下のように変えよう。「落下スピード」という変数は、サルが「飛び出すスピード」の分だけ前に進んだとき、重力で何歩分だけ下に落ちるかを示していて少しずつふえていく。変数「重力」は、サルが動くごとに「落下スピード」が何歩ずつ速くなるかを表しているよ。

変数
変数を作る
☐ 落下スピード
☐ 重力
☑ 飛び出すスピード
☐ 変数
☐ バナナの数

チェックを外して、ステージに表示されないようにしよう

```
緑の旗が押されたとき
大きさを(35)%にする
回転方法を[回転しない▼]にする
[ランチャー▼]へ行く
[重力▼]を(-0.2)にする
```

このブロックを追加する

▲変数を見えなくする
ステージに変数を表示したくないときはその変数の前にあるチェックボックスのチェックを外そう。

```
[スペース▼]キーが押されたとき
[ランチャー▼]へ行く
([ランチャー▼]の[向き▼])度に向ける
[落下スピード▼]を(0)にする
<<[端▼]に触れた>または<[木▼]に触れた>>まで繰り返す
    (飛び出すスピード)歩動かす
    y座標を(落下スピード)ずつ変える
    [落下スピード▼]を(重力)ずつ変える
[ランチャー▼]へ行く
```

この新しいブロックは、サルが飛び出す直前には、まだ落ち始めていないことを表しているよ

このの新しいブロックはサルを地面に向けて落とす

この新しいブロックには変数「重力」が使われていて、ループがくり返されるたびにサルの落下スピードが速くなる

うまくなるヒント

現実の世界の重力

君がいる現実の世界で何かをまっすぐ投げようとしても、投げた物はカーブをえがいて飛び、やがて地面に落ちてしまうね。これは重力によって投げた物が地面に向けて引っぱられているからだ。このゲームではサルを（1）最初に飛び出した向きにまっすぐ動かす、（2）動かすたびに地面に向けて近づける、という処理をくり返して、重力につねに引っぱられている感じを出しているんだ。サルの動きが自然になって、ゲームがおもしろくなるよ。

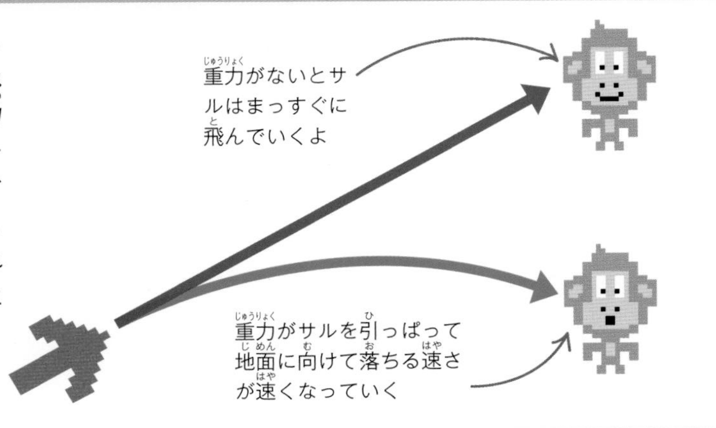

15 プロジェクトを動かしてみよう。サルは木の向こう側のバナナにもたどり着けたかな？ サルは時間がたつごとに、より速く地面に向けて落ちているんだ。そのため、カーブをえがいて飛ぶんだよ。

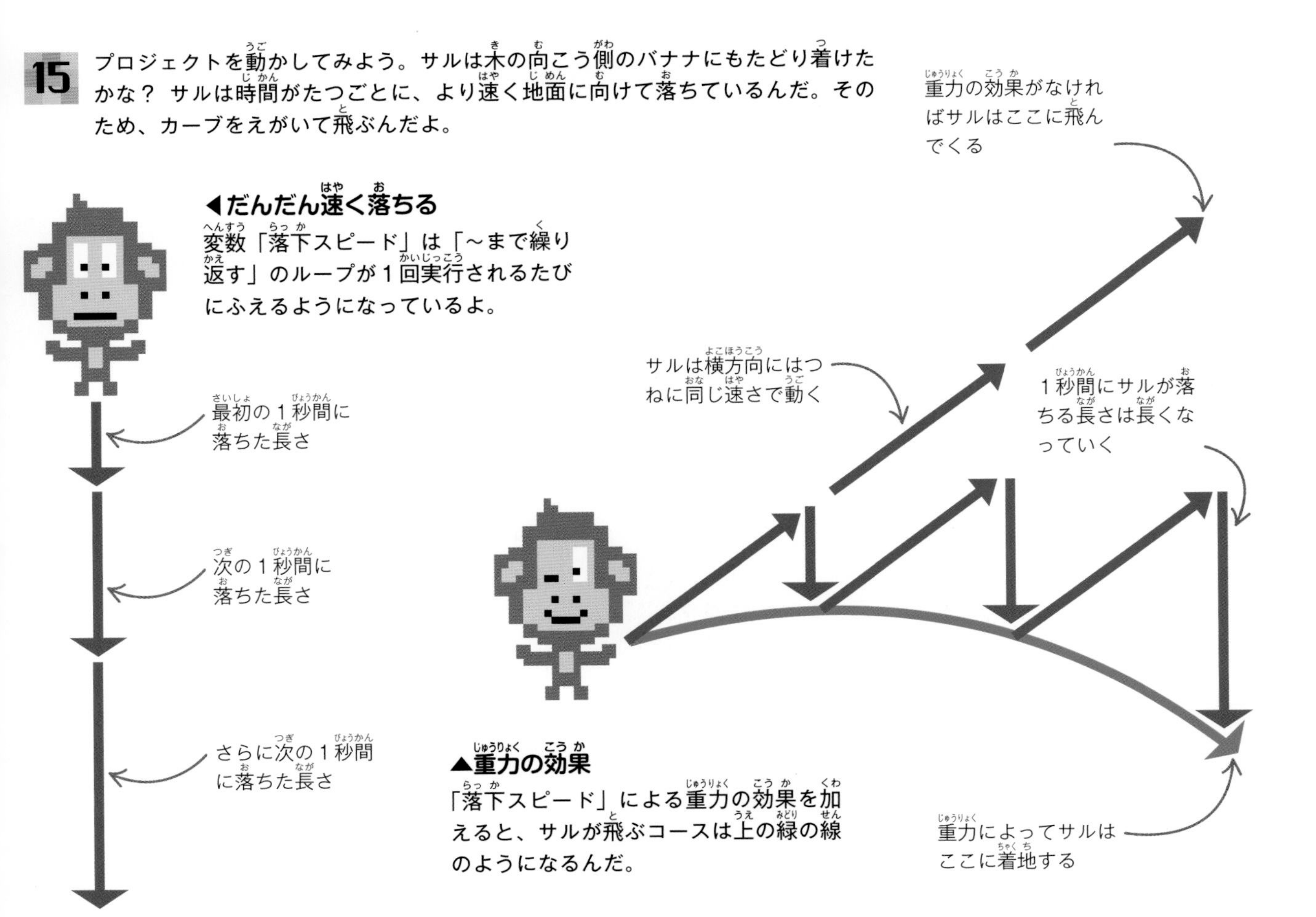

◀だんだん速く落ちる
変数「落下スピード」は「～まで繰り返す」のループが1回実行されるたびにふえるようになっているよ。

▲重力の効果
「落下スピード」による重力の効果を加えると、サルが飛ぶコースは上の緑の線のようになるんだ。

ゲームオーバー

サルがバナナをすべて集めると「おめでとう！」のメッセージが画面に出て、ゲームが終わるようにしよう。バナナをすべて集めるのに何回ランチャーを使ったかもわかるようにしよう。

16 筆のアイコンをクリックして、下のような新しいスプライトをかこう。2行目の途中が切れているけれど、ここにはランチャーを使った回数をあとで入れるんだ。このスプライトには「ゲームオーバー」という名前をつけよう。

おめでとう！
ランチャーは　回使ったよ

すき間を作っておこう

17 すべてのスプライト用に、「飛び出した回数」という変数を作るよ。ステージにあらわれたら、右クリックをしてメニューを出し、「大きな表示」を選ぶ。これで変数に入っている数だけが表示されるようになるね。ステージ上の位置はあとで調整できるよ。

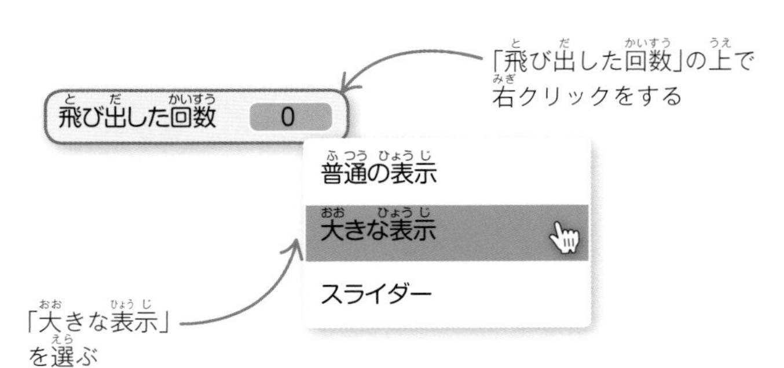

「飛び出した回数」の上で右クリックをする

「大きな表示」を選ぶ

18 下の3つのコードブロックを「ゲームオーバー」のスプライトに加えよう。ランチャーからサルが飛び出した回数を数え、ゲームの終わりにメッセージといっしょに表示するんだ。

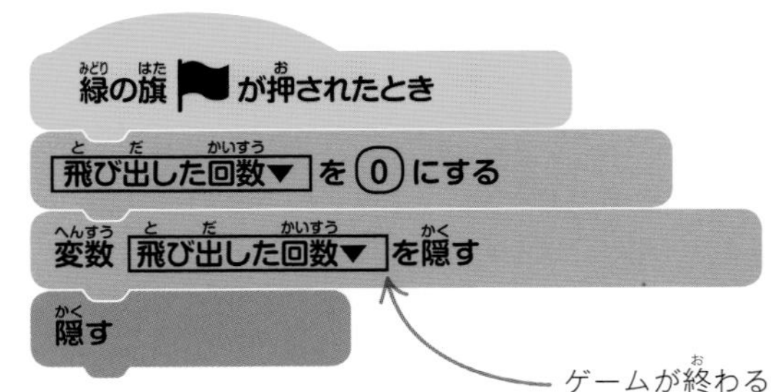

ゲームが終わるまでこの回数は見せない

ゲームオーバー▼ を受け取ったとき
x座標を 0 、y座標を 0 にする
最前面▼ へ移動する
表示する
変数 飛び出した回数▼ を表示する
すべてを止める▼

ゲームが終わったとき、「飛び出した回数」を表示するブロック

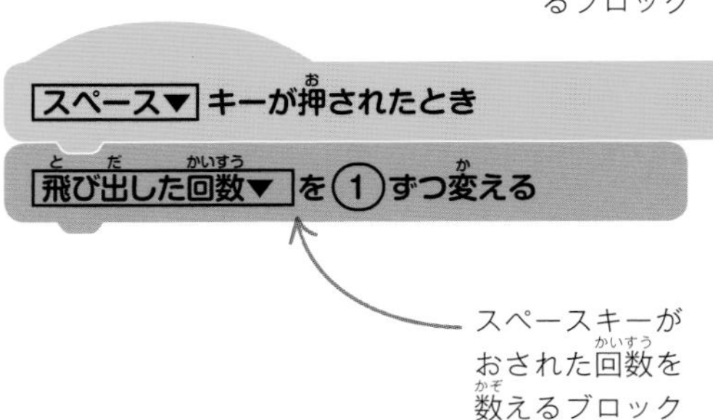

スペースキーがおされた回数を数えるブロック

19 ゲームを実行してバナナを全部集めてみよう。「おめでとう！」の表示が出たら「飛び出した回数」のカウンターをドラッグして動かそう。次からは同じ場所にカウンターが表示されるぞ。

20 今度は背景を加えるよ。画面右下のエリアで「ステージ」を選び、それから画面の左上にある「背景」のタブをクリックしよう。自分で背景をかいてもいいし、ライブラリーから選んでもいいぞ。下のように「テキスト」ツールでゲームの説明文を書いてみよう。

カウンターを文のすき間にドラッグしよう

7

飛び出すスピード 11

おめでとう！

ランチャーは　回使ったよ

効果音を加える

ゲームをもっとおもしろくするために、効果音も加えよう。サルが飛び出すときとバナナを食べたときに音が鳴るようにするよ。

21 サルのスプライトを選び、「音」タブをクリックする。ライブラリーから「Boing」を選ぼう。それから「～の音を鳴らす」ブロックを、サルのコードに追加するよ。

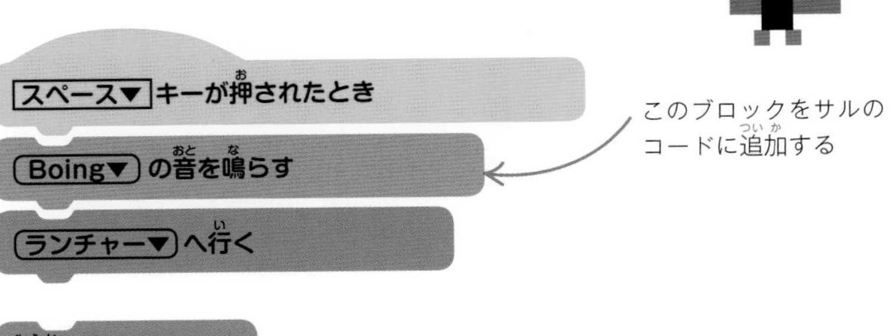

22 バナナのスプライトを選び、ライブラリーから「Chomp」を選ぼう。「～の音を鳴らす」を、バナナのコードに追加しよう。

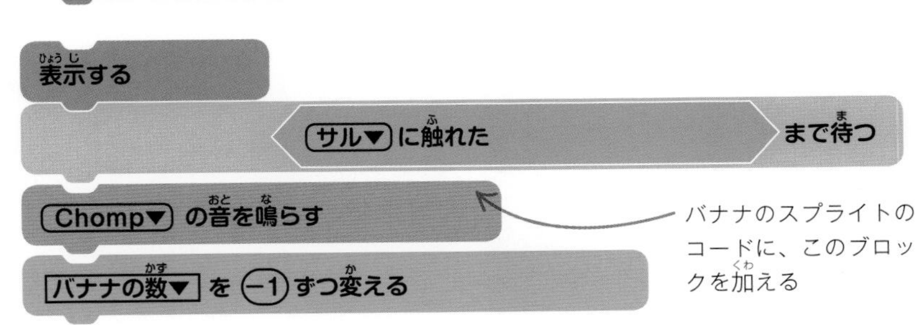

重力で遊ぼう

変数「重力」の設定を変えられるように、スライダーをつけてみよう。スライダーを操作すれば、変数「重力」の中に入っている数を変えられるんだ。サルが上にうき上がってしまうようにもできるぞ。

23 変数「重力」のチェックボックスにチェックを入れて、ステージに表示しよう。「重力」のカウンターがあらわれたら、その上にマウスのポインターを持っていって右クリックし、メニューから「スライダー」を選ぶよ。

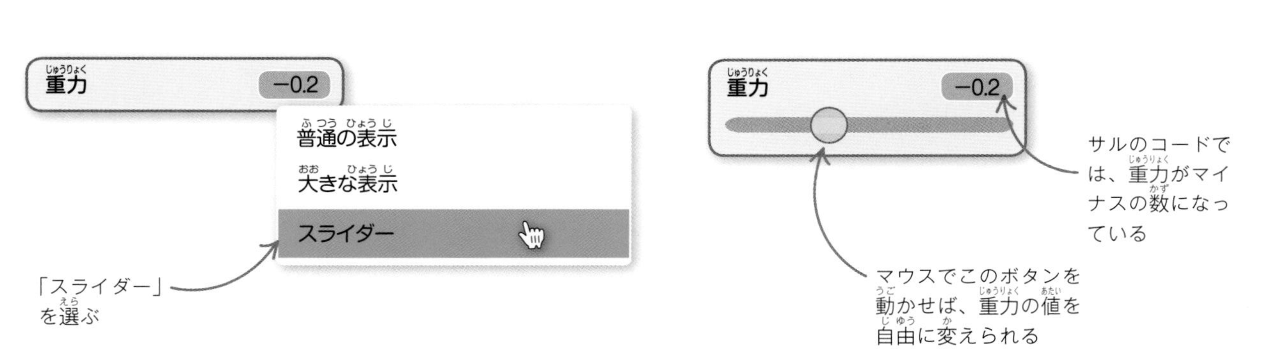

うまくなるヒント

変数を見えるようにする

変数のステージ上での見え方には「普通の表示」、「大きな表示」、「スライダー」の3つがあるよ。それぞれのゲームにぴったりなものを選ぼう。

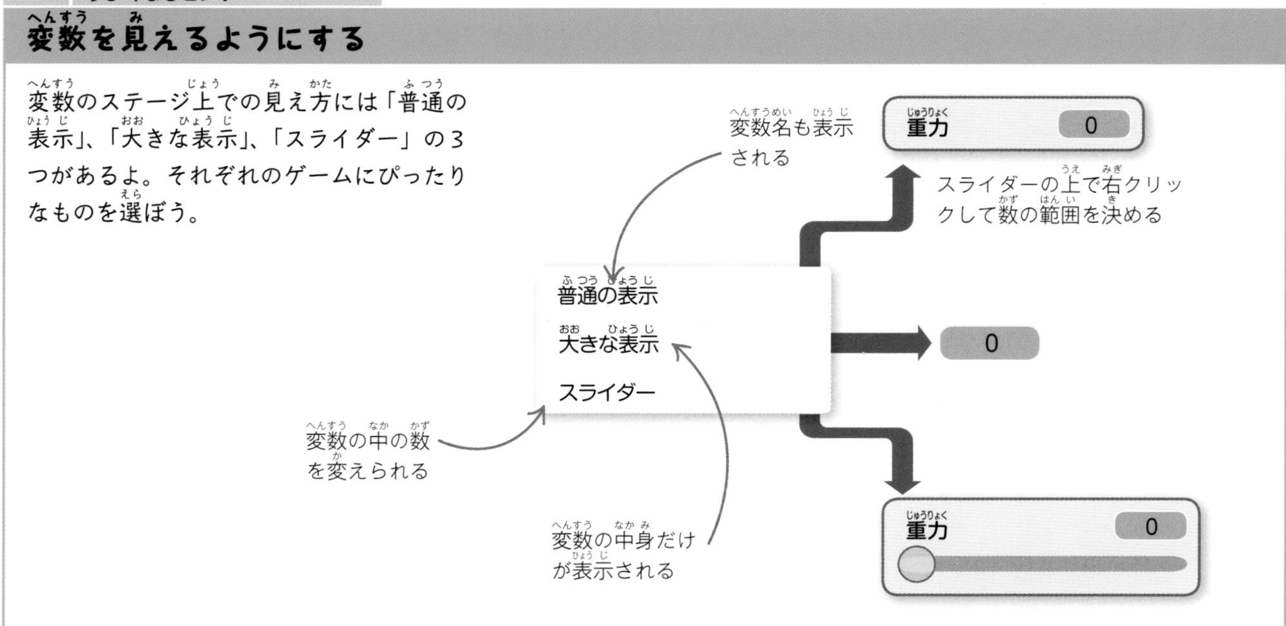

24 スライダーで重力を変えながらプレイしてみよう。もっとも自然なのは−0.2にしたときだけど、数をふやしたりへらしたりして、サルがどう動くか見てみよう。

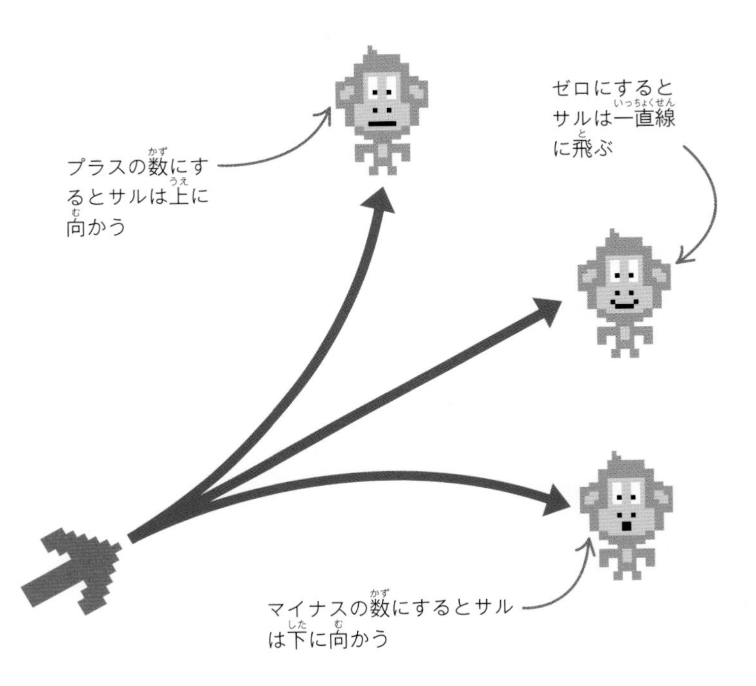

25 重力の実験が終わったら、ブロックパレットの「変数」で、「重力」の左側のチェックボックスからチェックを外そう。これでもとのゲームにもどったよ。重力がどのように働くかわかったら、今度は重力がさかさに働く世界のゲームを作ってみてもいいね。サルは「上に向けて落ちて」いくよ。

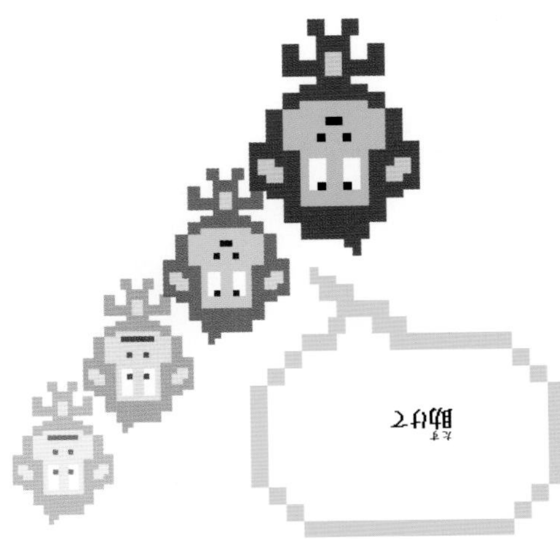

ゲームをデザインする

ゲームでの物理学

現実世界での力や運動について研究するのが物理学だ。ゲームにこの物理学を取り入れると、ものの動きをリアルに表現できる。例えば重力によって地面に向けて引っぱられたり、かべにあたってはね返ったりするときの動きだね。ゲームをリアルに、そしておもしろくするには、プログラマーはいろいろなものの動きを物理学を使って計算しなければならないぞ。水の中や宇宙ではどのような動きをするだろう？

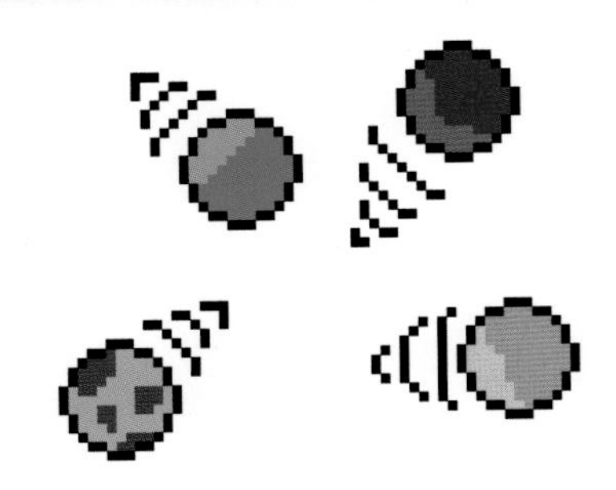

▲重力をどうあつかうか

ゲームの中では現実の世界とちがったことが起こってもかまわない。重力が反対向きに働く世界や、重力がない世界にしてもいいんだ。現実よりも重力が弱い世界も考えられるね。ボールは高くはね上がって、ときには宇宙にまで出て行ってしまうかもしれないよ。

ゲームを改造する

おめでとう！ 重力を取り入れたゲームを初めて完成させたね。何回かプレイしてみたら、ゲームを改造してみよう。いくつかアイデアをしょうかいするよ。

◀バナナの大豊作

バナナの数をふやしてみよう。大きさもいろいろと変えて、ステージのあちこちに置いてみよう。

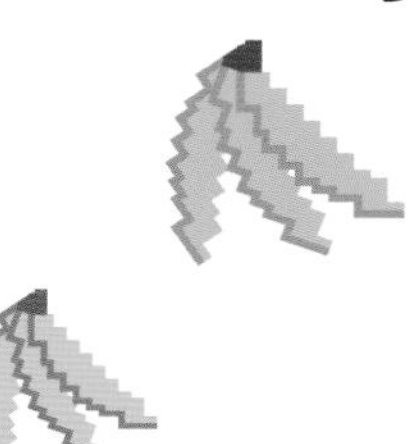

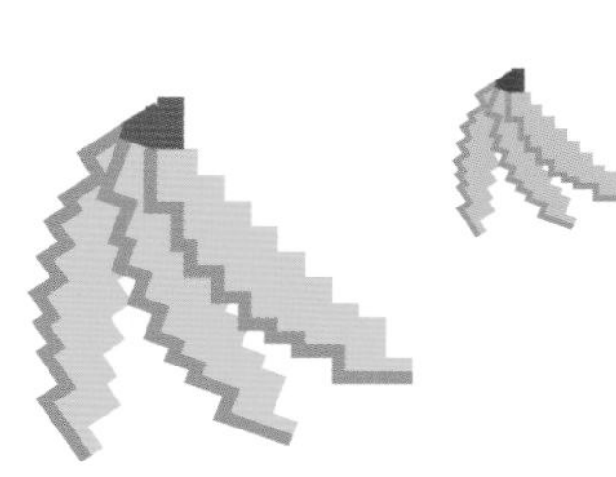

▼フルーツパラダイス

フルーツの種類をふやして種類ごとにちがうスコアを設定しよう。新しく「スコア」という変数を作ってスプライトも追加しないといけないね。スプライトのライブラリーには、オレンジやスイカも入っているよ。

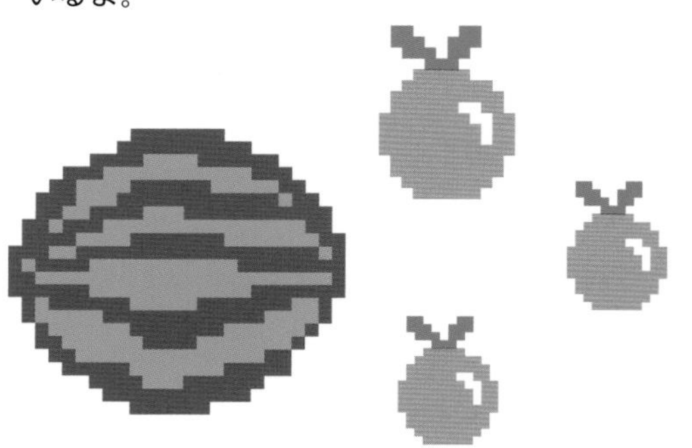

▼時計がチクタク

タイマーを加えて、一定時間内にゲームを終わらせるようにしよう。「残り時間」という変数を作って、下のコードをサルのスプライトに追加する。それから新しいスプライトを作ってコスチュームタブをクリックし、「時間切れ」というメッセージを書こう。それから右下の２つのコードを作れば完成だ。

```
緑の旗 🏴 が押されたとき
残り時間▼ を (20) にする
(20) 回繰り返す
    (1) 秒待つ
    残り時間▼ を (−1) ずつ変える
⤴
時間切れ▼ を送る
```

タイマーを20にセットする。この変数はステージに表示する

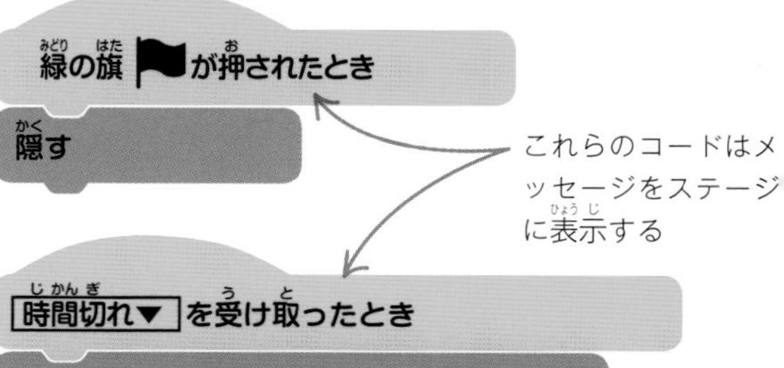

```
緑の旗 🏴 が押されたとき
隠す

時間切れ▼ を受け取ったとき
x座標を (0)、y座標を (0) にする
最前面▼ へ移動する
表示する
すべてを止める▼
```

これらのコードはメッセージをステージに表示する

▼マウスでコントロールする

このゲームは、キーボードの代わりにマウスでコントロールするようにできるよ。下の3つのブロックを使うと、マウスでサルが飛び出す角度とスピードを調整し、さらにサルが飛び出すようにできるよ。自分でプログラミングできるかな？

マウスが押された

このブロックでサルを飛び出させる

マウスのポインター▼ までの距離

マウスのポインターまでのきょりを利用してサルのスピードを設定する

マウスのポインター▼ へ向ける

サルが飛び出す角度を決めるのに使う

▶とびはねるバナナ

ゲームをむずかしくするには、バナナのコードをちょっと変えて、バナナがステージ上をはね回るようにしたらどうかな。

▶あぶない、ヘビだ！

サルのじゃまをするしょうがい物を入れてみよう。大きなヘビとかクモはどうかな？

▼サルのスピードを変えられなくする

今までサルが飛ぶスピードは、キーボードの矢印キーで調整できたね。新しく「サルのスピード」という変数を作って、サルが飛ぶスピードを固定することもできるよ。「サルのスピード」を特定の数にしておいて、サルが飛び出すときに「飛び出すスピード」に「サルのスピード」をコピーすればいい。そして飛び出した後のサルの動きを決めるのには「飛び出すスピード」を使うんだ。

▼スライダーでスピードを変える

スライダーをつけて重力をコントロールできるようにしたね。同じようにスライダーでスピードも変えられるようにしてみよう。

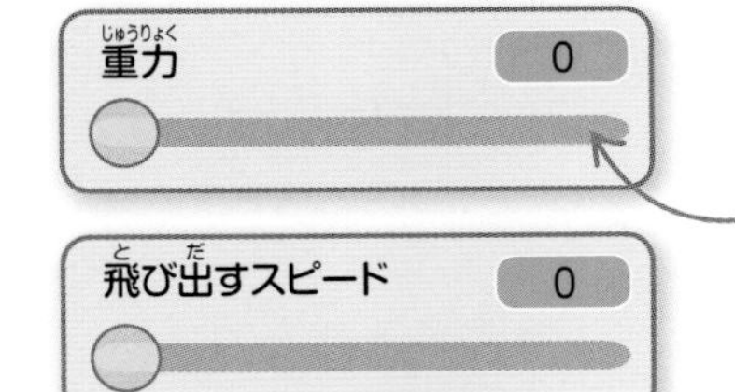

スライダーをつければ、キーボードの矢印キーではなくマウスで操作するようになるよ

ホウキにのった魔女(まじょ)

ホウキにのった魔女の作り方

この不気味なゲームでは、コウモリが急におそってきたり、おそろしいモンスターがプレイヤーをねらってくる。いろいろなモンスターのスプライトを動かしてみよう。

ゆっくり動くゆうれいは、ふらふらとステージに入ってきて、火の球が当たると消えてしまう

グリフォンはとても速く動いて魔女をおそってくる

ゲームの目的

魔女が森の中をホウキにのって飛んでいるぞ。モンスターたちが、あちこちから魔女を目がけておしよせてくる。魔女は呪文をとなえて火の球を飛ばし、コウモリ、ゆうれい、グリフォン、ドラゴンをやっつけなければならないんだ。

◀魔女
魔女はつねに画面中央にいるぞ。キーボードの矢印キーでホウキの向きを変え、スペースキーで火の球を発射だ。

◀てき
火の球が当たったてきは消えて、スコアにポイントが加算される。ポイントが入るにしたがって、ゲームがスピードアップするんだ。

◀ライフ
てきが魔女にふれると、ライフが１つへってしまう。でも空飛ぶカバが魔女にふれれば、ライフが１つふえるよ。

黒いコウモリは魔女めがけて、まっすぐ飛んでくる

ライフをふやせばゲームを長く続けられるよ

コントローラー

このゲームはキーボードの矢印キーとスペースキーをコントローラーにするよ。

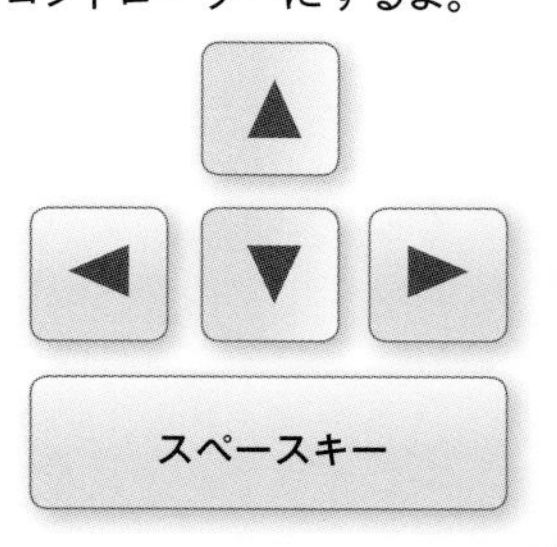

魔女のぶきは火の球だけだ

火をふくドラゴンは、うずまきをえがきながら飛んでくる

魔女はつねにステージの中央にいるよ

◀生き残れ！

ゲームが進むと、より多くのモンスターが魔女に向かってくるよ。プレイヤーはホウキの向きをすばやく変えて、てきをつぎつぎと火の球でねらわなければならないぞ。

場面の設定

「ホウキにのった魔女」は「こわさ」をテーマにしているゲームだ。テーマのふん囲気に合ったスプライト、背景、音楽にして、プレイヤーをゲームの世界に引きこもう。まず、魔女のスプライト、暗い森、気味の悪い音楽を用意しよう。

1 新しいプロジェクトを開始して「ホウキにのった魔女」という名前にしよう。スプライトリストでネコのスプライトを「削除」してから筆のアイコンをクリックして何もかかれていないスプライトを作る。次に「コスチュームを選ぶ」をクリックしてライブラリーから「Witch」を選ぼう。スプライトリストにほうきに乗った魔女が現れるよ。

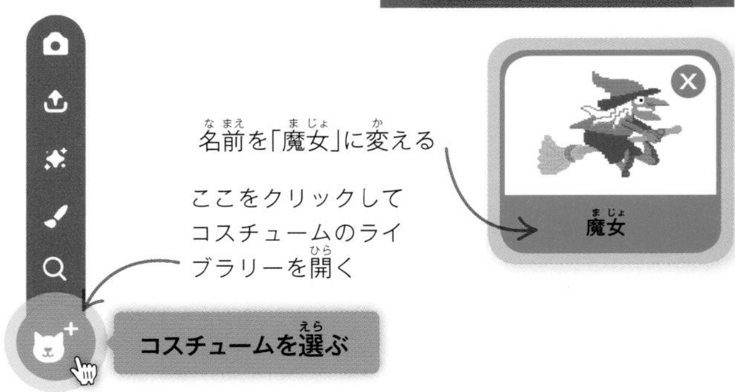

2 右下の「背景を選ぶ」をクリックして「Woods」という背景を選ぼう。この背景にするとゲームが不気味な感じになるよ。

3 ステージを選んだまま、音のライブラリーを開いて「Cave」を選び、下のコードを作ろう。プロジェクトを動かしてみると、不気味な感じが出ているのがわかるよ。

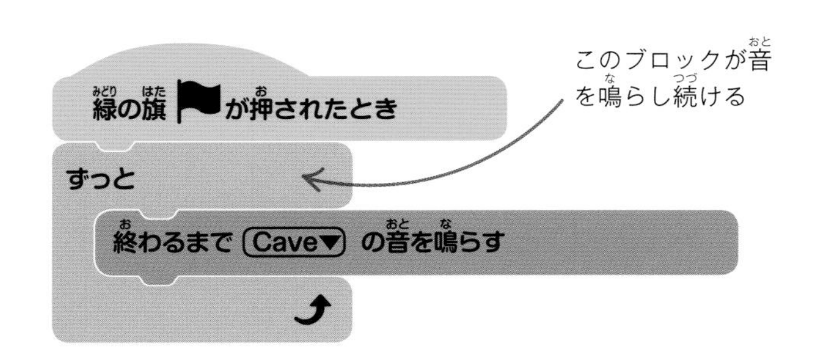

4 さらに下のコードを加えよう。ゲームをプレイしている間、背景の色をゆっくりと変え続けるんだ。

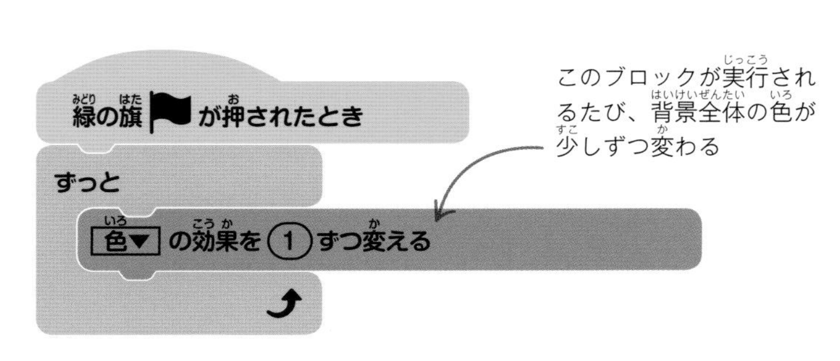

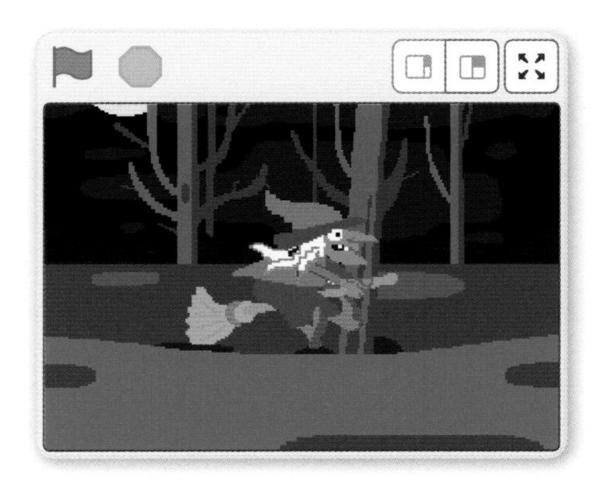

5 次にてきを登場させよう。不吉な黒いコウモリだ。スプライトのライブラリーを開いて「Bat」を選び、名前を「コウモリ」に変えるぞ。

6 コウモリのすがたはこわいけど、このままでは動かないね。「コスチューム」のタブをクリックして画面の中央を見てみよう。コウモリのコスチュームが4つあるぞ。これらを使うことで、コウモリがはばたくようにできるよ。でも必要なのは「bat-a」と「bat-b」の2つだけだ。他の2つは削除してしまおう。

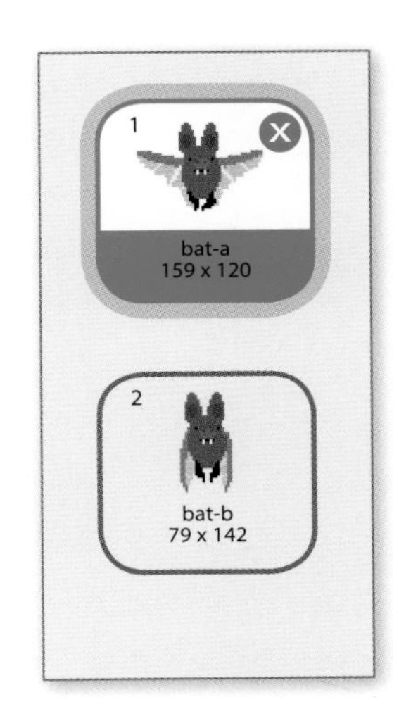

7 下のコードを作ると、コスチュームがくり返し入れかわって表示される。プロジェクトを動かして、コウモリがはばたくのを見てみよう。

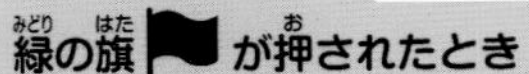

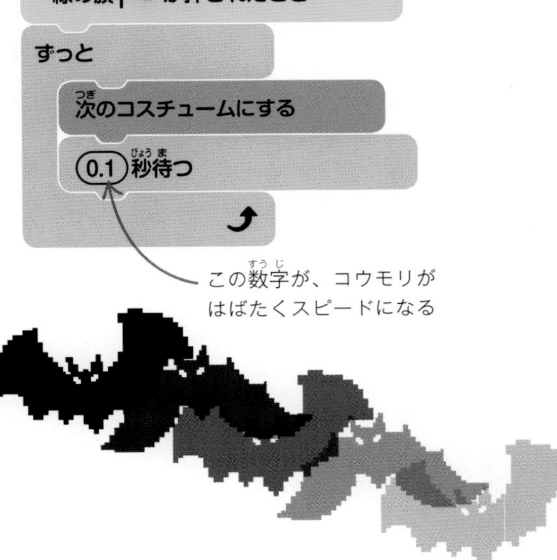

ゲームをデザインする

アニメーション

少しちがうイラストを交互に表示することで、イラストが動いているように見せられるよ。この方法はアニメーションといって、いろいろなところで使われている。スクラッチではスプライトに、少しだけポーズがちがうコスチュームを用意しておき、すばやくコスチュームを変えることでアニメーションを実現しているよ。そうすることで、コウモリが飛び、ネコが歩き、カエルがジャンプするように見えるんだね。

魔女をコントロールする

まだまだコードを追加する必要があるよ。これから作るのは、プレイヤーが魔女をコントロールするためのものだ。

8 ブロックパレットの「変数」から「変数を作る」をクリックして「スコア」、「ライフ」、「ゲームスピード」を作ろう。どれも「すべてのスプライト用」を選んでね。「スコア」と「ライフ」はステージに表示する。それから下のコードを魔女のために作るよ。コードをよく見て、どう動くかテストしてみよう。

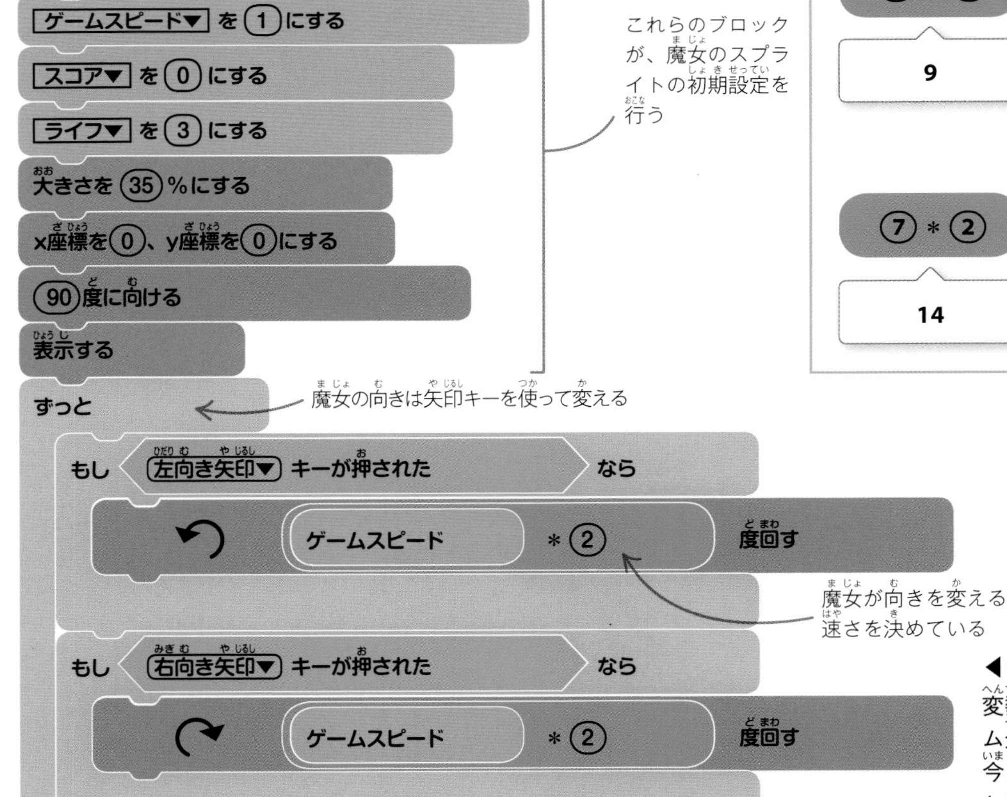

うまくなるヒント
算術演算子

プログラマーは計算をするために特別な記号を使うんだ。ほとんどのプログラミング言語では、「*」をかけ算、「／」をわり算の記号にしているよ。いつも使っているかけ算とわり算の記号が、キーボードにはないためだ。「演算」ブロックをコードエリアに置き、ウィンドウの中に数字を入れてからクリックしてみよう。ふき出しに答えが表示されるよ。

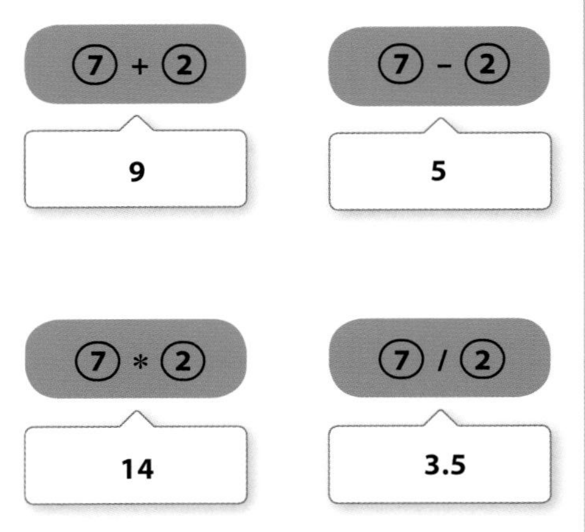

◀ゲームのペースを決める
変数「ゲームスピード」がゲーム全体の速さを決めているんだ。今は1に固定されているね。あとで、スコアが上がるにつれてゲームスピードを速くする方法をしょうかいするよ。

火の球を発射する

モンスターに立ち向かうため、魔女ができるたった１つのことが火の球を発射することだ。これから作るコードは、スペースキーをおして、魔女のホウキから火の球を出すためのものだよ。

9 スプライトのライブラリーから「Ball」を選んで「火の球」に名前を変えるよ。このままだと大きすぎるのであとで小さくするよ。

10 次の２つのコードを火の球のスプライトのために作ろう。実際に魔女が発射するのは、このスプライトのクローンだよ。

```
クローンされたとき
魔女▼ へ行く
(魔女▼ の 向き▼) 度に向ける
20 歩動かす
表示する
<端▼ に触れた> まで繰り返す
  10 歩動かす
このクローンを削除する
```

このブロックは「調べる」から見つける

ドロップダウンメニューで「ステージ」を「魔女」に、「背景」を「向き」に変えるよ

この３つのブロックが魔女のホウキの先に火の球を出現させる。火の球の向きは、ホウキの向きをコピーしているね

オリジナルのスプライトは見えなくなっているので、クローンは見えるようにする

発射された火の球はステージのはしに着くと消える

```
緑の旗 が押されたとき
大きさを 10 %にする
隠す
```

クローンだけが見えるように、オリジナルのスプライトは消してしまおう

11 スペースキーをおすと火の球のクローンができるようにしよう。「〜まで待つ」のブロックは、スペースキーから手がはなれるまで待ち、１回スペースキーをおしたときに作られる火の球が１つだけになるようにしているんだ。コードを動かして、魔女の向きを変えて火の球を発射できるかチェックしよう。

```
緑の旗 が押されたとき
ずっと
  もし <スペース▼ キーが押された> なら
    火の球▼ のクローンを作る
    <<スペース▼ キーが押された> ではない> まで待つ
```

このブロックはクローンを作り、上の「クローンされたとき」で始まるコードを起動する

このブロックがないと、プレイヤーは１回スペースキーをおしただけで、火の球をたくさん作れてしまうぞ

せまりくるコウモリ

コウモリが1ぴきだけでは、火の球を出す魔女にはかなわないね。クローンを作ってコウモリの数をふやそう。

12 次の2つのコードブロックをコウモリに加えるよ。この2つがいっしょに動いて、コウモリをつぎつぎにふやし、魔女に向かわせるんだ。コウモリはステージのはしのランダムな位置に出現するぞ。

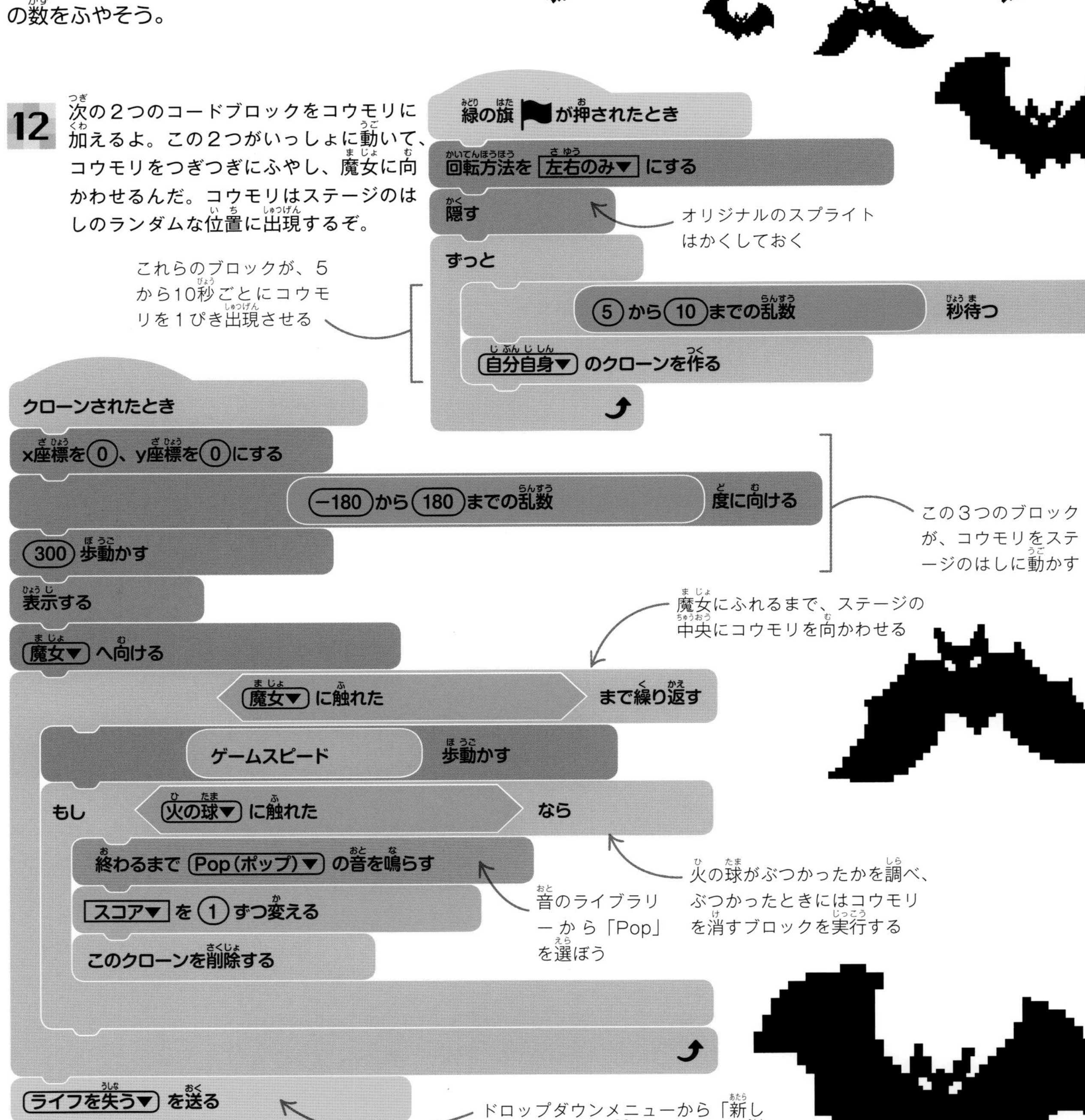

▶どのように動くのか

クローンを動かすためのコードに3つの青いブロックがつながっているね。この3つが、ステージのはしのランダムな位置に、コウモリのクローンを動かしているんだ。見えなくされたクローンは、まずステージの真ん中に置かれる。それから方向をランダムに選んで300歩進む。300歩なら、どちらの方向でも必ずステージのはしに着くね。こうして、コウモリはあらゆる方向からアタックしてくるようになるんだ。最初、コウモリがステージの真ん中に置かれたとき、魔女がコウモリにふれてしまうことはないよ。コウモリのクローンは見えなくなっているからね。

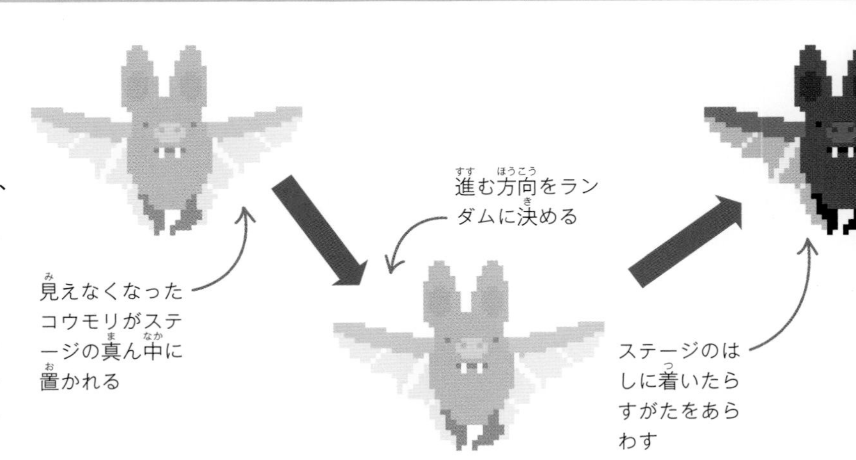

13 魔女がライフを失ったら、すべてのコウモリを消すようにしよう。てきが次にアタックしてくる前に、プレイヤーが少し休めるからね。下のコードをコウモリに加えよう。「ライフを失った」というメッセージを受け取ったら、すべてのクローンがこのコードを実行して消え去るんだ。

```
[ライフを失う▼] を受け取ったとき
このクローンを削除する
```

14 うまく動くか、プロジェクトを実行してみよう。少しするとコウモリがあらわれ、魔女に向けて飛んでくるね。すぐにつぎつぎとあらわれるぞ。火の球を放ってコウモリをやっつけよう。コウモリが1ぴきでも魔女のもとにたどり着くと、全部のコウモリが消えてしまうね。

15 コウモリがはばたかないことに気づいたかな？このバグを直そう。コウモリのコードを下のようにすれば、オリジナルではなく、クローンのコウモリがはばたくようになるよ。

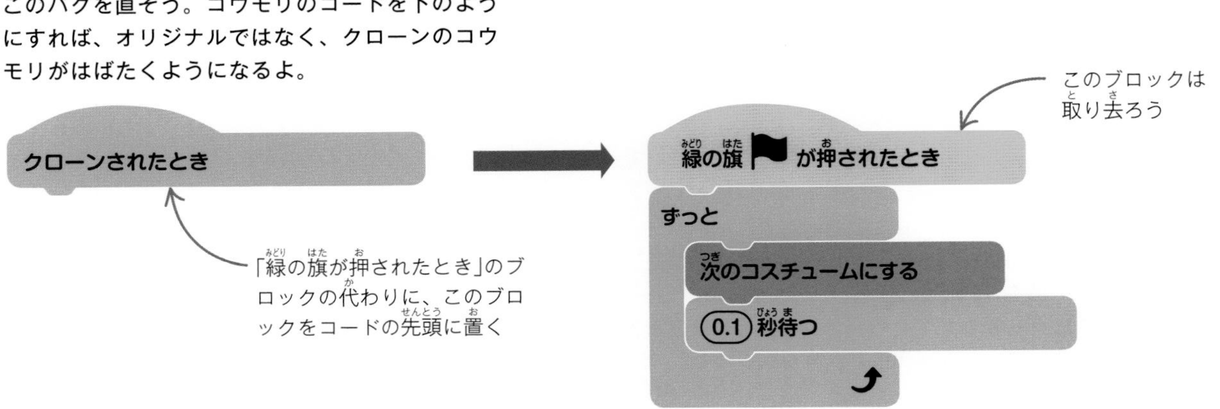

ばく発させる

魔女がライフを失っても、今のままだとたいしたことは起きないよ。もっと派手にしてみよう。ライフを失ったらばく発が起き、火花が出て、さけび声が聞こえて、残りのライフのカウンターの数が１つへるようにしよう。

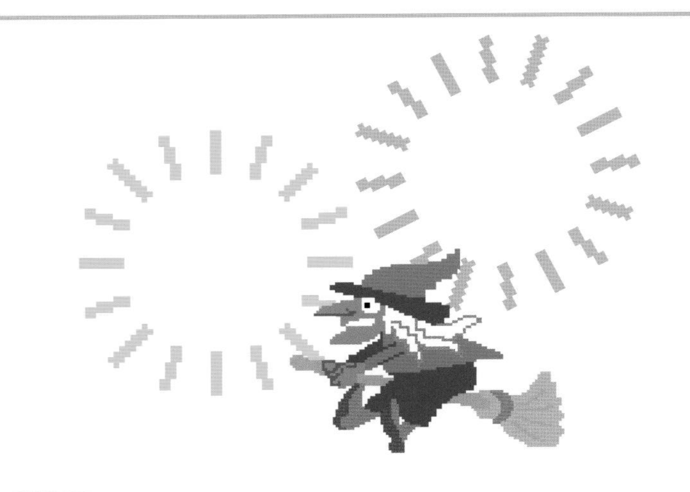

16 右のコードを魔女に追加して、ライフを失ったときに反応するようにしよう。まだライフが残っている場合には、魔女は２秒間だけ見えなくなり、その後、また戦いにもどってくる。ライフがゼロになってしまったら、ゲームオーバーだ。「ゲームオーバー」というメッセージを新しく作って、これを流すようにしよう。このメッセージはあとで利用するよ。もう一度ゲームをプレイしてみよう。魔女のライフが０になると、すべてのスプライトが止まってしまうね。

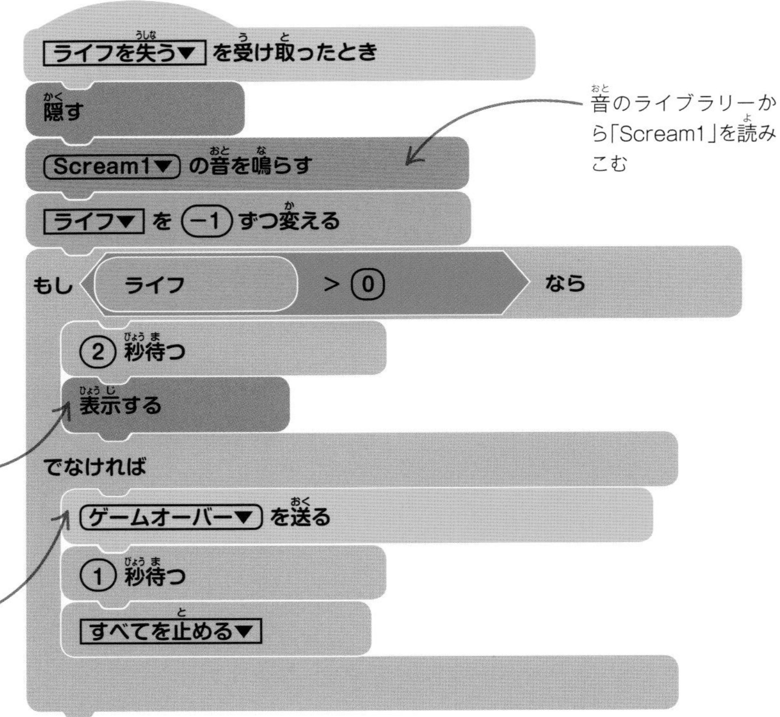

まだライフが残っているときは、少ししてから魔女を見えるようにする

「ゲームオーバー」というメッセージで、あとで作るゲームオーバー画面が表示される

17 火花を作るには、新しいスプライトが必要だ。火の球のスプライトをコピーするのではなく、ライブラリーから新しく「Ball」を読みこもう。この新しいスプライトの名前を「ばく発」に変えたら「コスチューム」のタブをクリックして２番目の「ball-b」を選ぶ。すると「ばく発」のスプライトが青くなったね。

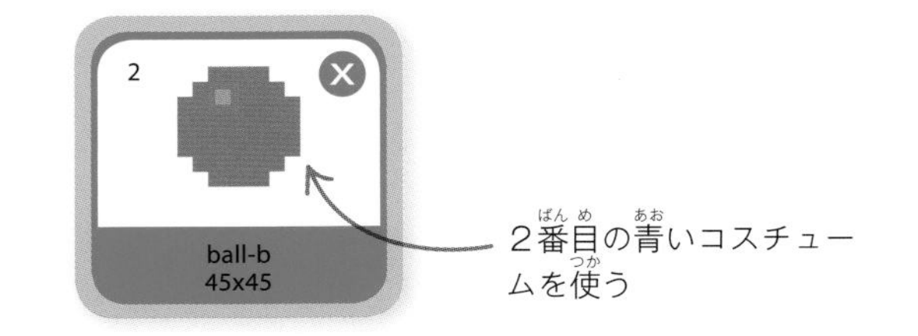

18 「ばく発」のスプライト用に新しいコードブロックを2つ作るよ。最初のコードブロックは、1つずつちがう向きに飛びちる小さな青い球を見えないようにして作るためのものだ。2つ目のコードブロックは、その小さな球を魔女を中心に円をえがくように置き、魔女からはなれていく方向に飛ばすためのものだよ。コードをよく見て、何がばく発を引き起こしているかを考えよう。

```
緑の旗 が押されたとき
隠す
大きさを (5) %にする
(72) 回繰り返す
    ↻ (5) 度回す
    [自分自身▼] のクローンを作る
```

このブロックが、小さな青い球を1つずつちがう方向に向かせている

```
[ライフを失う▼] を受け取ったとき
[魔女▼] へ行く
表示する
<[端▼] に触れた> まで繰り返す
    (10) 歩動かす
隠す
```

「ばく発」のクローンは外に向けて飛び、ステージのはしで消え去る

19 「ばく発」のスプライトが「ライフを失う」というメッセージを受け取ると、青い球のクローンすべてが魔女がいる位置にあらわれるよ。それから青い球はステージのはしに向けて飛び、また見えなくなるぞ。ゲームを実行して、どのようになるかチェックしよう。

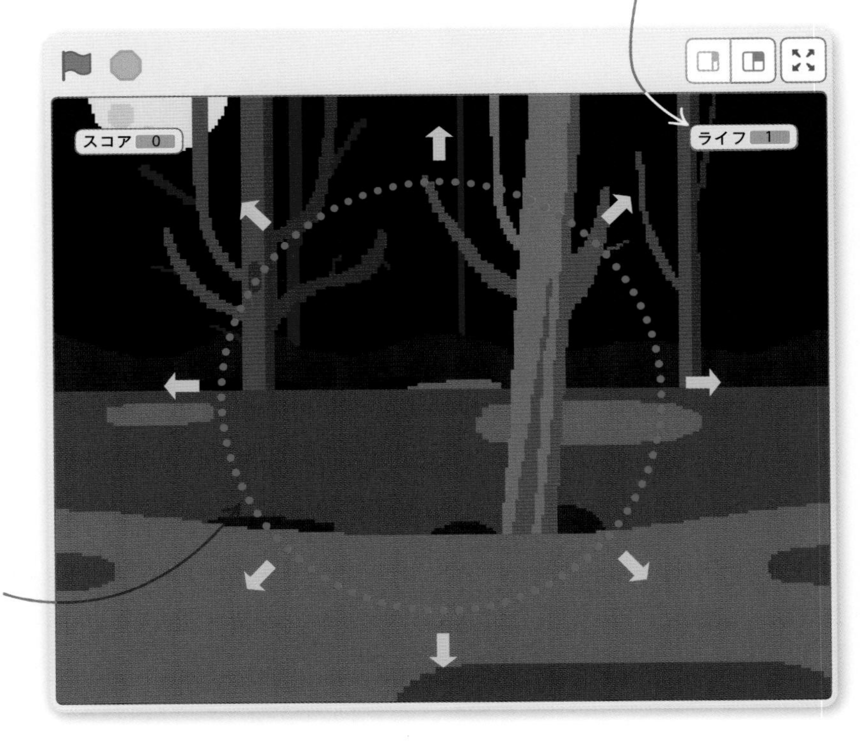

「ライフ」のカウンターをステージ右上に動かそう

コウモリが魔女にふれると魔女はばく発して小さな青い球になってしまう

すばやいグリフォン

もっとゲームをむずかしくするために、新しいてきを加えよう。コウモリをコピーしてスプライトを作り、コスチュームを新しいものにするよ。コードも変えて、すばやく動くグリフォンを作ろう。

20 コウモリの上にマウスのポインターを当てて右クリックし、メニューから「複製」を選んでコピーを作ろう。「コウモリ2」というスプライトができるから「グリフォン」に名前を変えてね。

21 グリフォンの「コスチューム」タブをクリックすると、コウモリからコピーされたコスチュームが2つ出てくるね。顔のアイコンをクリックして、ライブラリーから新しいコスチュームを選ぼう。

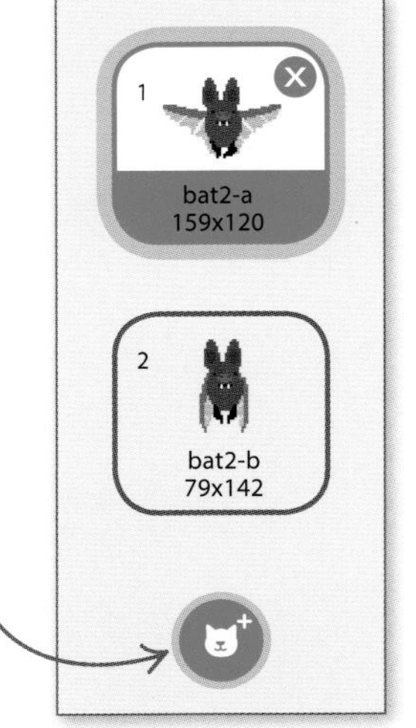

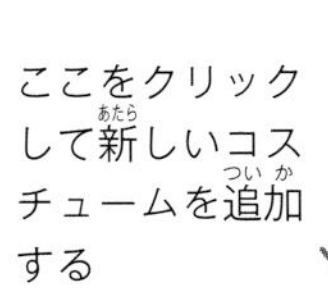

22 「Griffin-a」と「Griffin-b」という新しい2つのコスチュームを加えるよ。2つのコスチュームをくらべると、グリフォンのつばさの位置がちがっているね。

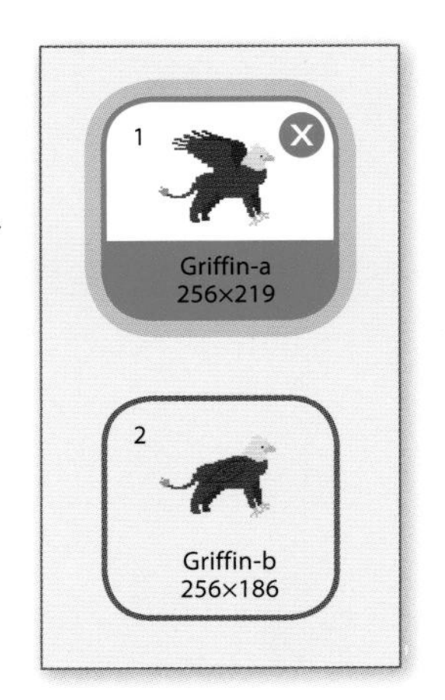

23 コウモリのコスチュームは消してしまおう。右上の小さな×印をクリックすれば削除できるよ。

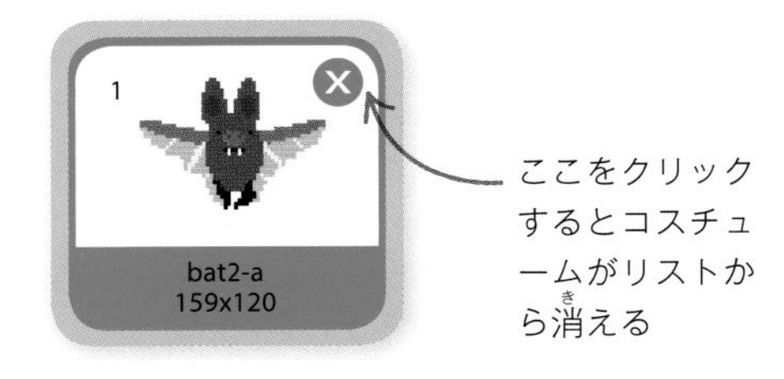

24

グリフォンのスピードを速くするため、「～歩動かす」のブロックを変えるぞ。コウモリの倍の速さで飛ぶようにしよう。

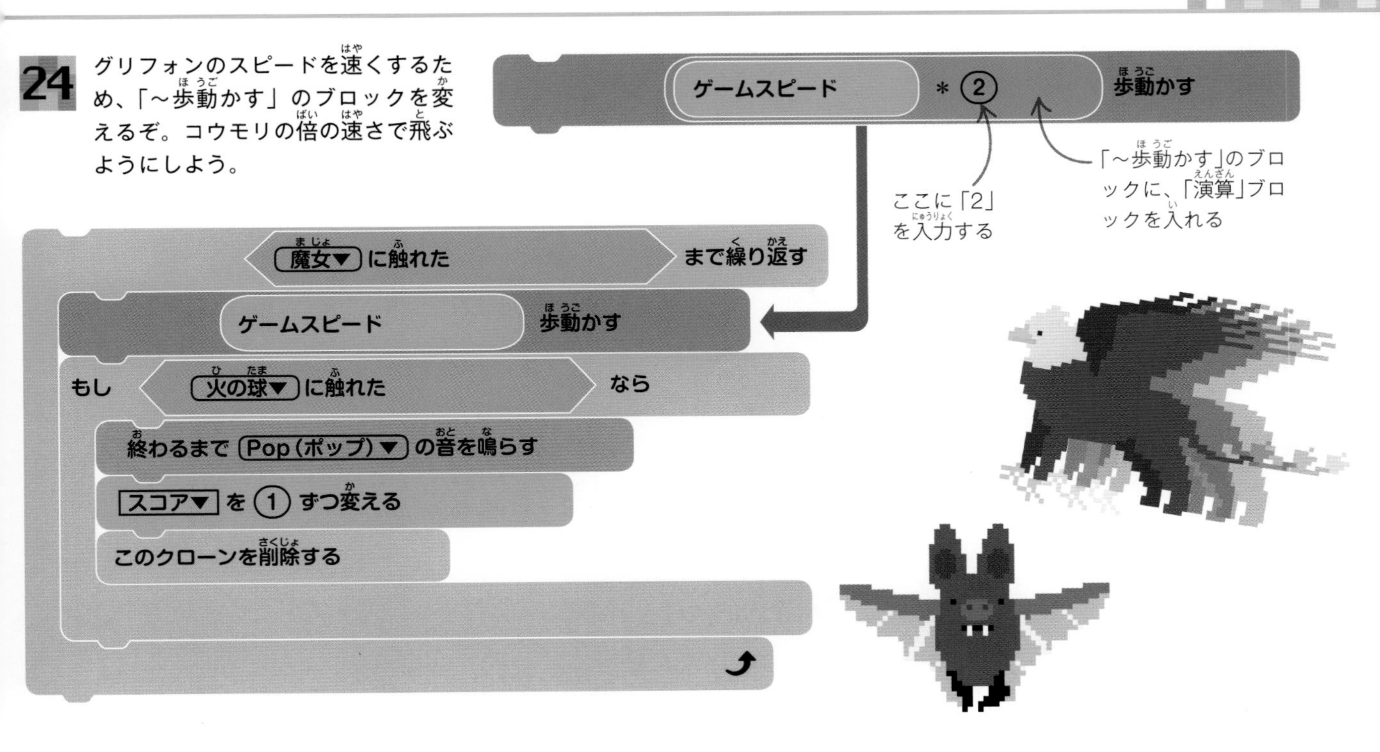

25

すばやく動くグリフォンがたくさん出てくると、ゲームがむずかしくなりすぎてしまう。そこで次のようにコードを変えて、グリフォンはゲームが進んでから出てくるようにしよう。出てくる数も、コウモリより少なくなるようにするぞ。

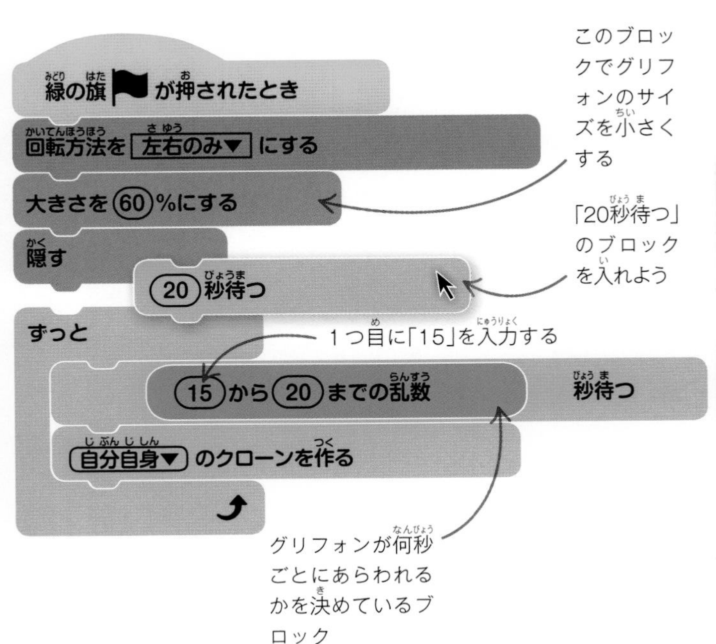

26

グリフォンのコードエリアには、コウモリと同じように、あわせて4組のコードブロックがあるかな？コウモリがあらわれたあとに、もっとあぶないグリフォンがあらわれるぞ。

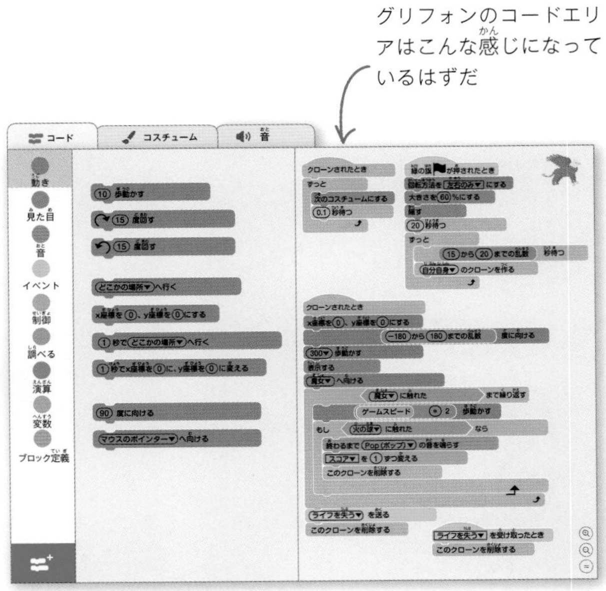

火をふくドラゴン

魔女の次のてきは火をふくドラゴンだ。コウモリやグリフォンのように、魔女に向かってまっすぐ飛んでくるのではなく、ゆっくりとうずまきをえがきながら飛んでくるぞ。

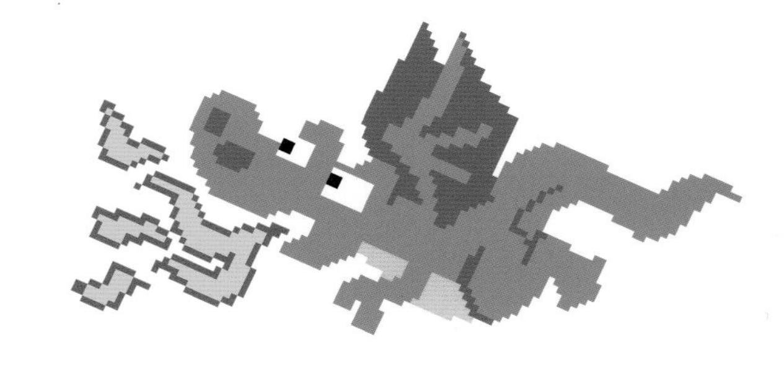

27 コウモリのスプライトをもう1回コピーして、新しくできたスプライトの名前を「ドラゴン」にしよう。「Dragon1-a」と「Dragon1-b」という新しいコスチュームを読みこみ、コウモリのコスチュームは消してしまおう。

名前をドラゴンに変えよう

スプライト ドラゴン ↔ x 20
表示する 大きさ 100
ドラゴン

28 コピーして作ったドラゴンのコードを次のように変えよう。まずコスチュームのコードを変えて、ドラゴンが火をふくようにするよ。

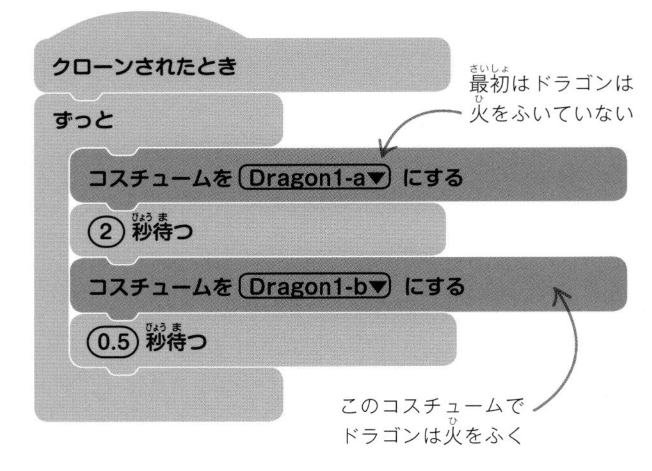

29 次にドラゴンの動き方を変えるよ。うずまきをえがいて飛ぶようにするんだ。「魔女へ向ける」ブロックと、「80度回す」ブロックを「～まで繰り返す」のループの中に入れよう。

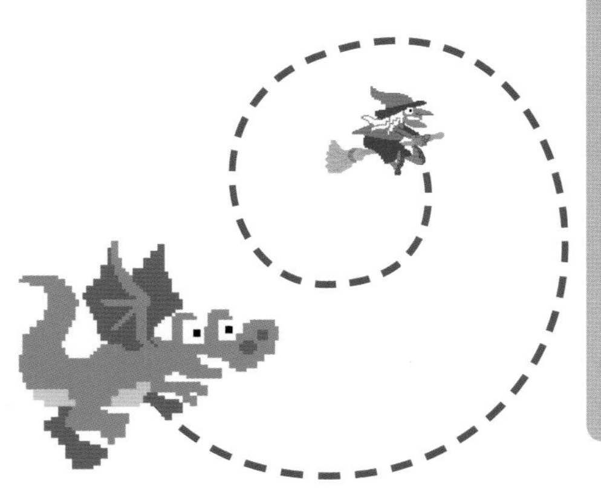

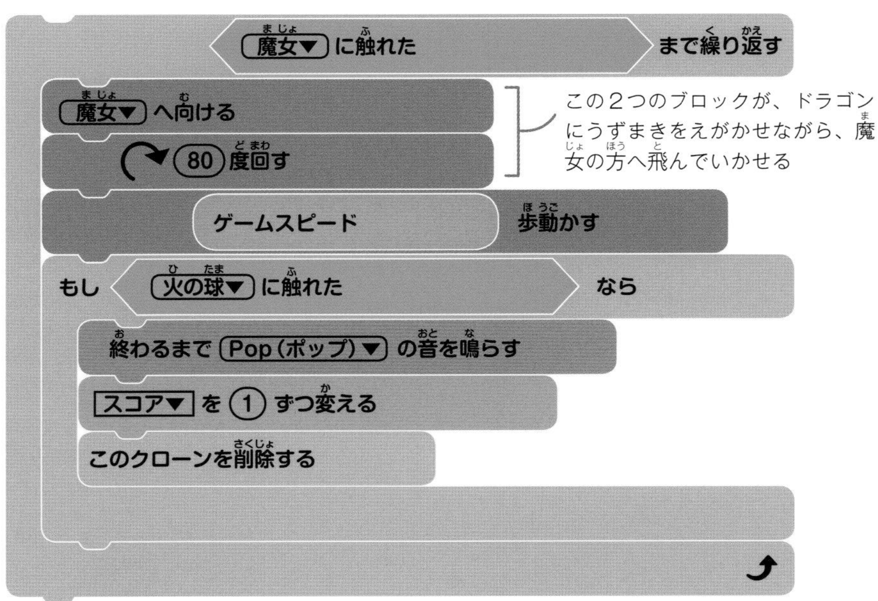

30 右のコードに「10秒待つ」のブロックを入れて、ドラゴンがステージにあらわれるのをおくらせるよ。それから「～から～までの乱数」の数字を「10」と「15」に変えよう。これで、ドラゴンのクローンは10から15秒ごとにしかあらわれなくなる。コードを変え終わったら、ゲームをプレイして、どのように動くのかをチェックだ。

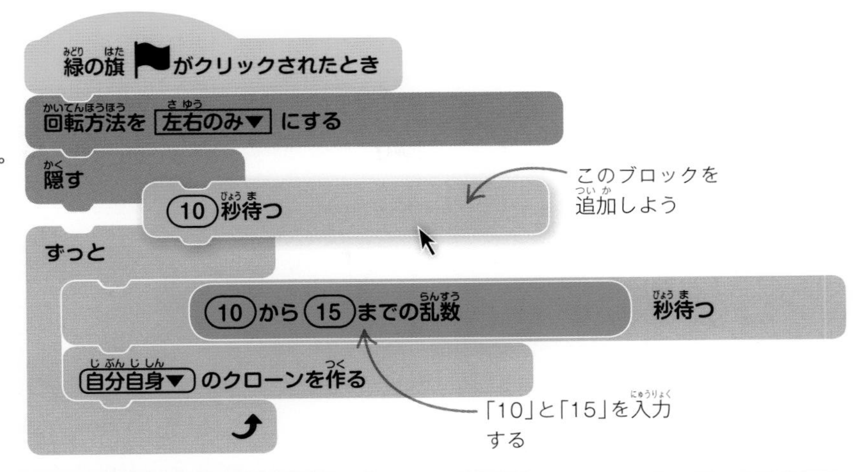

ゲームをデザインする

テーマを決めておく

「ホウキにのった魔女」では、不気味な背景と現実にはいないキャラクターが組み合わさってゲームの世界を形作っているよ。はっきりとしたテーマがあると、ゲームの完成度が上がり、プロが作ったような感じになるんだ。テーマを決めてゲームを作ると、いろいろとアイデアがうかんできて楽しいぞ。

▲ストーリー

プレイヤーは、ゆうれいからにげようとしたり、水中で宝物をさがしたり、エイリアンの住む星をたんけんしようとしているのかもしれない。自分でストーリーを作るのではなく、よく知られた物語を利用することもできる。ただし、ちょっとひねりを加えてみよう。

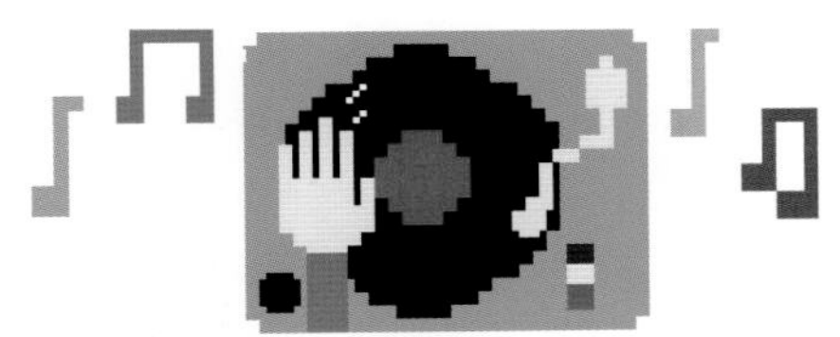

▲音楽と効果音

ゲームでは、音がプレイヤーに大きなえいきょうをあたえるよ。不気味な音楽はプレイヤーをびくびくさせるし、陽気な音楽を使うとこわい背景でもゲームが明るい感じになる。スプライトや背景に合った効果音になるよう、音を選ぶときは気をつけるようにしよう。

▲背景

キャラクターが本当にその背景の中にいるように見えるといいね。ペイントエディターを使えば、自分で背景をかくこともできる。スクラッチ以外で作った背景や、ネットなどで手に入れた背景をスクラッチに組み入れることもできるぞ。

▲キャラクター

主人公はそれにふさわしい見た目にしよう。てきは、こわくなくてもかまわない。かわいいスプライトでも、こうげきしてくるとこわく見えるものだ。アイテムはコインや宝石のような、いかにも宝物らしいものにしよう。

ゆうれい

次に、ゆうれいを加えて、魔女を追いかけさせよう。ゆうれいは、火の球がぶつかったらパッと消えるのではなく、じょじょに体がうすくなっていくようにするよ。

31 もう1回コウモリをコピーして、新しくできたスプライトの名前を「ゆうれい」に変えよう。コウモリのコスチュームを消して、「Ghost-a」と「Ghost-b」のコスチュームを使うよ。

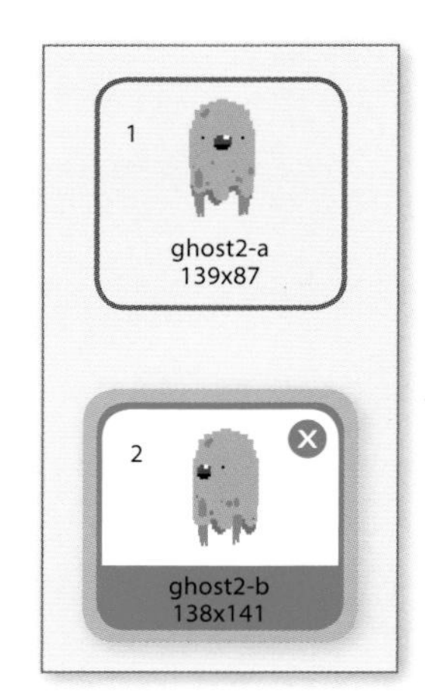

32 コードの1つを下のように変えよう。これでコスチュームは1秒ごとに変わるようになる。

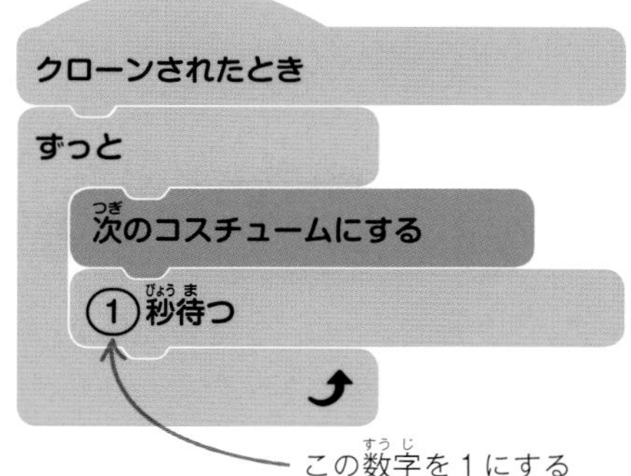

33 ゆうれいのコードを下のように変えて、ゆっくり動いて火の球が当たったらじょじょに消えていくようにしよう。ブロックパレットの「音」タブをクリックし、ライブラリーを開いて「Screech」の音を選ぼう。「～の音を鳴らす」ブロックのメニューで「Screech」を選べば、ゆうれいが消えるときにさけび声を上げるようになるよ。

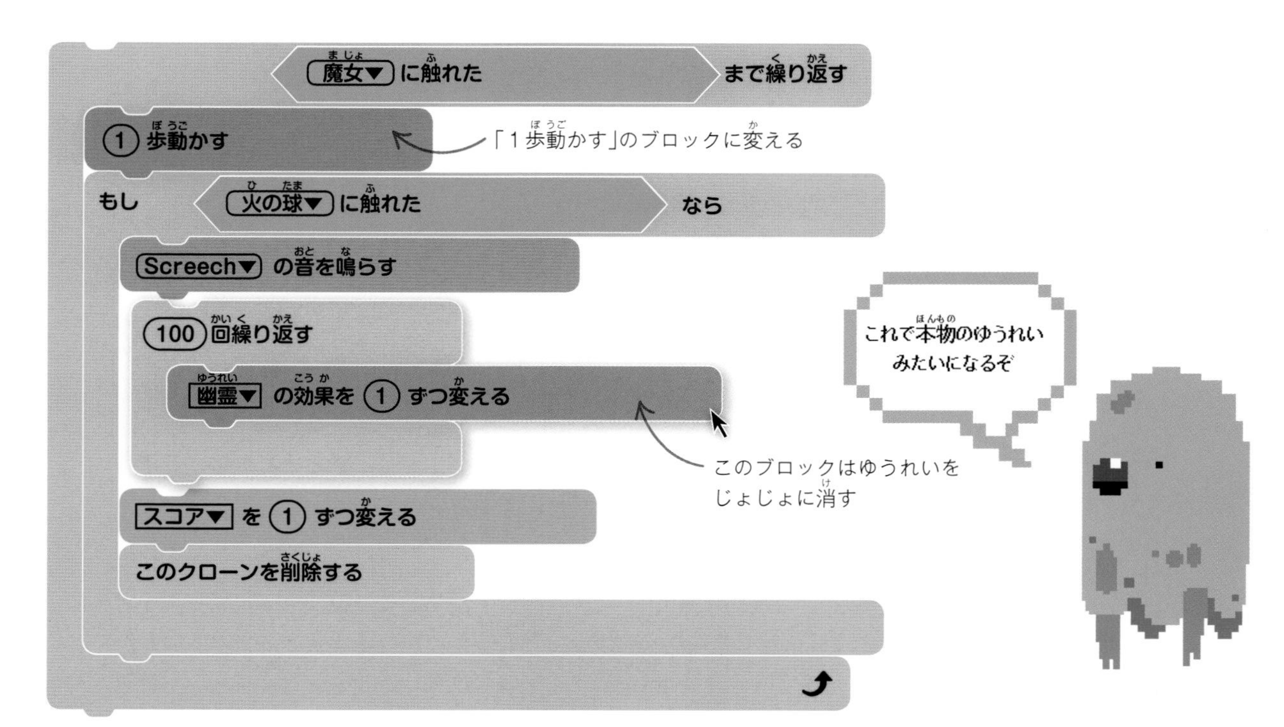

34 右のコードに「10秒待つ」のブロックを追加して、ゆうれいが最初にあらわれる時間をおくらせよう。「～から～までの乱数」ブロックに入力する数字を変えて、コウモリよりも多くあらわれるようにするよ。

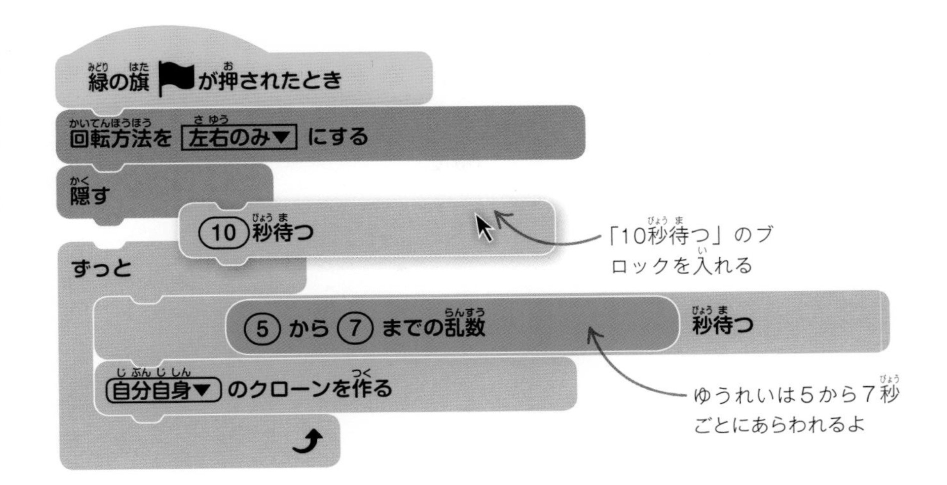

35 ゲームをプレイしてみよう。プログラミングしたとおりに反応するか、それぞれのてきに火の球を発射だ。

36 ライブラリーの中をさがして、モンスターをもっと増やすこともできる。新しいモンスターを加えるには、コウモリのスプライトをコピーしてからコスチュームを変えるようにすれば、コードを最初から作らなくてすむぞ。コスチュームに合わせてコードを変えるだけでなく、モンスターごとにコードのいろいろなところに手を加えてみよう。

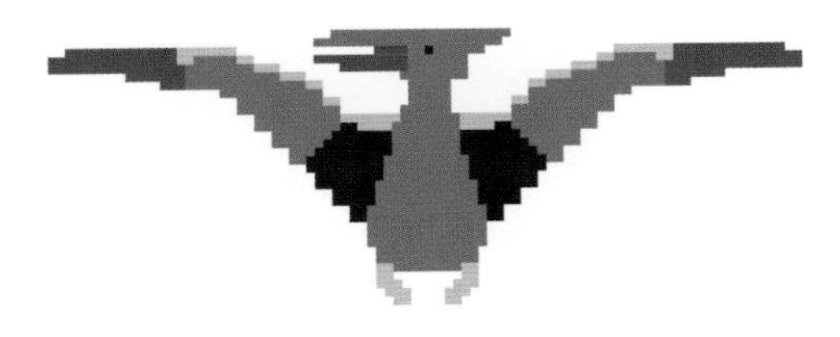

最後の仕上げ

いよいよ最後の仕上げをするよ。魔女のライフがなくなったときに「ゲームオーバー！」と画面に表示するようにしよう。あと、ゲーム開始時にプレイヤーに説明文を見せるようにするよ。

37 スプライトリストで筆のアイコンをクリックして、ペイントエディターで新しいスプライトをかくよ。左下に「ベクターに変換」と表示されているのをかくにんしたら、四角形をかいて中をこい色でぬりつぶそう。それから「ビットマップに変換」という表示にして「テキスト」ツールを選び、好きなフォントを指定してから色は赤を選ぶよ。四角形の中でクリックして「ゲームオーバー！」と入力しよう。最後に「選択」ツールで、今入力した文字を選び、大きさを調整だ。

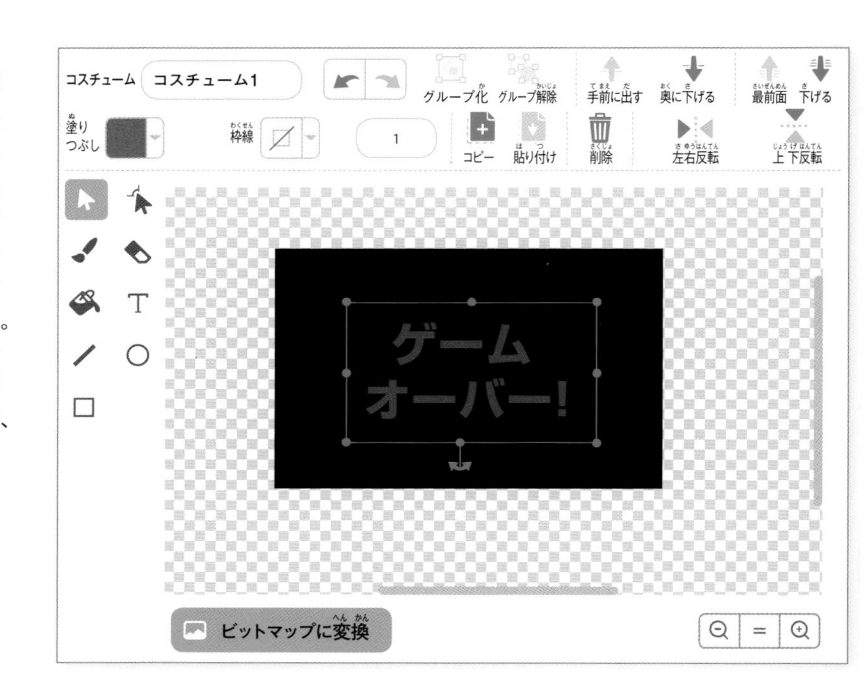

38 右のコードブロックを「ゲームオーバー」のスプライト用に作ろう。ゲーム開始時には見えなくしておいて、魔女のライフがゼロになってゲームが終わったときだけ見えるようにするぞ。これで「ゲームオーバー！」という文字がステージに表示されるはずだ。

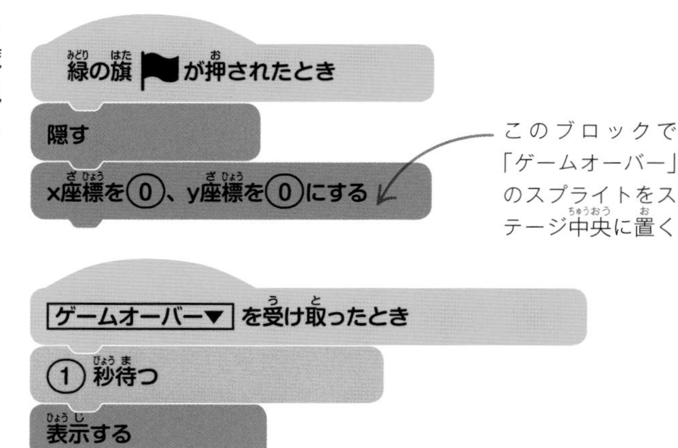

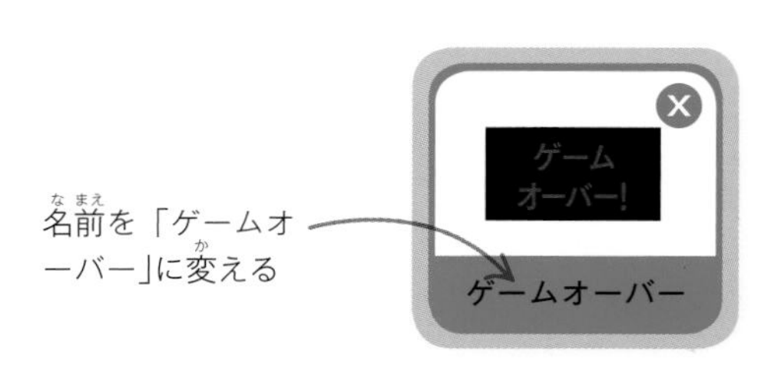

39 魔女に下のコードを加えて、ゲーム開始時に魔女がプレイヤーに説明をするようにしよう。説明がすぐに消えてしまうと感じるようなら、「3秒言う」の数をふやせばいいぞ。

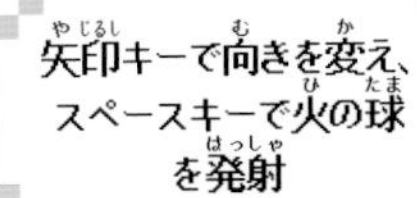

```
緑の旗 が押されたとき
(矢印キーで向きを変え、スペースキーで火の球を発射) と (3) 秒言う
```

ここに説明を入力する

ゲームをむずかしくする

かんたんすぎるとプレイヤーにあきられてしまうかもしれないぞ。そこで、ゲームがもっと速く進んでむずかしくなるようにしよう。

40 スコアが上がるにつれて、ゲームが進む速さを上げるようにしよう。魔女のコードのループの中に「ゲームスピードを～にする」のブロックを入れ、変数「スコア」でゲームスピードを調整するよ。

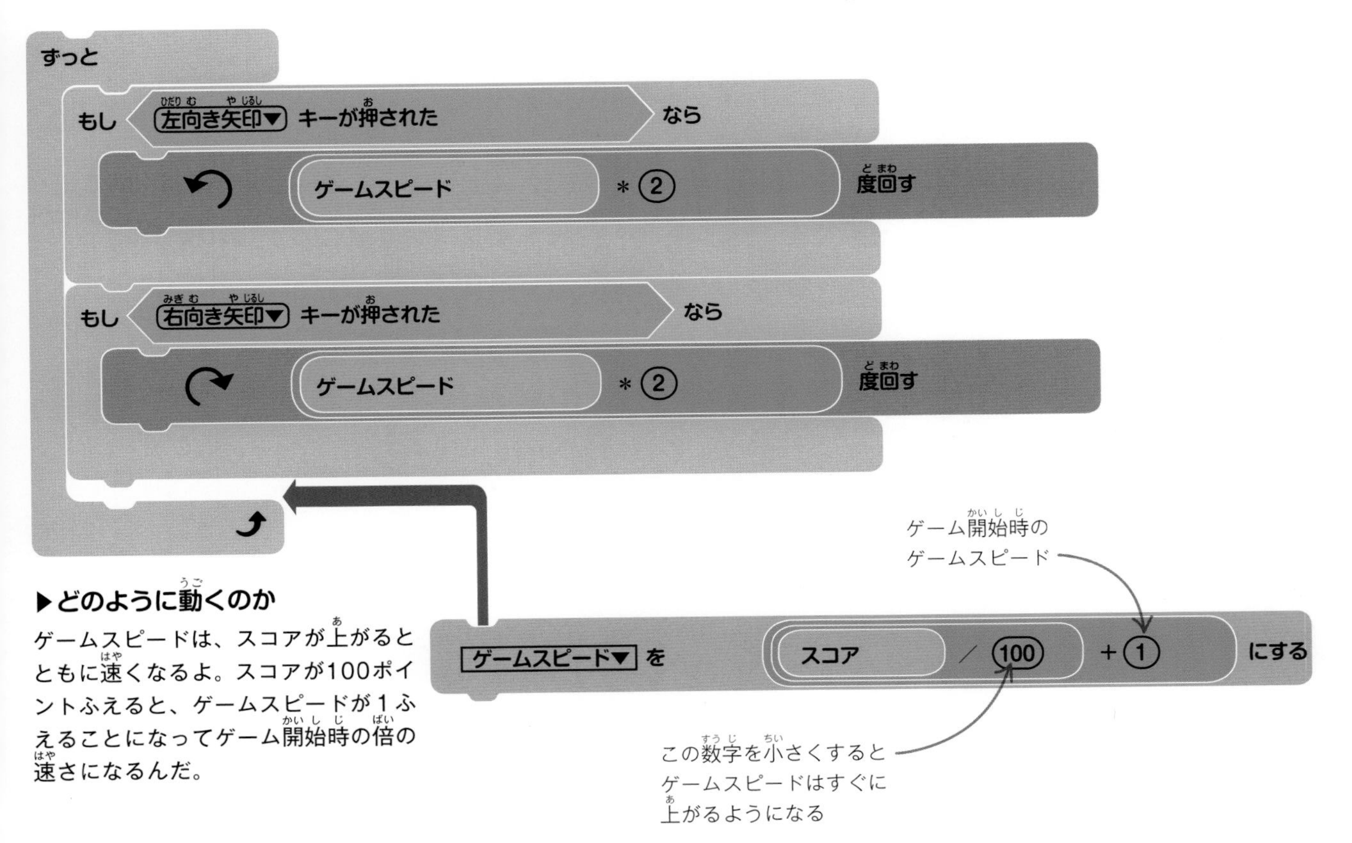

▶どのように動くのか

ゲームスピードは、スコアが上がるとともに速くなるよ。スコアが100ポイントふえると、ゲームスピードが1ふえることになってゲーム開始時の倍の速さになるんだ。

空飛ぶカバに助けてもらう

今まではてきばかりふやしてきたので、味方の「空飛ぶカバ」を入れよう。空飛ぶカバが、火の球に当たらずに魔女のところまで来れば、魔女のライフが1つふえるよ。

41 コウモリのスプライトをコピーして、コスチュームは「Hippo1-b」だけにする。そしてこのコスチュームの複製を作っておこう。ペイントエディターを使って、コスチュームの1つに「LIFE」、もう1つに「UP!」と書いておこう。これでカバがてきではないとわかるぞ。新しいスプライトの名前は「カバ」に変えよう。

42 火の球がカバに当たったときはスコアがふえず、カバが魔女にタッチしたらライフが1つ増えるようにしよう。「〜度に向ける」の数字を変えて、カバに書きこんだ文字がひっくり返らないようにするよ。

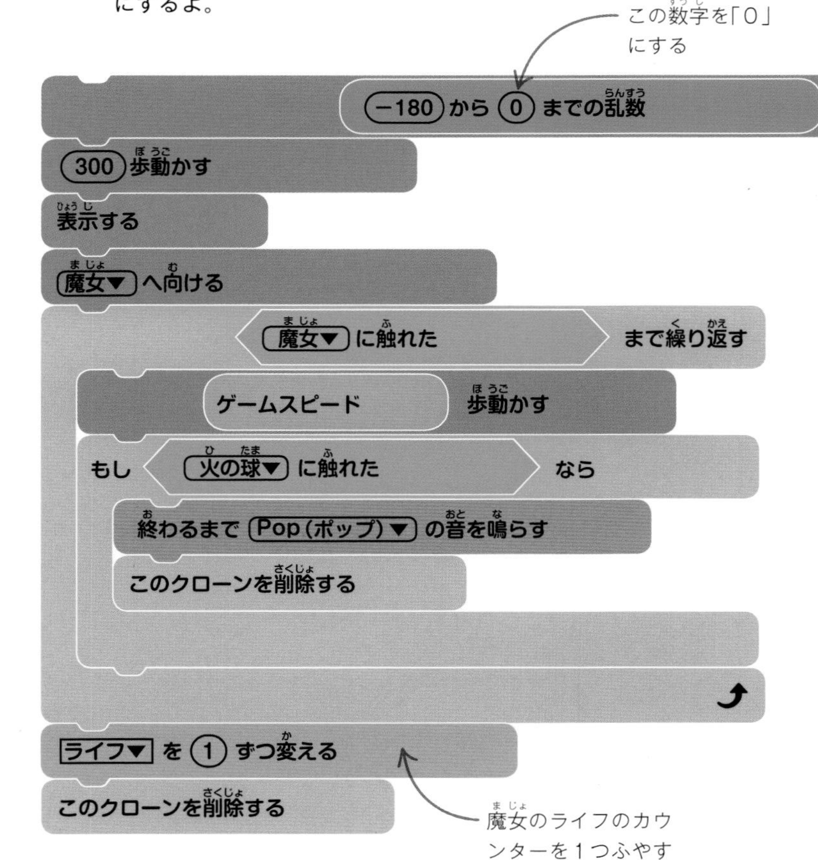

43 カバのコスチュームが1秒間に1回だけ変わるようにしよう。カバに何が書かれているかを読むための時間を作るんだ。

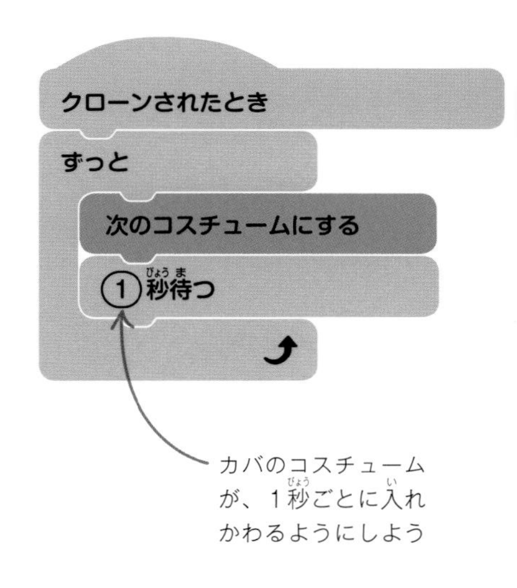

44 ゲームがかんたんになりすぎないよう、カバはときどきしか出てこないようにしよう。右のようにコードを変えて、カバは30から60秒おきにしかあらわれないようにするよ。

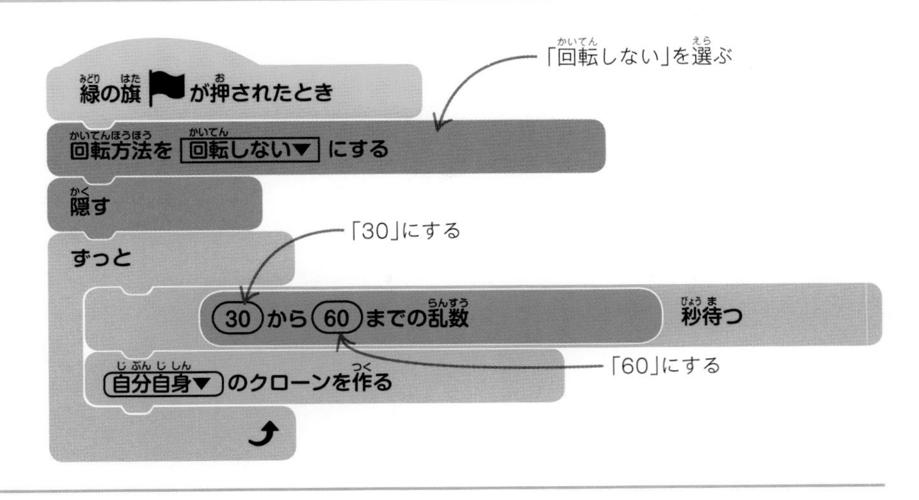

ゲームを改造する

これでゲームが完全に動くようになったよ。何回かプレイして楽しんだら、下に書いたように、いろいろと改造をしてみよう。

▶魔女が飛び回る

右のコードを追加すれば魔女はステージの同じ場所で向きを変えるだけでなく、飛び回れるようになるぞ。「〜度回す」の数字が大きくなるように変えれば、飛び回っているときにすばやく向きを変えられるようになる。

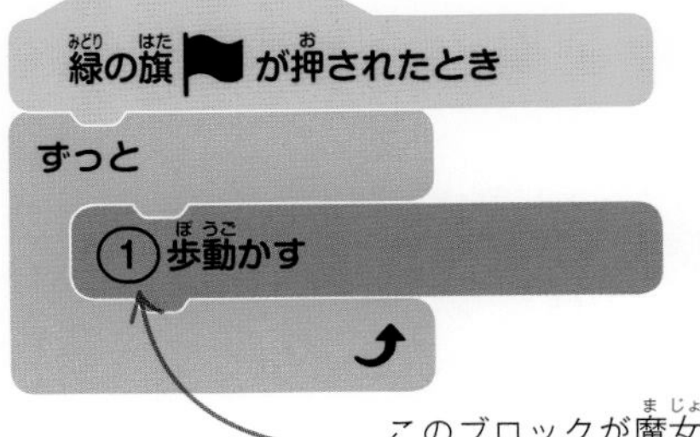

このブロックが魔女を飛ばし続ける

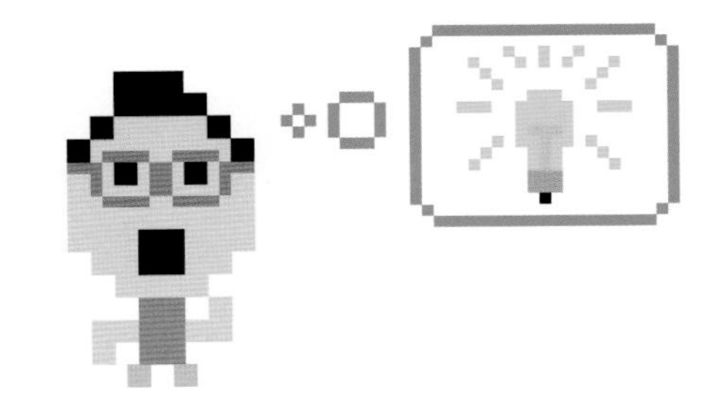

▲呪文をふやす

火の球以外の呪文をふやしてみよう。魔女のコスチュームを変えて、いなづまを出せるようにするのもいいね。

▶マウスを使う

右のコードを使えば、キーボードではなくマウスで魔女の向きを変えられるぞ。ゲームがかんたんすぎるなら、ゲームスピードを大きくしてみよう。さらにコードを変えれば、マウスのクリックで火の球を発射できるようになるぞ。

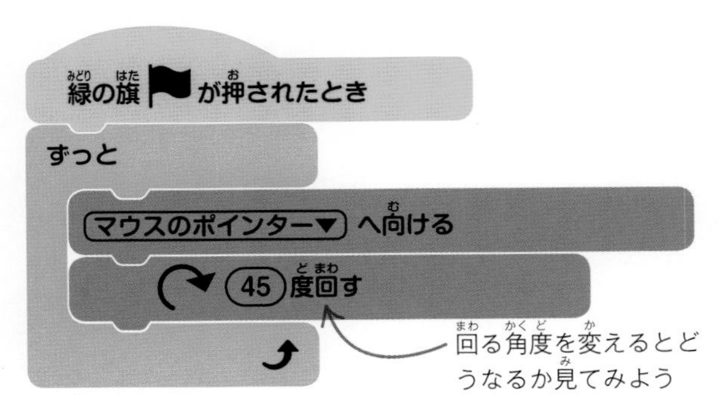

回る角度を変えるとどうなるか見てみよう

犬（いぬ）のごちそう

犬のごちそうの作り方

このゲームはプラットフォームゲームだ。プレイヤーはプラットフォーム（足場）からプラットフォームへとジャンプしながら、宝物を集めたり、てきやわなをさけたりする。ゲームの世界で生き残るために大事なのはジャンプのタイミングだ。

ゲームの目的

ゲームに出てくる犬は「ほね」は好きだけど「あまいおかし」はきらいなんだ。3つのステージで、犬をプラットフォームからプラットフォームへとジャンプさせよう。おいしいほねを全部集めてからゲート（門）に向かい、次のレベルへと進もう。ただし、ケーキやドーナツはよけて通ろう。

◀犬
左と右向き矢印キーで犬を動かそう。ジャンプさせたいときはスペースキーだ。

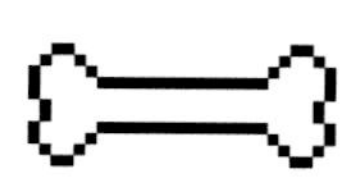

◀ほね
次のレベルにつながるゲートを開けるためには、ほねを全部集めなければならないぞ。全部集めるまではゲートはとじたままだ。

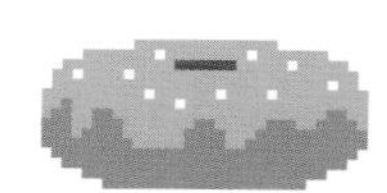

◀あまいおかし
犬がおかしにふれてしまうとゲームオーバーになり、レベル1からまた始めなければならない。君がどのレベルにいてもレベル1にもどされてしまうぞ。

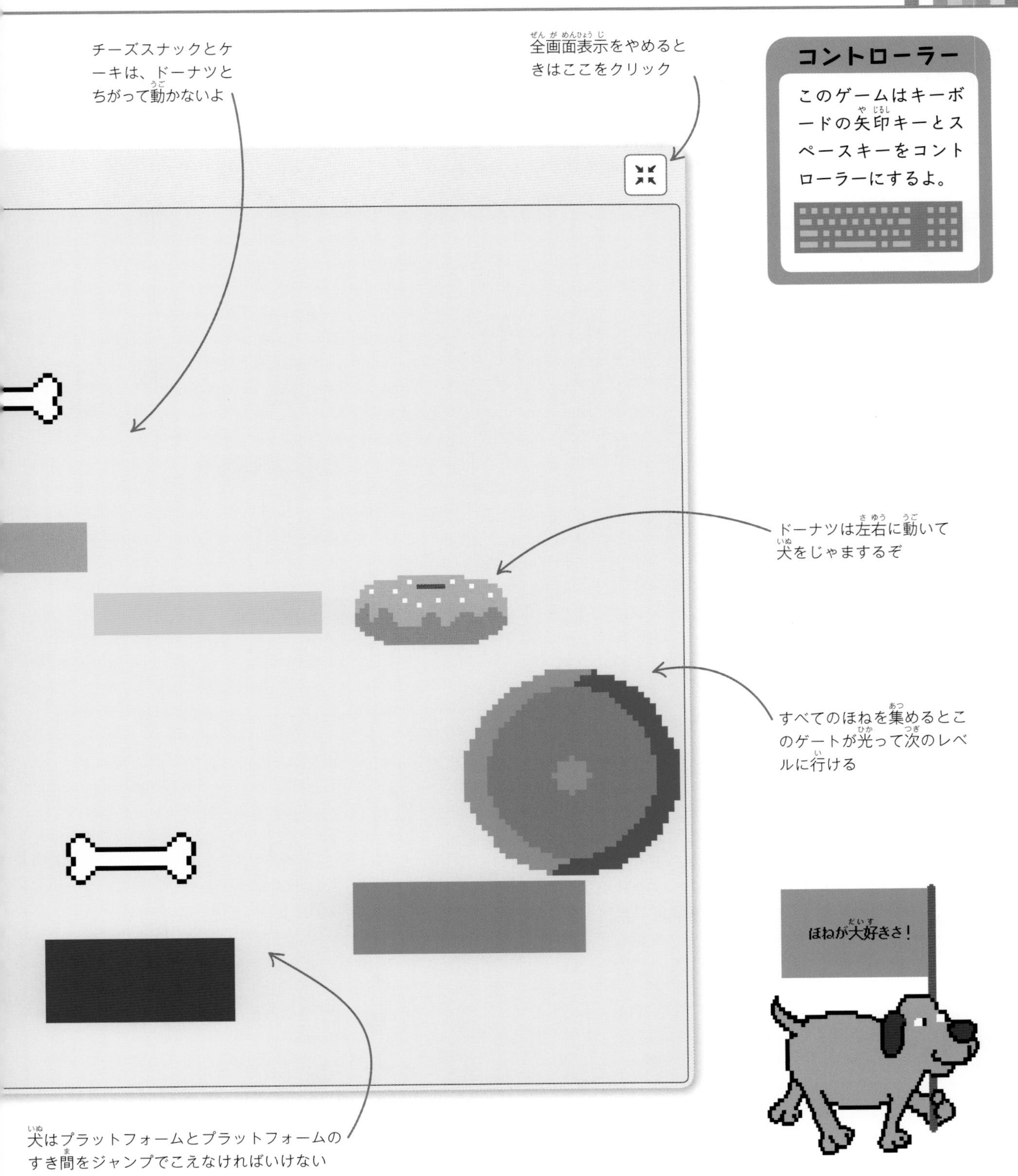
チーズスナックとケーキは、ドーナツとちがって動かないよ
全画面表示をやめるときはここをクリック
コントローラー
このゲームはキーボードの矢印キーとスペースキーをコントローラーにするよ。
ドーナツは左右に動いて犬をじゃまするぞ
すべてのほねを集めるとこのゲートが光って次のレベルに行ける
ほねが大好きさ！
犬はプラットフォームとプラットフォームのすき間をジャンプでこえなければいけない

プラットフォームを作る

このゲームは作るのがたいへんだから、少しずつ作っていこう。でもそんなに心配しなくてもいいよ。まずは、プラットフォーム上でスプライトをうまく動かせるようにするのが目標だ。そのため、プレイヤー用のスプライトをただの赤い四角形にするよ。あとで、この四角形の上に青い犬をのせるぞ。

1 新しいプロジェクトを作って「犬のごちそう」という名前にしよう。それからスプライトメニューの筆のアイコンをクリックして、プレイヤー用のスプライトを作るよ。「ベクターに変換」と表示されているのをかくにんしたら、ペイントエディターのカラーパレットで赤を選び、「四角形」ツールを使おう。オプションは「塗りつぶし」を選ぶよ。

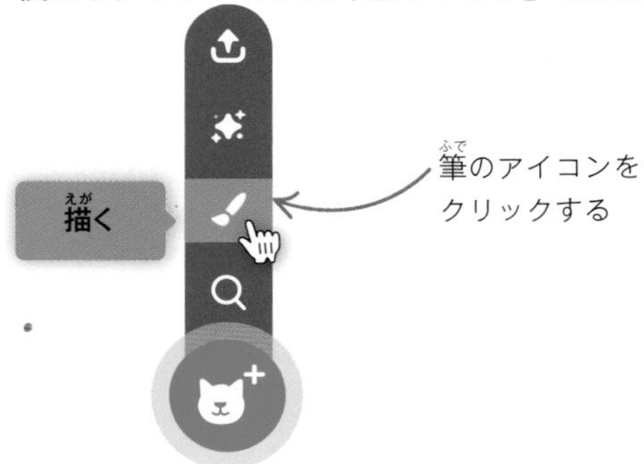

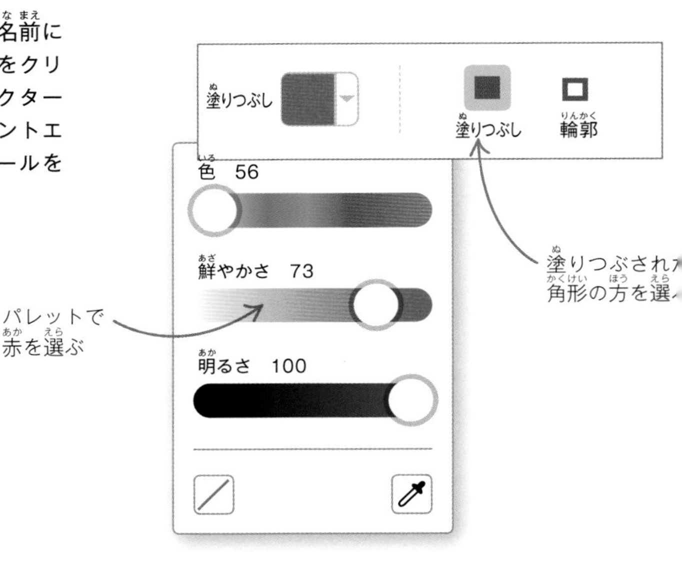

2 シフトキーをおしたままマウスのポインターをドラッグすると小さな正方形がかけるよ。この正方形の外をクリックしてからコスチュームのリストを見ると、赤い正方形の下にサイズが表示されているぞ。35×35がちょうどいいけど、あとで調整できるよ。

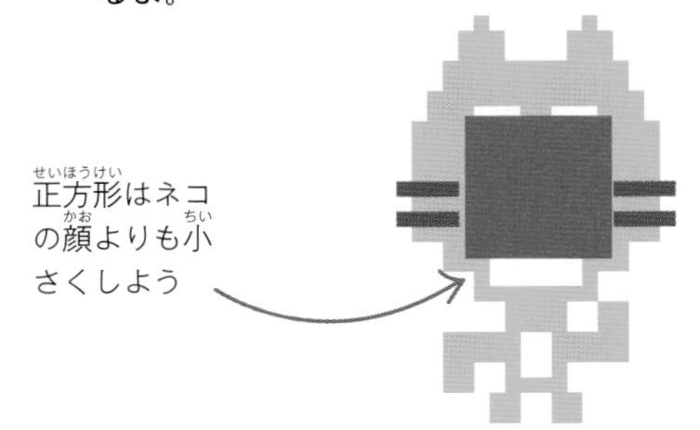

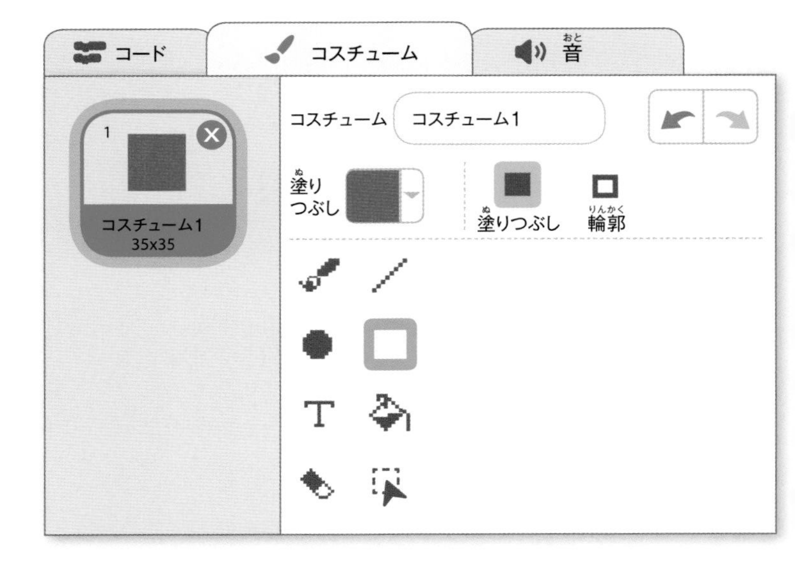

3 「選択」ツールをクリックして、正方形を囲むように選ぶ。ハンドルという小さな丸印がいくつか表示されるので、角のハンドルをドラッグすれば、サイズを変えられる。35×35になるまで大きさを変えてみよう。ペイントエリアの中央を示す印の上に、四角形がのっているようにしてね。

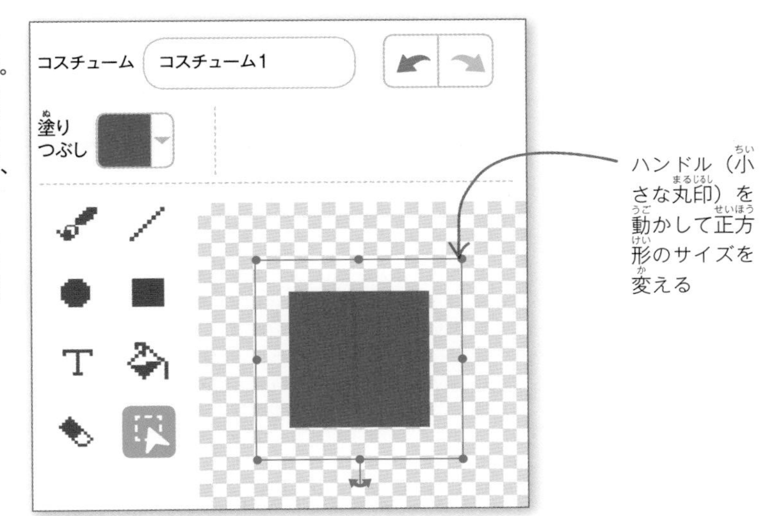

4 名前を「プレイヤーキャラクター」にしてネコのスプライトは「削除」してしまおう。

5 スプライトメニューの筆のアイコンをもう1回クリックして新しいスプライトを追加するよ。「四角形」のツールを使ってしょうがい物が2つのった青い足場をかこう。このスプライトを「プラットフォーム」と名づけるよ。ステージには赤と青の2つのスプライトがあるから、赤い正方形を青いしょうがい物の間にドラッグする。このとき、赤い正方形がプラットフォームにふれないよう注意してね。

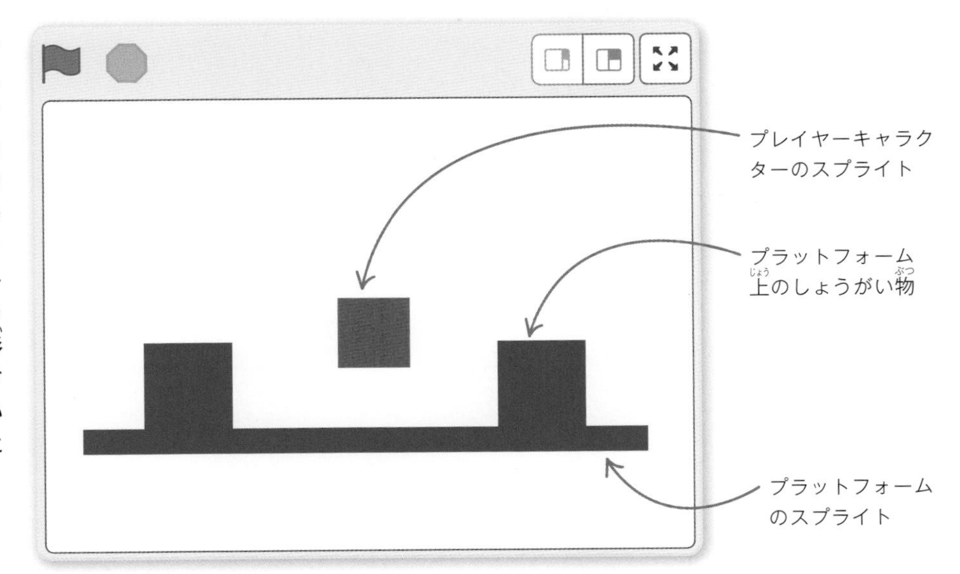

走り回る

次のステップは、矢印キーをおすとプレイヤーキャラクターが走り回るようにすることだよ。そのためにはプレイヤーキャラクターがしょうがい物にぶつかったらはね返るようにする必要があるね。コードをわかりやすくするために新しいブロックを作ろう。

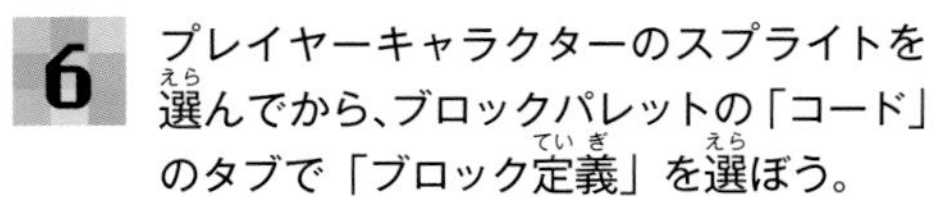

6 プレイヤーキャラクターのスプライトを選んでから、ブロックパレットの「コード」のタブで「ブロック定義」を選ぼう。

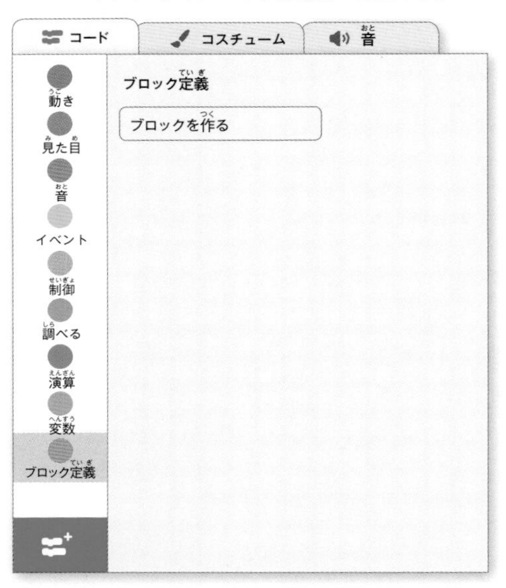

7 「ブロック定義」の中にはブロックがなくて、ボタが1つあるだけだ。「ブロックを作る」のボタンをすと、「ブロックを作る」というポップアップボッスが出てくる。ウィンドウに「動き方のコントロールと入力してから「OK」のボタンをおそう。

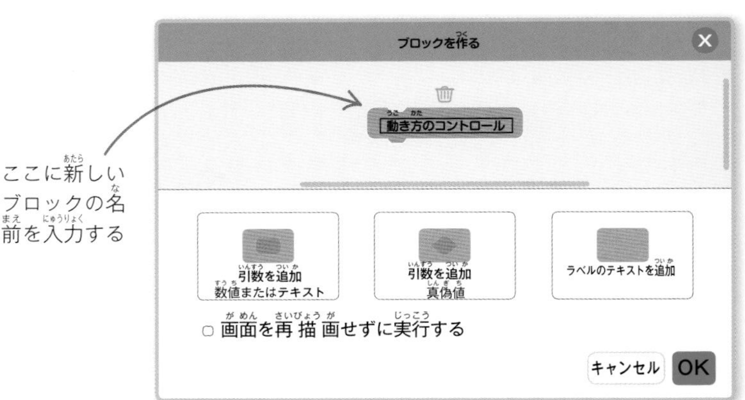

8 コードエリアにも、コードの一番上に置くための形になった「定義」と書かれたブロックがあらわれたはずだ。

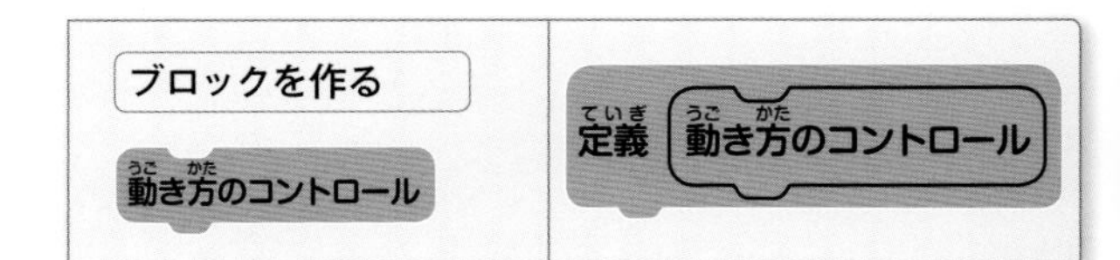

おぼえておきたいことば

サブプログラム

スクラッチでは、「定義」というヘッダーブロック（コードの一番上に置くブロック）の下にブロックをならべて新しいコードを作り、他のコードからよび出して使えるんだ。こうすれば、同じブロックのかたまりをくり返し使うときに、毎回ブロックを組み立てなくてすむ。「定義」のあとに名前が入力できるけど、名前はこのコードが何をするためのものかわかるようにつけよう。ほとんどのプログラミング言語では、こうした便利なプログラムのセットをまとめておいて、すぐに使えるようにしている。よび方は言語によってちがうけど、サブプログラム、サブルーチン、プロシージャ、関数とよんでいることが多いよ。

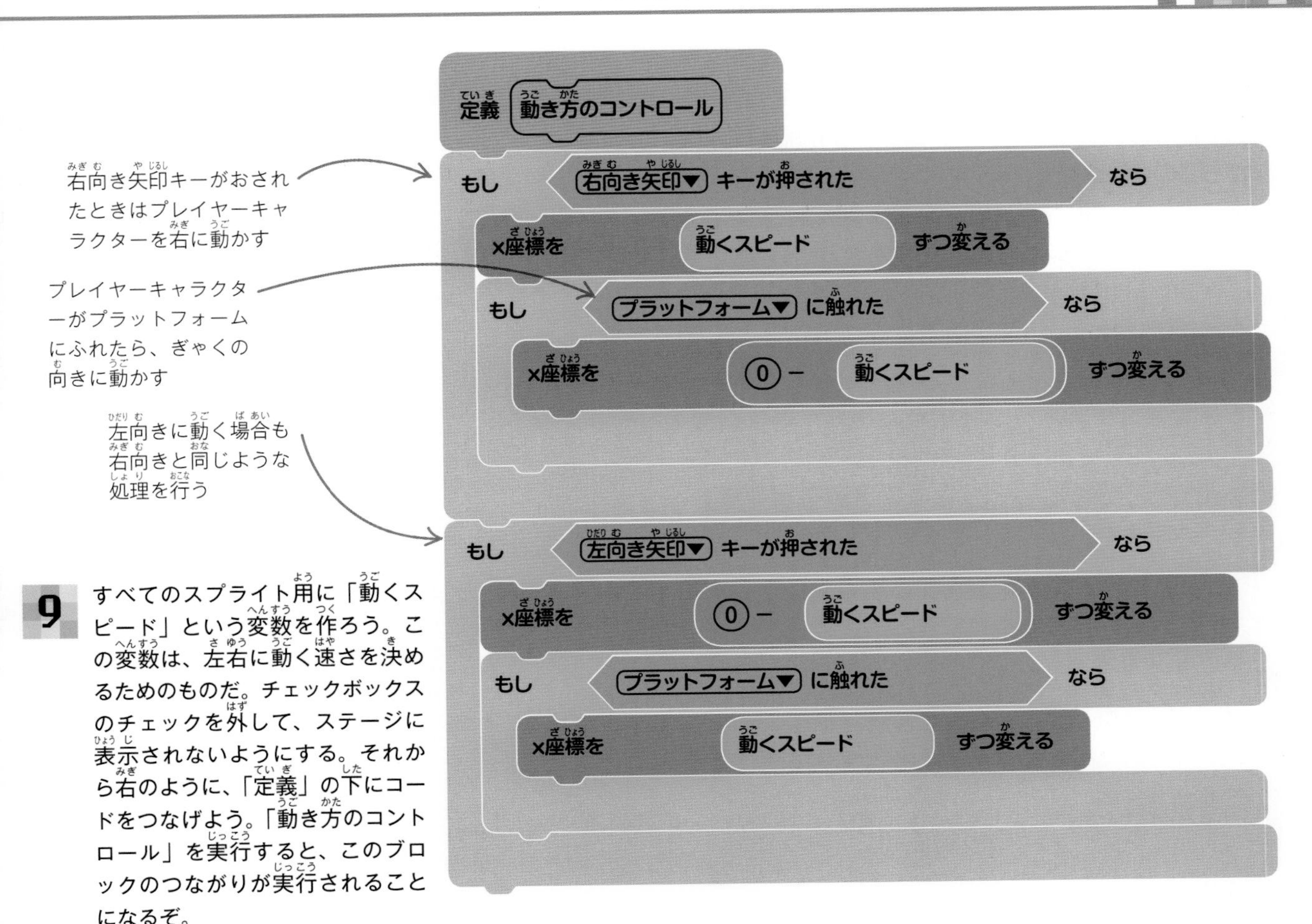

9 すべてのスプライト用に「動くスピード」という変数を作ろう。この変数は、左右に動く速さを決めるためのものだ。チェックボックスのチェックを外して、ステージに表示されないようにする。それから右のように、「定義」の下にコードをつなげよう。「動き方のコントロール」を実行すると、このブロックのつながりが実行されることになるぞ。

10 プレイヤーキャラクターのためにもう1つコードを作ろう。新しく作った「動き方のコントロール」というブロックを「ずっと」ループの中に入れるぞ。

11 プロジェクトを動かしてみよう。赤いプレイヤーキャラクターは、左右の矢印キーで動かせるけれど、しょうがい物を通りぬけることはできないはずだ。

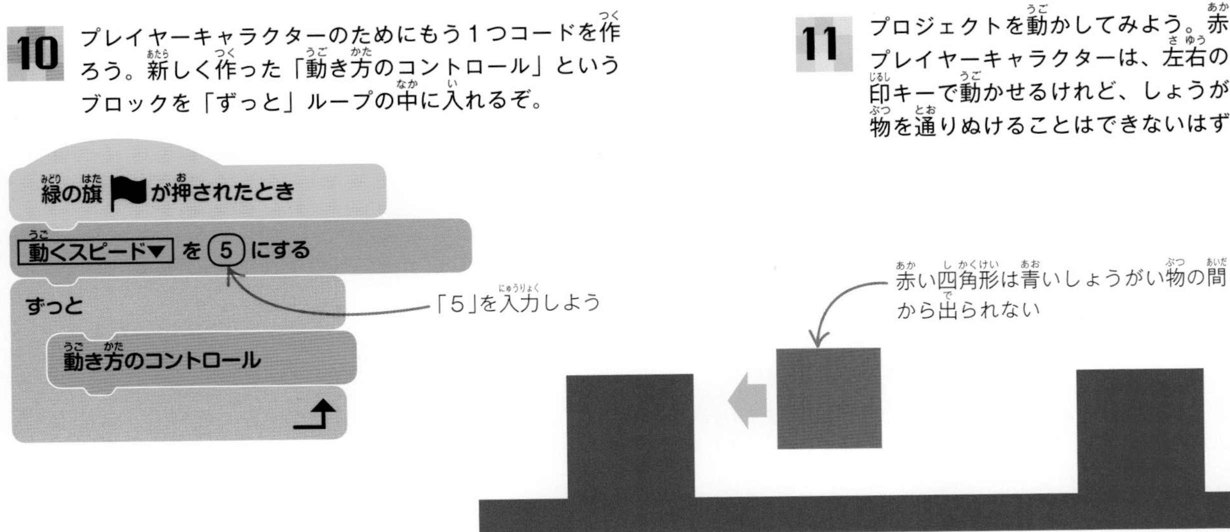

上下の動き

プラットフォームゲームではジャンプがすべてと言ってもいい。でも重力なしにジャンプしても意味がないぞ。だからこのゲームでは、重力ににせた効果をつけなければならないよ。「おサルのジャンプ」を作った君なら重力をどのように取り入れればいいかわかっているね。

12 すべてのスプライト用に「重力」と「落下スピード」の２つの変数を追加しよう。チェックボックスのチェックは外すよ。それから「ブロック定義」で「重力の効果」という新しいブロックを作ろう。このブロックはプレイヤーキャラクターを「落下スピード」で決めただけ下に落とし、プラットフォームとぶつかったかをチェックするんだ。もしぶつかっていたら、プレイヤーキャラクターの最後の動きを取り消して「落下スピード」を0にする。これで、プレイヤーキャラクターはプラットフォームに止められて、それ以上は下に落ちないんだ。

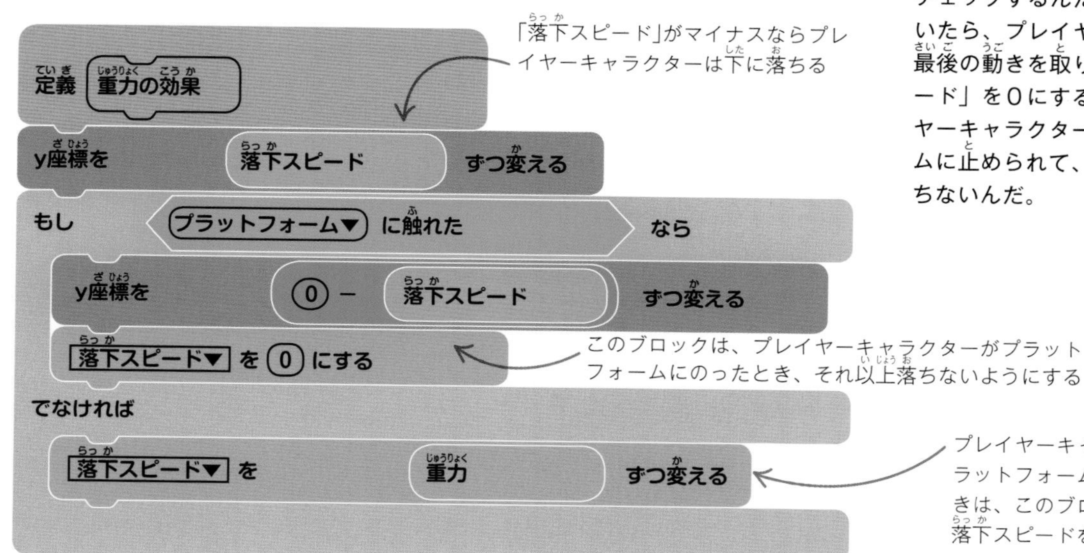

13 右のようにプレイヤーキャラクターのコードにブロックを追加しよう。変数「重力」に－1、「落下スピード」に0を入れるのをわすれないように。

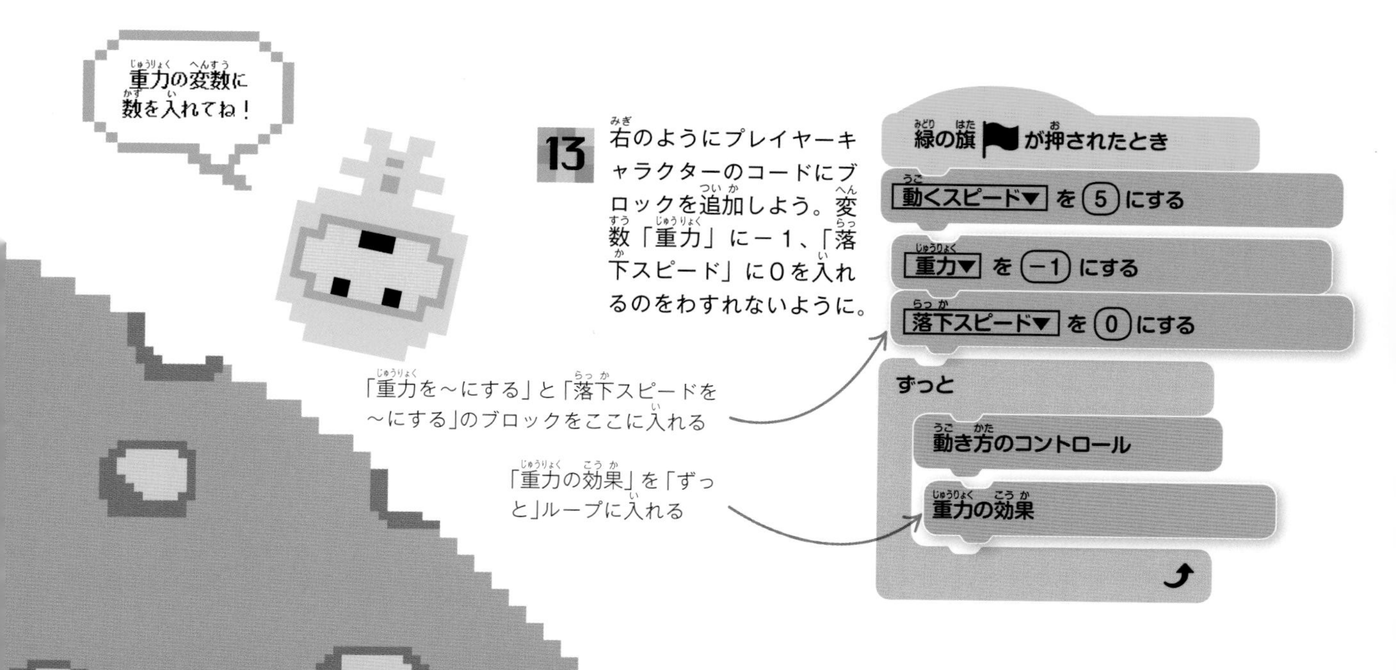

14 プロジェクトを動かしてみよう。赤いプレイヤーキャラクターをマウスでドラッグして上に動かし、プラットフォームに落ちるかチェックだ。プレイヤーキャラクターは下に落ちてプラットフォームの上で止まったね。でもプラットフォームのすぐ近くまで来ると、落ちるスピードがゆっくりになったよ。これは、プレイヤーキャラクターがプラットフォームにぶつかったときは、すぐ前の位置までもどし、ゆっくりしたスピードで落とし直しているからなんだ。この部分はあとで直そう。

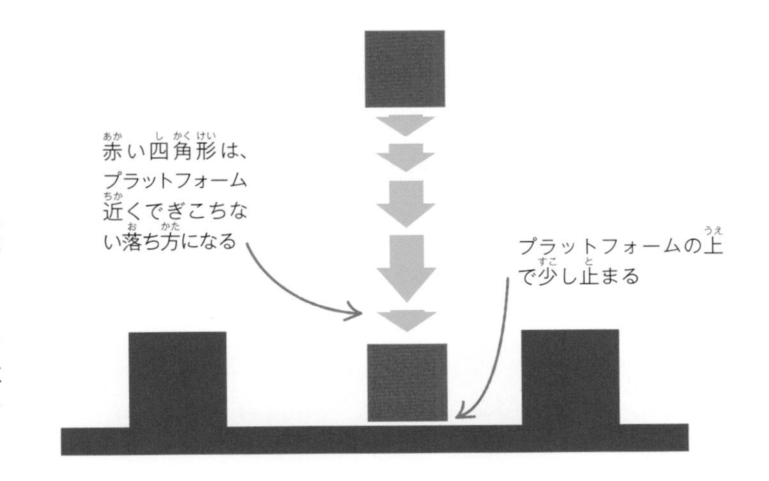

15 次にスペースキーをおすとジャンプできるようにしてみよう。まず、すべてのスプライト用に「とび上がるスピード」という変数を作る。ジャンプするときの上向きのスピードだね。それから右のような「ジャンプのコントロール」というブロックを作ろう。

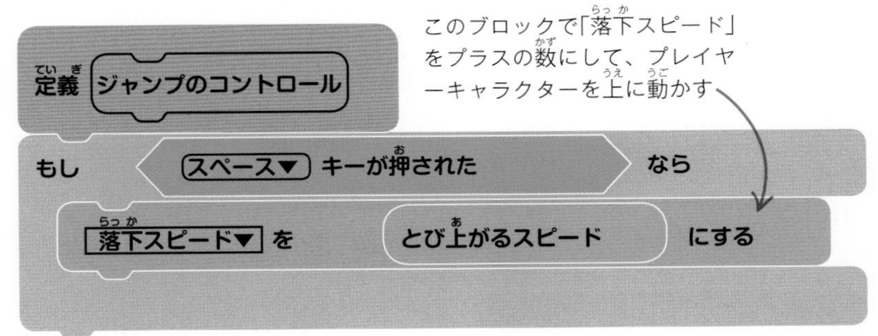

16 プレイヤーキャラクターのメインのコードに、「とび上がるスピードを～にする」と「ジャンプのコントロール」のブロックを左のように入れよう。

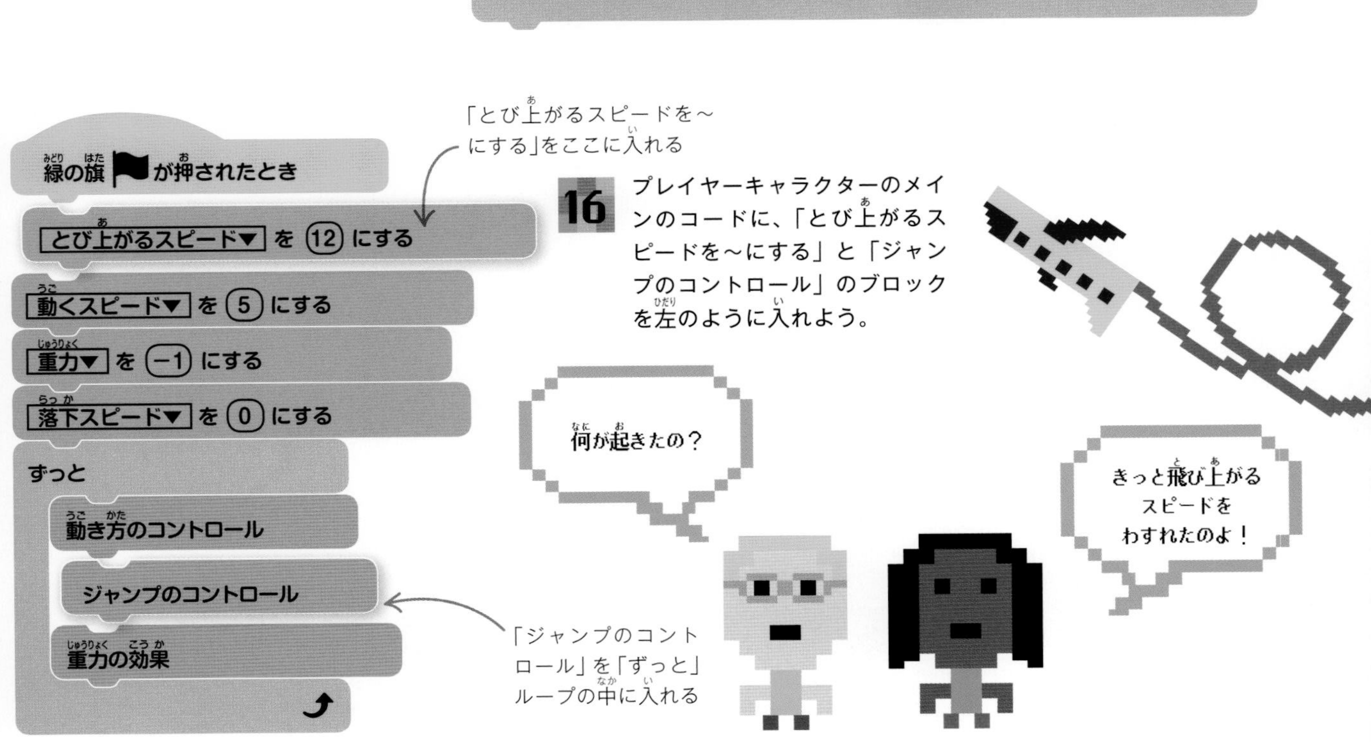

17 プロジェクトを動かして、スペースキーを短くおしてみよう。プレイヤーキャラクターが真上にジャンプして、もとの位置に落ちてくるはずだ。次にスペースキーでジャンプし、矢印キーで左右に動いて、しょうがい物を飛びこしてみよう。ほら、これでプラットフォームゲームの基本ができたよ！ でも、スペースキーをおし続けると、プレイヤーキャラクターがどんどん上に行ってしまうというバグがあるぞ。

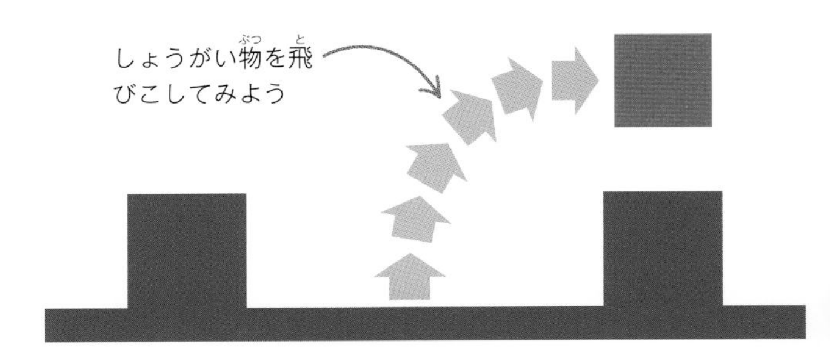

ジャンプのバグを直す

2つのバグがジャンプをおかしくしているよ。1つはプレイヤーキャラクターがどんどん上に行ってしまうこと。もう1つはスムーズに落ちてこないことだ。ジャンプと重力をコントロールしているコードを変えれば、この2つのバグを直せるぞ。

18 飛び上がり続けるバグを直すため、プレイヤーがプラットフォームにのっているのか、空中にいるのかをチェックして空中にいるときはジャンプできないようにするよ。ここで、「重力の効果」コードでは、落ちてきたプレイヤーキャラクターをプラットフォームの1歩上で止めてしまうことを思い出そう。スペースキーがおされたときに、まずy座標を−1しているのはそのためだ。

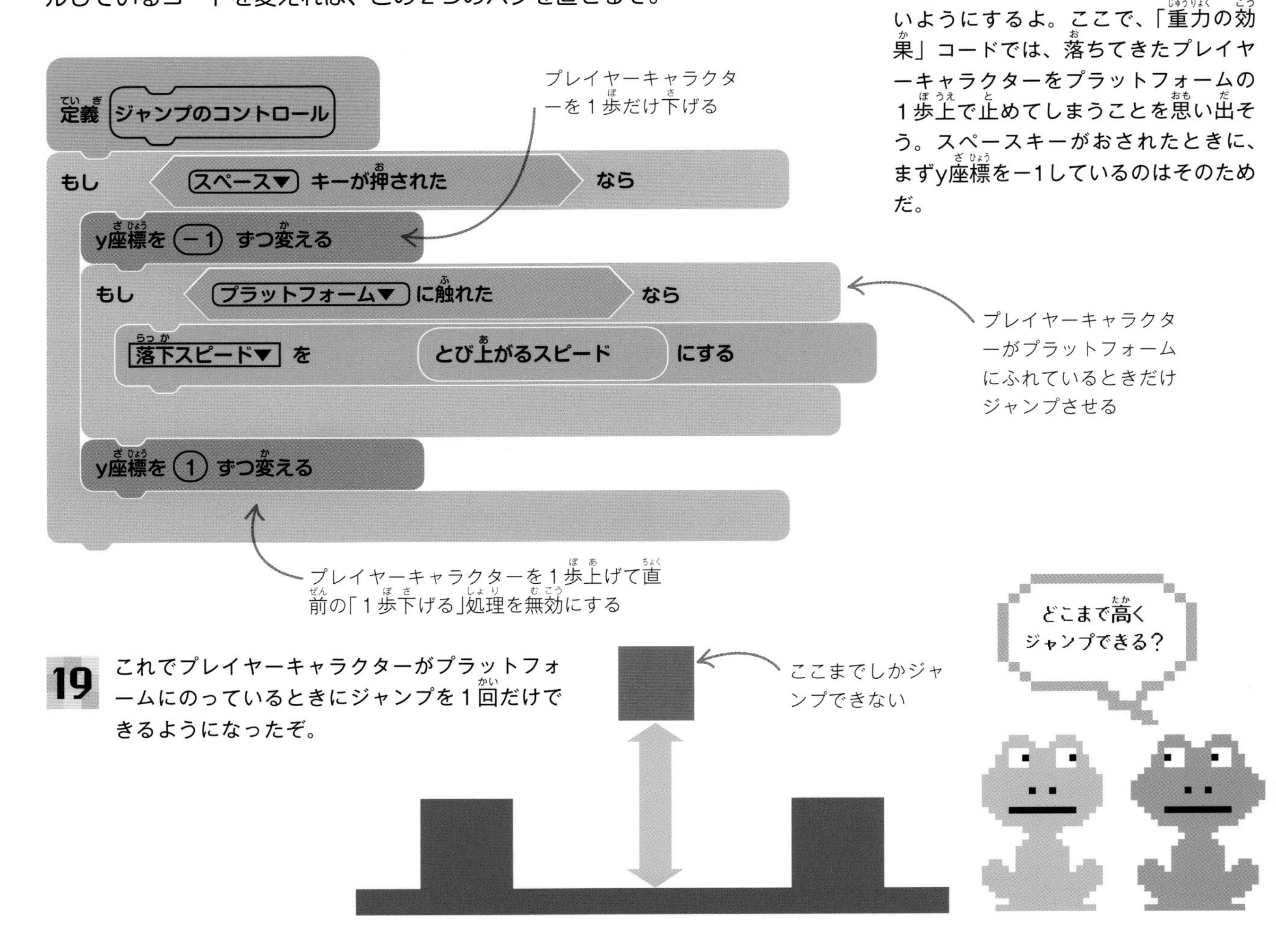

19 これでプレイヤーキャラクターがプラットフォームにのっているときにジャンプを1回だけできるようになったぞ。

20 もう1つのバグ（プラットフォーム近くでいったん止まってからゆっくり落ちる）を直すため、プレイヤーキャラクターがプラットフォームにふれたときの処理を変えよう。プレイヤーキャラクターが「落下スピード」だけ上に引き返すようになっているのを、プレイヤーキャラクターがプラットフォームのすぐ上に位置するよう、ほんの少しだけもどす方法に変えるぞ。新しい変数「もどる歩数」をすべてのスプライト用に作ろう。「重力の効果」のコードは、下のように変えるんだ。

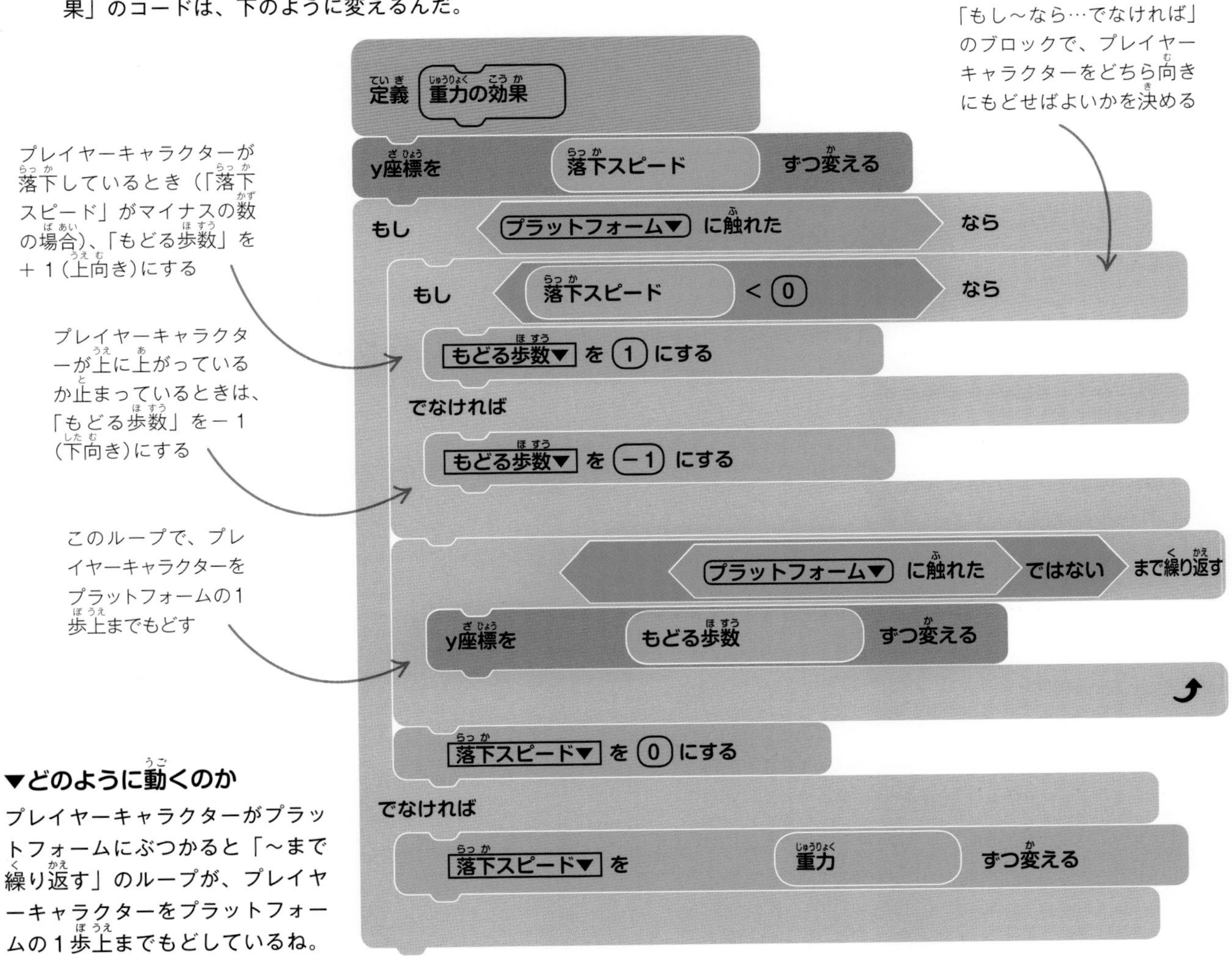

▼どのように動くのか

プレイヤーキャラクターがプラットフォームにぶつかると「～まで繰り返す」のループが、プレイヤーキャラクターをプラットフォームの1歩上までもどしているね。

プレイヤーキャラクターはプラットフォームの中に食いこんでいる

プラットフォームの1歩上まで、1歩ずつもどされる

21 もう1回ジャンプさせて、どのように動くか見てみよう。プレイヤーキャラクターがプラットフォームに食いこんで止まったあと、プラットフォームのすぐ上まで、ゆっくり動くのが見えたはずだ。でもゆっくりともどるところは見たくないね。「重力の効果」コードの一番上のブロックで右クリックしよう。ドロップダウンがあらわれるから「編集」を選ぼう。

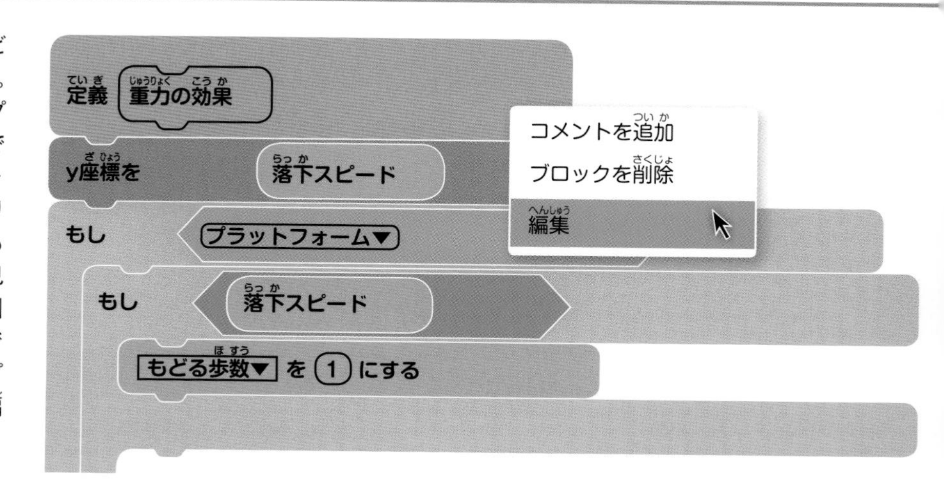

22 「ブロックを作る」というボックスがあらわれたよ。下の方にある「画面を再描画せずに実行する」にチェックを入れよう。これで「重力の効果」のコードは一度に実行されるんだ。ゆっくりもどる動きは見えなくなるよ。

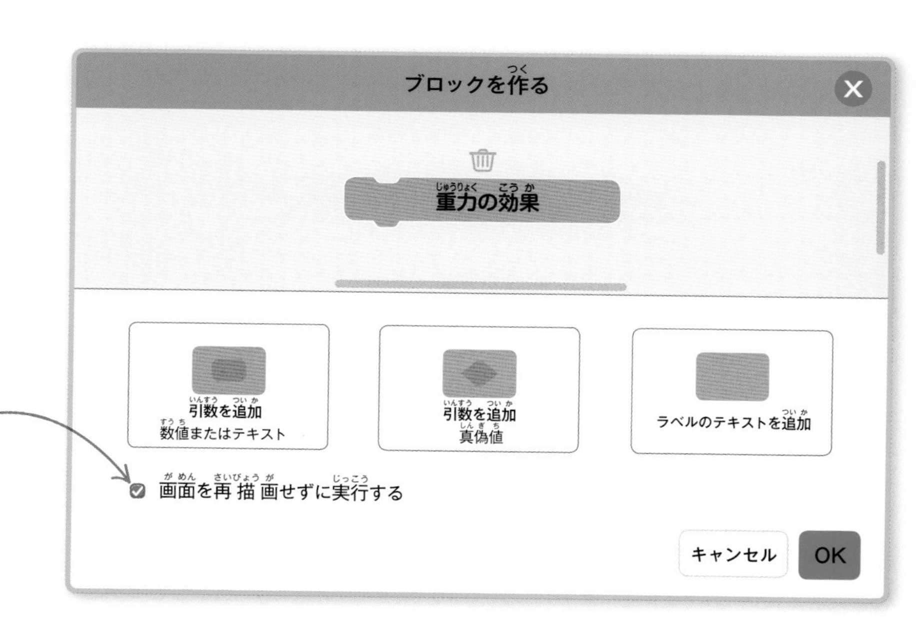

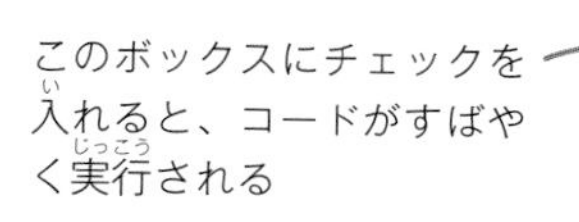

23 さあ、もう1回ジャンプだ。さっきコードを変えたおかげで、ジャンプしたプレイヤーキャラクターはスムーズにプラットフォームの上に着地したぞ。

■■ ゲームをデザインする

ジャンプの仕方

ゲームでのジャンプの仕方にはいろいろなタイプがあるよ。どのタイプを使うかは、ゲームをデザインするポイントだ。よくある3つのタイプをまとめてみたよ。

▼シングルジャンプ

地面やプラットフォームに立っているときに1回だけジャンプできるぞ。ジャンプしているときに左右に動くこともできる。

▼ダブルジャンプ

バグを直す前のように、空中でジャンプしてさらに高く飛び上がれるタイプだ。上向きに動いている間でないと追加のジャンプができないようにすることもあるよ。

▼かべジャンプ

かべにぶつかったときに、もう1回ジャンプできるタイプだ。忍者がこのような動き方をするね。このタイプのジャンプができるととてもおもしろいぞ。

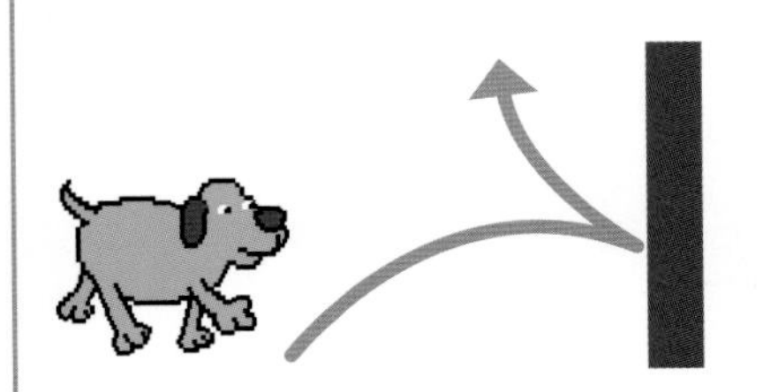

プラットフォームから落ちた場合

プラットフォームゲームでは、プレイヤーのキャラクターはプラットフォームの上にいる必要がある。そこで、プレイヤーキャラクターがステージの底に落ちるとゲームオーバーにするコードを作ろう。

24 新しく「転落」という定義ブロックを作って、プレイヤーキャラクターがステージの底に落ちたかをチェックするよ。この「転落」は「ずっと」ループの中でよび出そう。それから「ゲームオーバー」のメッセージを受け取ったらスプライトを停止させるようにしよう。新しく作ったコードをテストして、底に落ちたらスプライトが止まるかチェックだ。

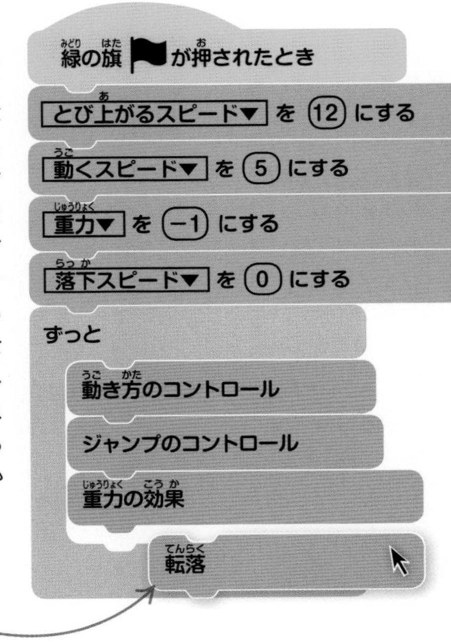

このブロックを「ずっと」ループの中に入れる

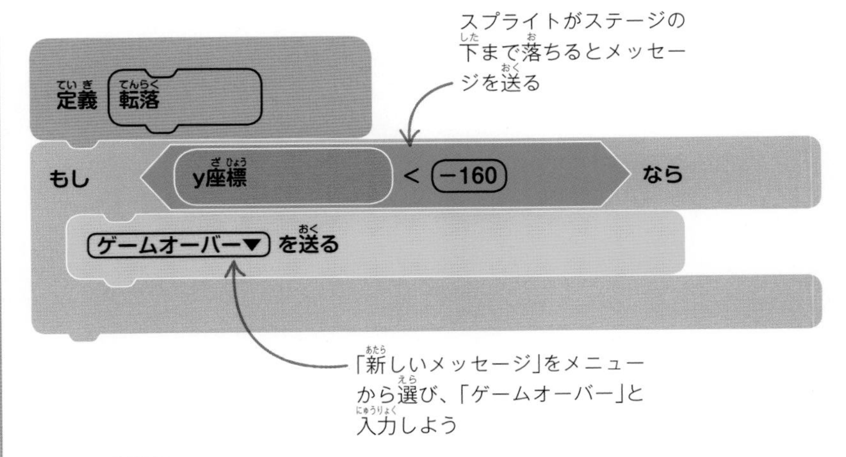

このブロックが、プレイヤーキャラクターがそれ以上動かないようにするよ

キャラクターを変える

ゲームの主人公が赤い正方形では、あんまりおもしろくないね。動きがあるキャラクターに変えよう。いよいよ、犬の登場だ。

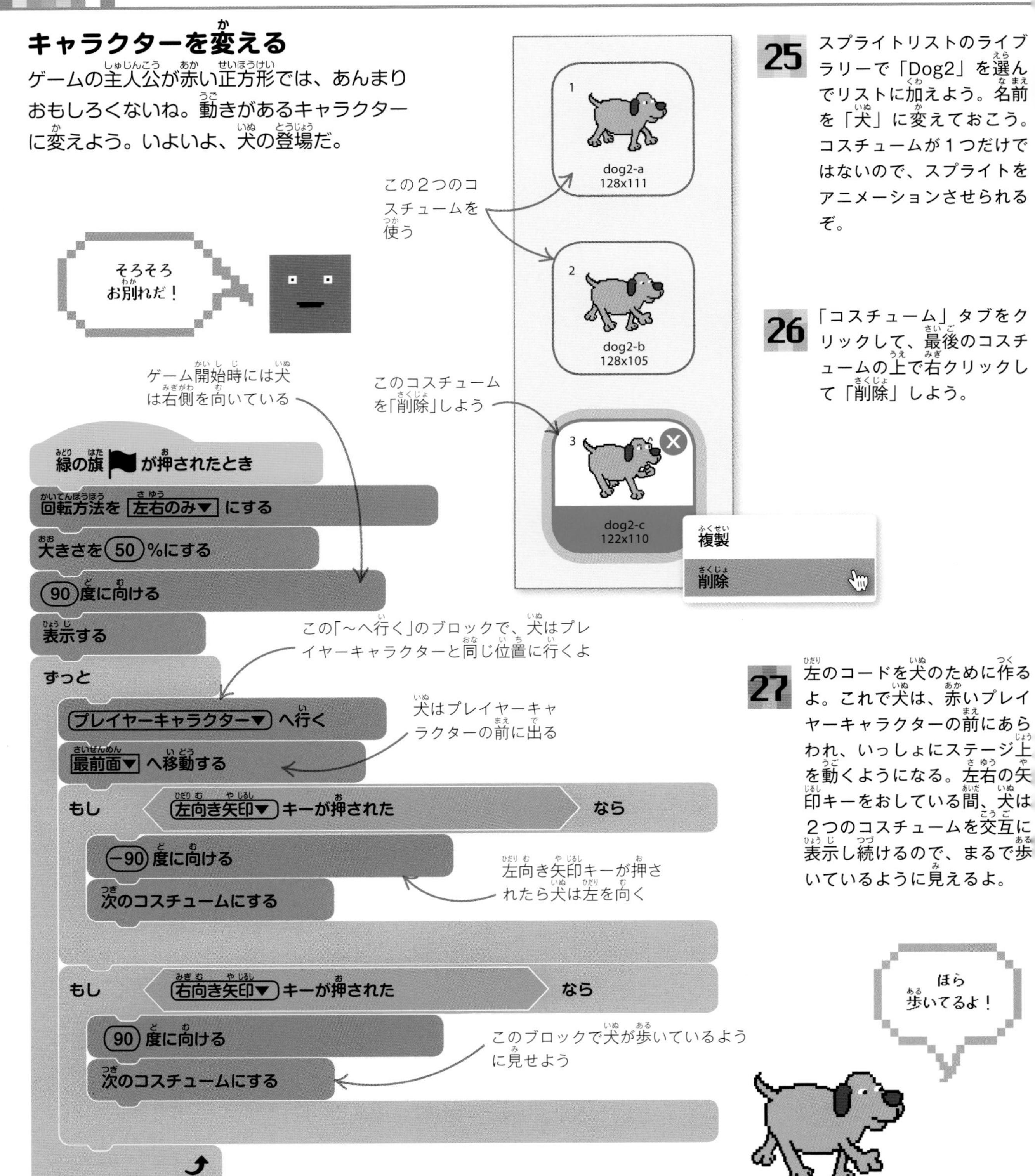

25 スプライトリストのライブラリーで「Dog2」を選んでリストに加えよう。名前を「犬」に変えておこう。コスチュームが1つだけではないので、スプライトをアニメーションさせられるぞ。

26 「コスチューム」タブをクリックして、最後のコスチュームの上で右クリックして「削除」しよう。

27 左のコードを犬のために作るよ。これで犬は、赤いプレイヤーキャラクターの前にあらわれ、いっしょにステージ上を動くようになる。左右の矢印キーをおしている間、犬は2つのコスチュームを交互に表示し続けるので、まるで歩いているように見えるよ。

プレイヤーキャラクターの位置をペイントエリアで上下させると、犬の位置を上下させられる

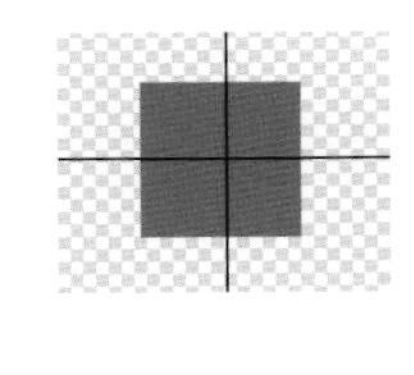

28 プロジェクトを動かそう。犬がプレイヤーキャラクターの赤い正方形といっしょにステージ上を歩き回るぞ。もし犬の足がプラットフォームに入りこむなら、プレイヤーキャラクターをペイントエリアのもっと上に動かそう。じつは、犬の足が下にずれていても問題はないんだ。しょうとつの判定に使うのは、後ろにある赤いプレイヤーキャラクターの方だよ。

ゲームをデザインする

しょうとつ判定

しょうとつ判定とは、2つの物体がいつどのようにぶつかったかを調べることで、ゲームプログラミングの中でも特にむずかしい部分なんだ。この本のゲームのほとんどは、シンプルなしょうとつ判定を使っているよ。「犬のごちそう」ではしょうとつ判定用のスプライトを作っているよ。

▼シンプルなしょうとつ判定

スプライトが何かにぶつかったかだけを調べる方法で、かんたんなゲーム向きだ。追加でプログラミングしないと、スプライトのどの部分がぶつかったのかはわからないよ。スプライトをアニメーションさせている場合は、コスチュームを変えたら足が突き出てしょうとつということもありえるぞ。

▼しょうとつ判定用のスプライト

判定用に四角形のスプライトを用意して、その前にキャラクターのスプライトを置けば、コスチュームを変えても問題は起きないよ。「犬のごちそう」では赤い正方形を使って判定をしているぞ。しょうとつしたら少しもどるようにプログラミングしていれば、スプライト同士が重なることもないぞ。

▼バンパー用のスプライト

しょうとつ判定用のスプライトの代わりに「バンパー」スプライトでキャラクターのまわりを囲んでしまう方法だ。キャラクターといっしょに動かせば、どのバンパーがぶつかったかで、しょうとつがあった方向がわかるね。そうすれば、どちらにはね返ればいいのかもわかるよ。しょうとつ判定用のスプライトを使うよりもプログラミングは大変だ。

▼しょうとつしたかを計算する

ゲームに登場するすべてのスプライトのサイズと位置を知っているなら、いつどうのようにしょうとつするかを計算できるよ。でもこの方法は本当に大変だよ。例えば下のようなむずかしい式を使うんだ。

if sqrt((dogx–jellyx)^2+(dogy–jellyy)^2) < (dogR+jellyR)
の場合にはしょうとつした

ほえる犬

犬の気持ちを音で表現してみよう。ゲームオーバーになったときに、がっかりした犬が遠ぼえするようなコードを作るんだ。

29 ライブラリーからもう一度「Dog2」を読み出して新しいスプライトを作るよ。今回はdog2-cのコスチュームだけを使うぞ。スプライトの名前を「ほえる犬」に変えよう。「音」のライブラリーからは「Wolf Howl」を読み出してね。

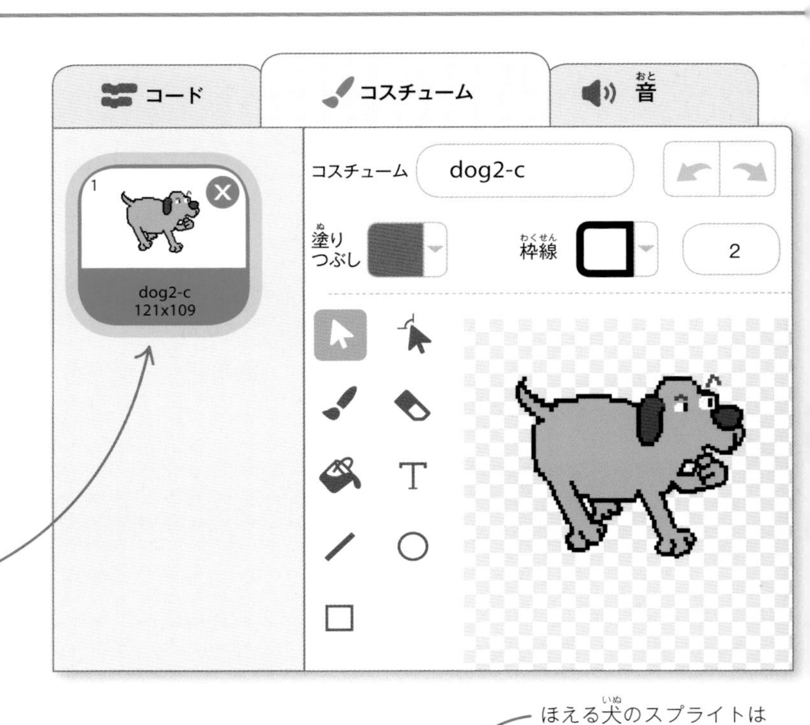

dog2-aとdog2-bは消してしまおう

30 2つのコードブロックを「ほえる犬」に加えて、ゲームオーバーのときに犬がほえるようにしよう。

```
緑の旗 が押されたとき
隠す
大きさを (50) %にする
回転方法を [自由に回転▼] にする
```

ほえる犬のスプライトは「ゲームオーバー」のメッセージが流れるまで見えなくされている

```
[ゲームオーバー▼] を受け取ったとき
[プレイヤーキャラクター▼] へ行く
[最前面▼] へ移動する
(0) 度に向ける
表示する
[Wolf Howl▼] の音を鳴らす
```

31 下の短いコードを「犬」のスプライト（新しく作った「ほえる犬」ではないよ）に加えて、ほえる犬があらわれたときにすがたを消すようにしよう。プロジェクトを実行して、犬がプラットフォームから落ちると何が起きるか見てみよう。

```
[ゲームオーバー▼] を受け取ったとき
隠す
```

3つのレベルを作る

次に3つのレベルを作るよ。それぞれのレベルごとにプラットフォームを自分でかいていこう。このページから147ページまで見本が3つのっているよ。できるだけまねしてかこう。ほねやおかしのスプライトはあとで追加するよ。かき方は148ページから書いてあるぞ。

▼レベル1

カラフルなプラットフォーム（足場）が階段のようにならんでいるね。犬はほねを集めながら、階段を下りるようにジャンプすればいい。左右に動くドーナツに気をつけてタイミングよくよけよう。

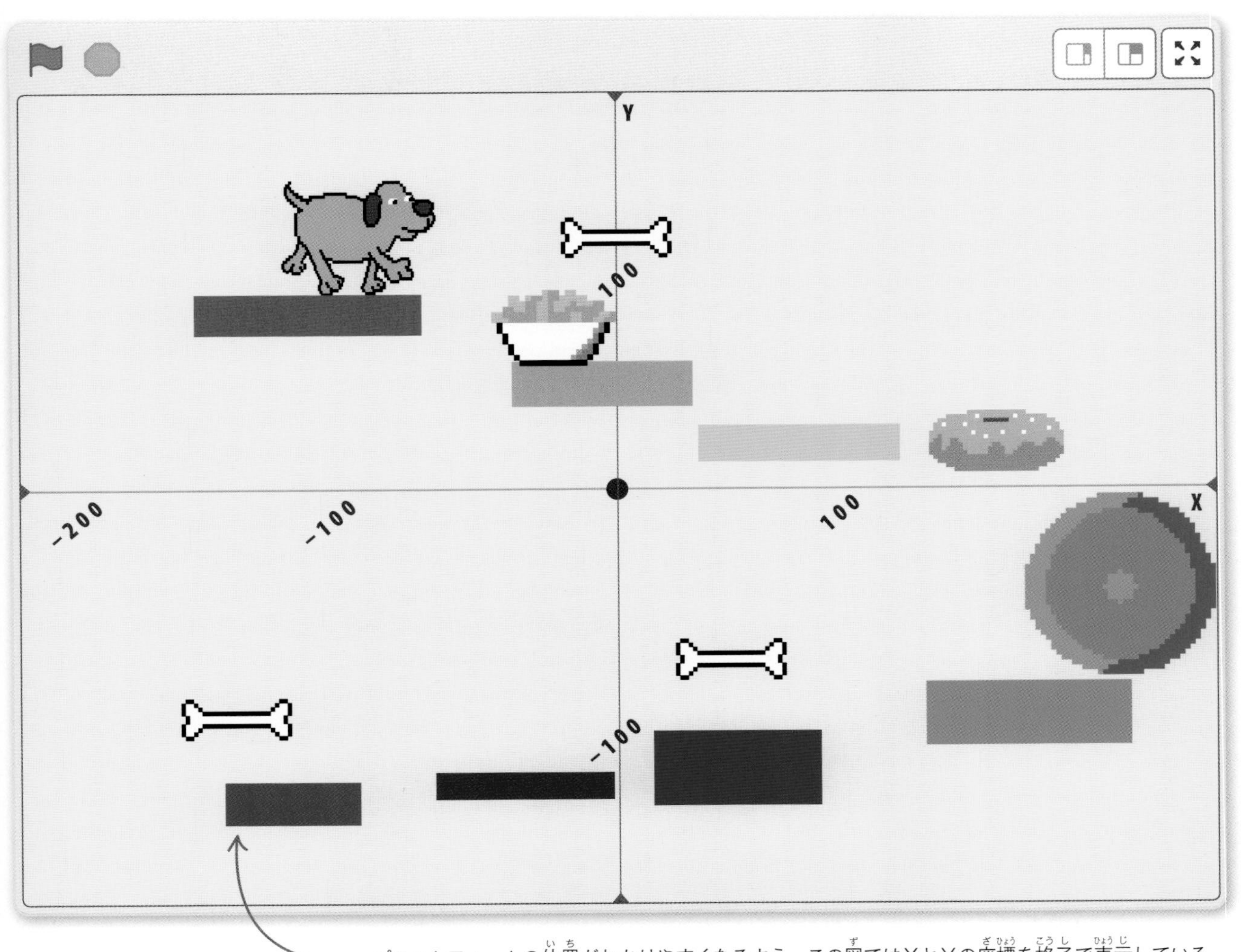

プラットフォームの位置がわかりやすくなるよう、この図ではXとYの座標を格子で表示している。プラットフォームをかくときにこの格子を表示するには、右下の背景のアイコンをクリックしてライブラリーを開き、「Xy−grid」という背景を選ぼう。プラットフォームをかき終わったらこの「Xy−grid」を色つきの背景に変えることもできるよ

▼レベル2

プラットフォームがはしごのようにならんでいるぞ。犬が動けなくならないようにプラットフォームの位置は考えて決めよう。でも、ゲームがかんたんになりすぎないよう注意しよう。

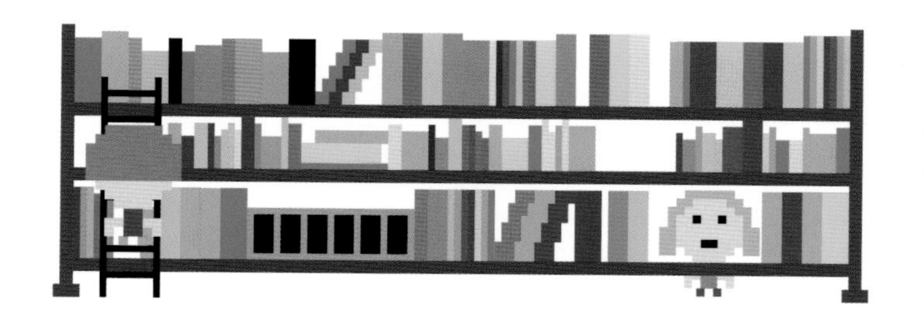

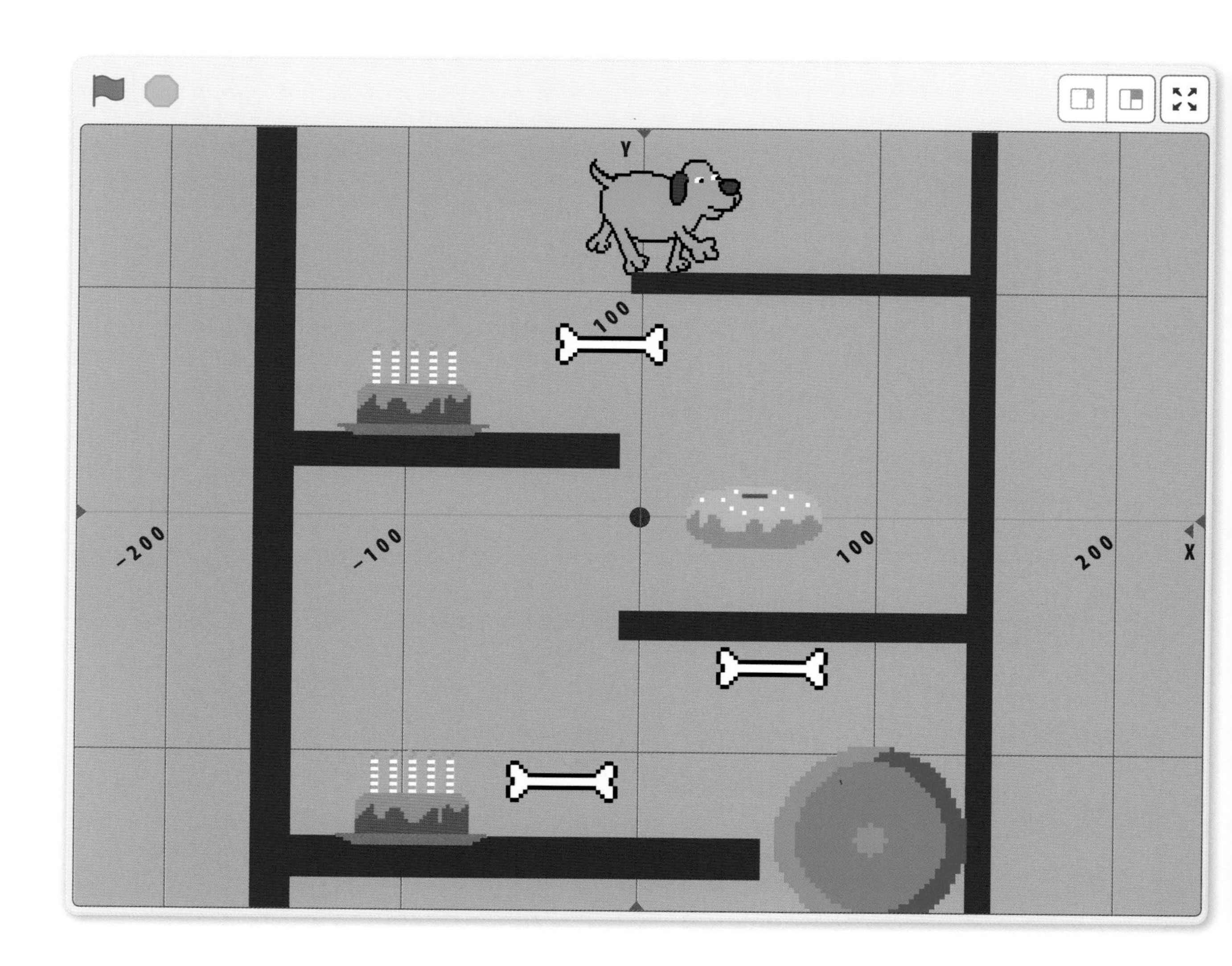

▼レベル3

最初のほねを取ったあと、右に進んでドーナツを飛びこえたくなるかもしれないけど、これはわなだ！ 最初のほねを取ったあとは左にもどってドーナツをよける方がはるかに楽なんだ。

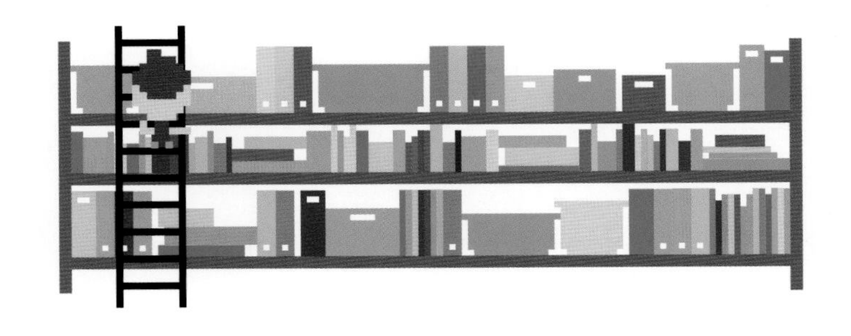

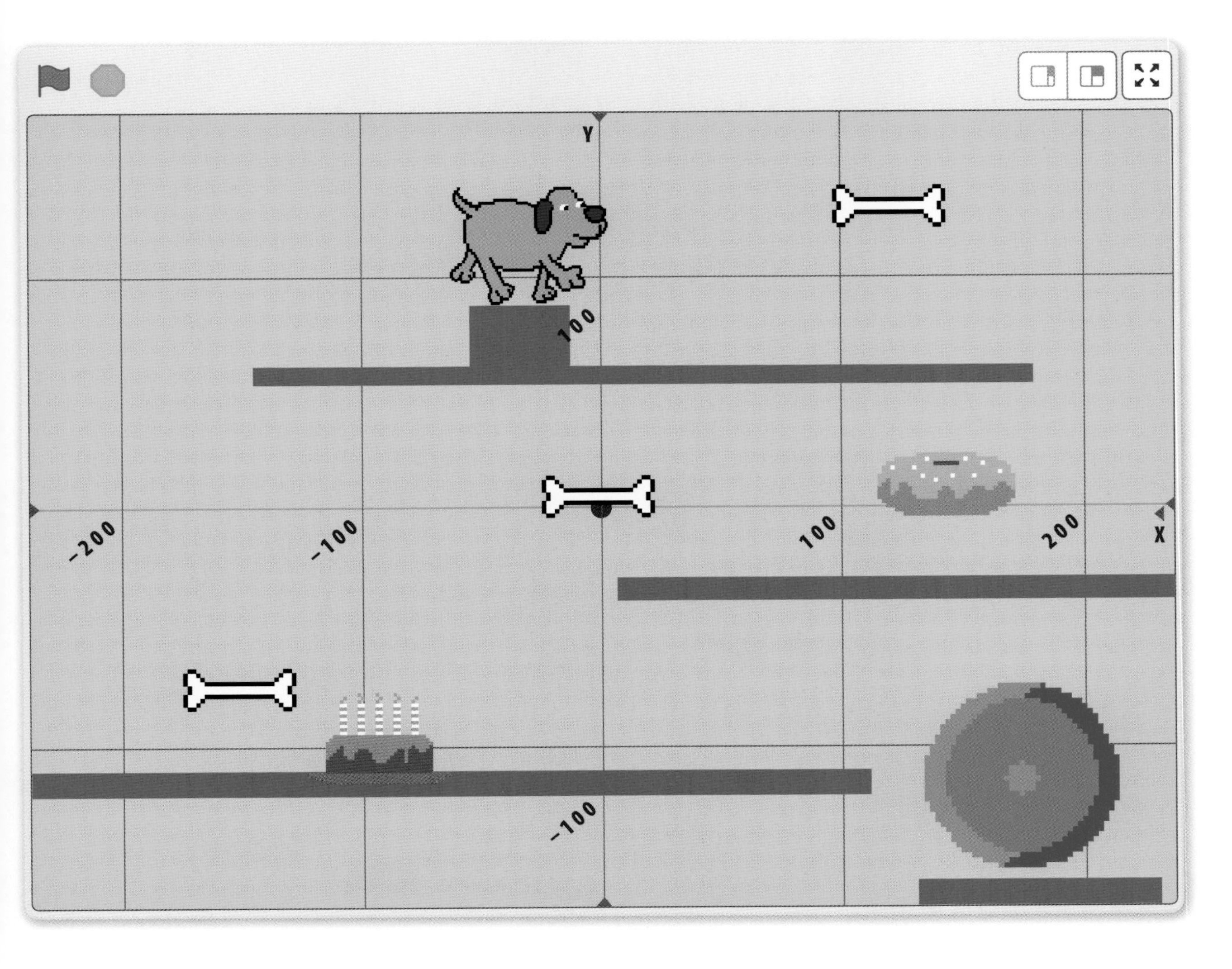

プラットフォームを作る

いよいよプラットフォームを作るよ。3つのレベルがあるからプラットフォームも3セット作る必要がある。プラットフォームはスプライトとして作り、コスチュームを3つ用意するんだ。

32 「レベル」という変数をすべてのスプライト用に作ろう。チェックボックスのチェックは外してステージに表示されないようにするよ。レベルに合ったコスチュームが使われるようにするため、右のコードをプラットフォームのスプライトに加えよう。それからコスチュームをかく前に、このコードブロックをマウスでクリックして実行しよう。スプライトがステージの正しい位置にセットされるよ。

```
セットアップ▼ を受け取ったとき
背景を (レベル) にする
x座標を (0)、y座標を (0) にする
コスチュームを (レベル) にする
```

「セットアップ」という新しいメッセージを作る。このメッセージは、あとでゲーム開始時のリセットをするときに使う

色つきの背景に変える

プラットフォームを変える

33 プラットフォームのスプライトを選び、「コスチューム」のタブをクリックする。筆のアイコンをクリックして、3つのコスチュームをかくよ。今まで使ってきたテスト用のコスチュームは「削除」しよう。それから各レベルのプラットフォームを「四角形」ツールでかこう。145 ～ 147ページにある見本にあわせてかくようにしよう。

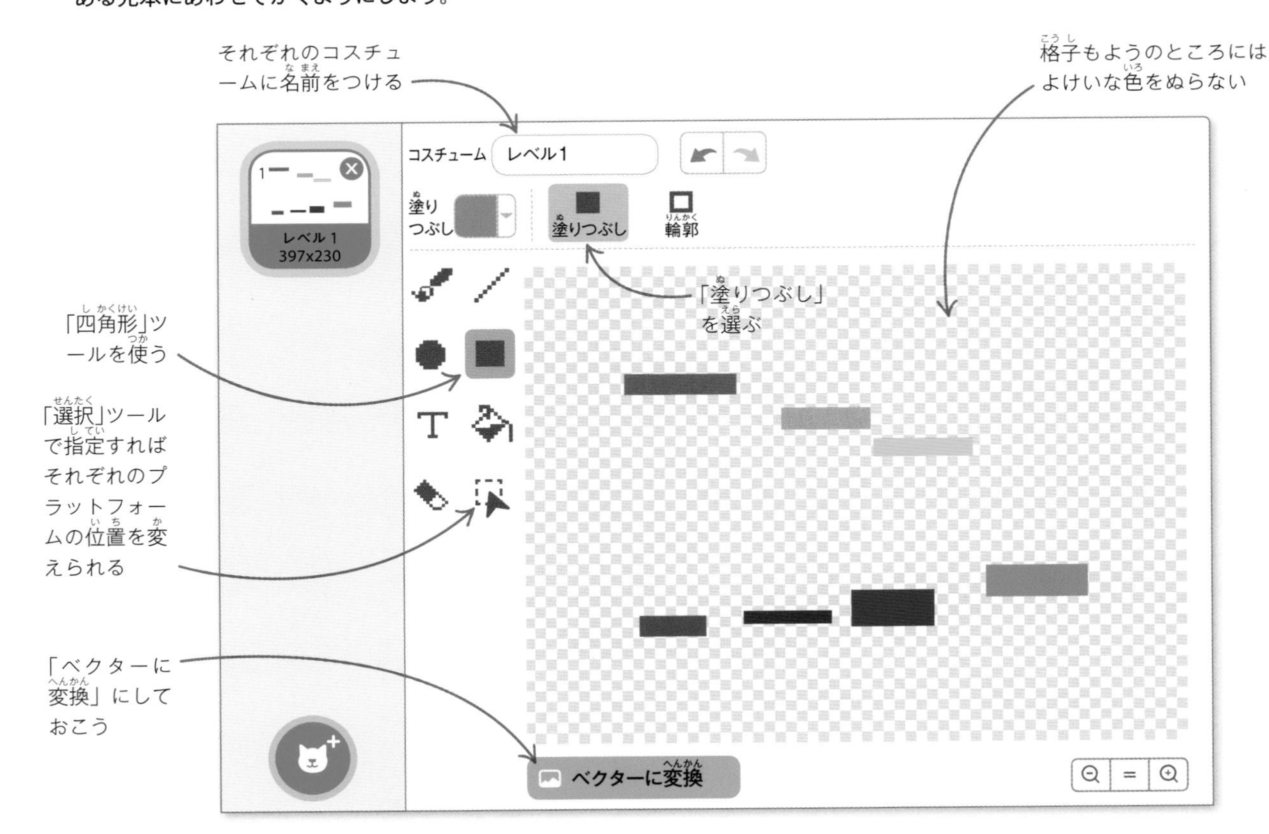

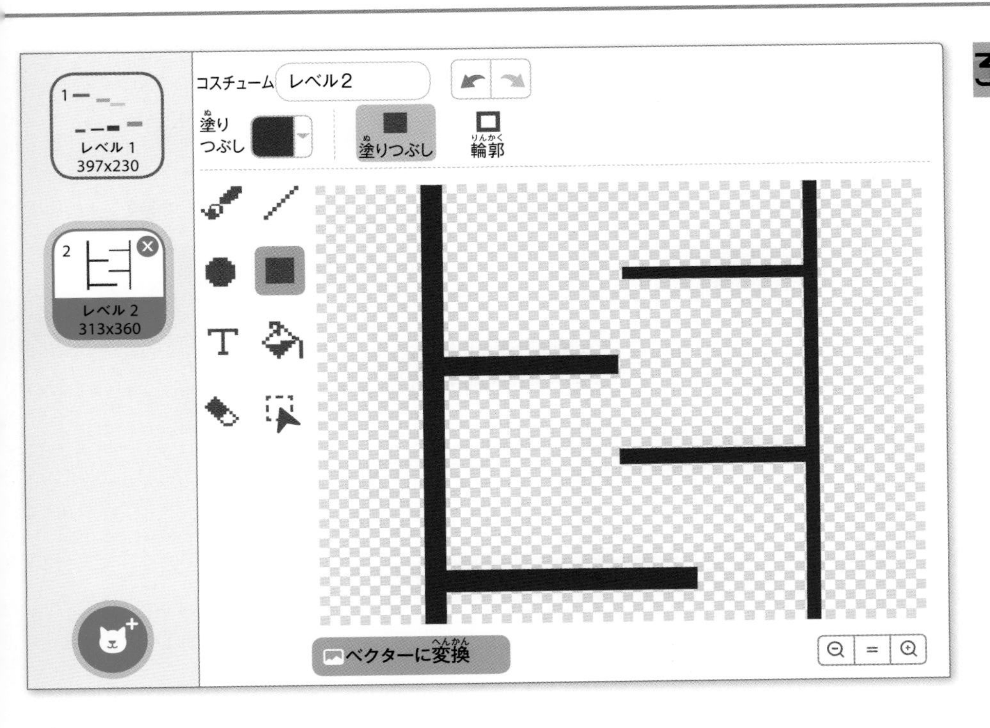

34 スプライトリストの右側にある「ステージ」を選び、「背景」タブをクリックする。「ベクターに変換」にして「塗りつぶし」ツールを選び、カラーパレットで色を決めてペイントエリアでクリックしよう。「Xy-grid」は削除してしまおう。筆のアイコンをクリックして新しい背景を出し、ちがう色でぬりつぶすよ。背景は3つ作っておこう。

ここに3つのコスチュームが正しい順番でならぶようにする。ドラッグすれば順番を入れかえられる

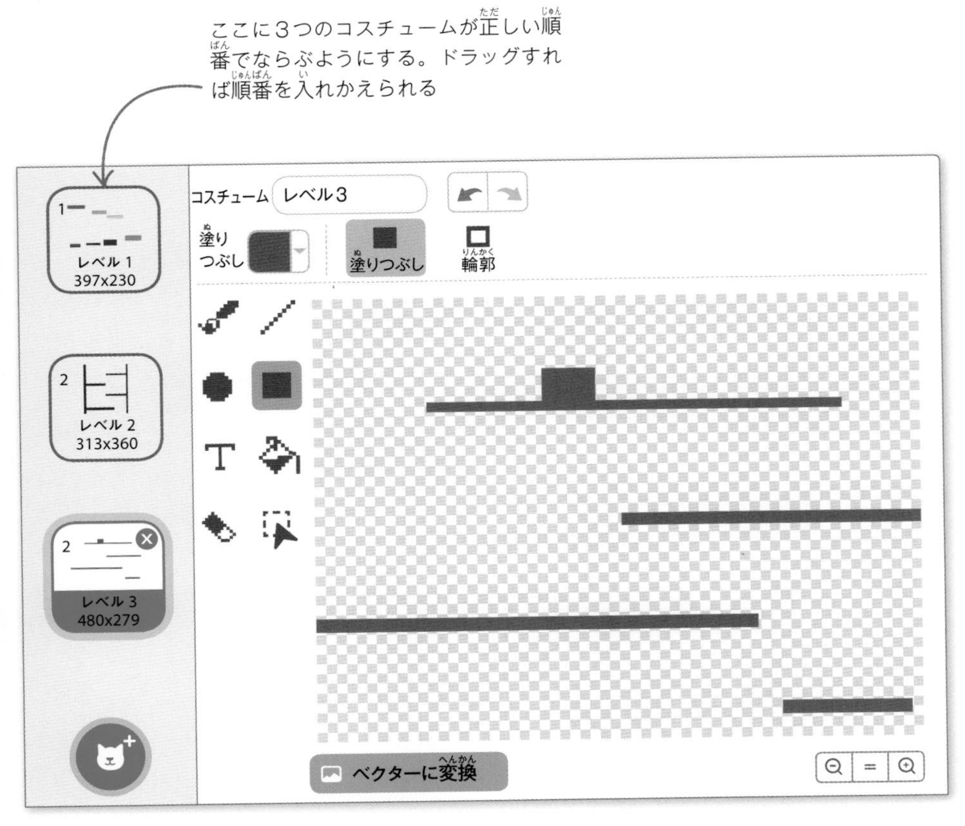

ゲームをコントロールするスプライト

レベルを変えたり、各レベルでスプライトなどを正しい開始位置に置くためには、ゲームをコントロールするコードを作る必要があるね。このコードは新しく作ったスプライトに組みこもう。

35 「ほね」（残りのほねの数）と「レベルオーバー」（レベルクリアを示す）という2つの変数を作る。チェックボックスのチェックは外しておこう。スプライトメニューで筆のアイコンをクリックして空っぽのスプライトを作り、名前を「ゲームコントロール」にして、下のコードを組もう。どのレベルでもこのループが動くぞ。「スタート」と「勝利」というメッセージも新しく作るよ。

「セットアップ」のメッセージは、すべてのスプライトにげんざいのレベルでの正しい開始位置に動くよう伝える

「スタート」はすべてのスプライトに、げんざいのレベルでゲームが動き出したので、しょうとつや動きをチェックするよう指示する

プレイヤーがゲートに着くと「レベルオーバー」が1になり、そのレベルが終わったことを伝える

プレイヤーがゲームをクリアすると「勝利」のメッセージが送られる

▲どのように動くのか

上のループは、ゲームの各レベルで1回実行される。それから次のブロックに進み、プレイヤーが勝ったことを伝える「勝利」のメッセージを送るんだ。ゲームで最初に流れるメッセージの「セットアップ」は、スプライトと背景を正しい位置にセットして、そのレベルでのプレイができるようにするよ。このメッセージを受け取ったコードブロックがじゅんびを終えるまで待ってから、「スタート」のメッセージを送る。「スタート」がきっかけになって、すべてのコードブロックはそのレベルに合った動作を始めるんだ。

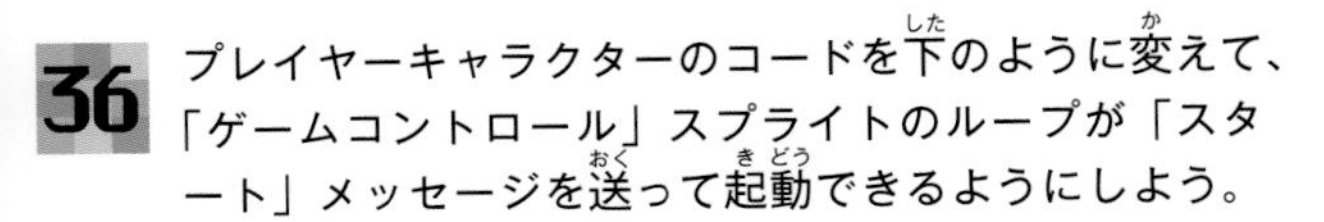

36 プレイヤーキャラクターのコードを下のように変えて、「ゲームコントロール」スプライトのループが「スタート」メッセージを送って起動できるようにしよう。

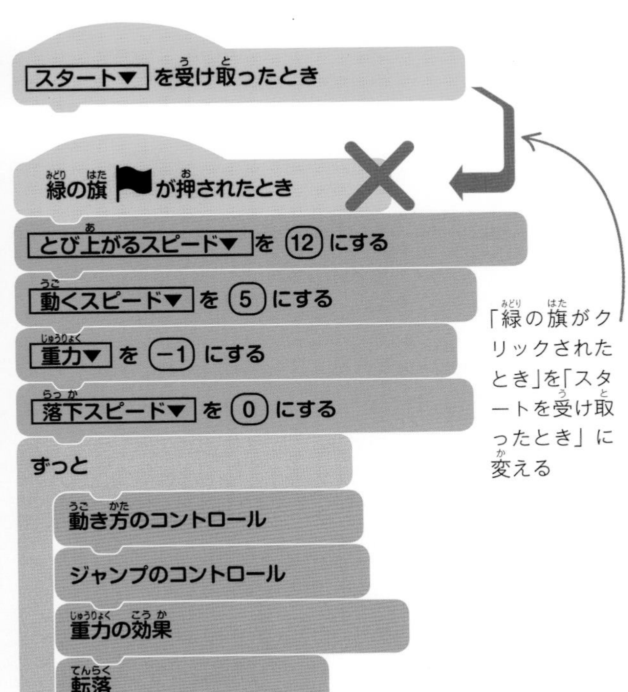

37 プレイヤーキャラクターに次のコードを追加しよう。これは「セットアップ」のメッセージを受け取ったとき、それぞれのレベルごとにスプライトを開始位置に置くためのものだ。「幽霊」の効果を100にして開始するので、赤い正方形は消えて犬だけが見えるようになるよ。「幽霊」の効果はスプライトを「隠す」とはちがってしょうとつは起きるぞ。

38 犬のコードも「スタート」メッセージで起動するよう変えなければならないね。

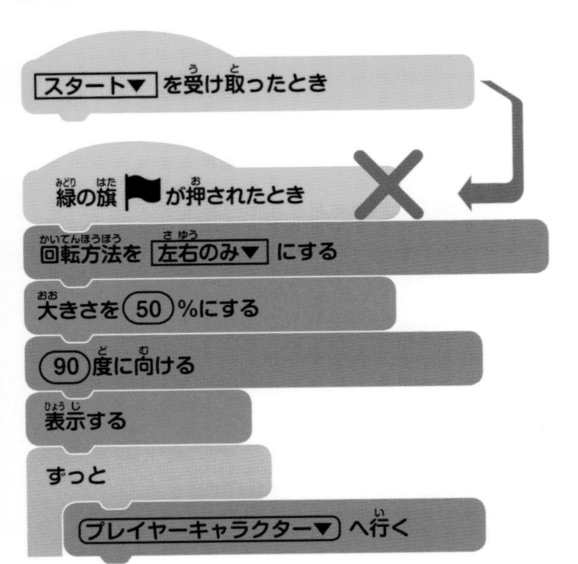

ゲートを作る

次のレベルに行くためのゲートを作る必要があるね。このゲートは、プレイヤーがそのレベルをクリアしたときに開く出口のようなものだよ。

39 プロジェクトをもう一度動かしてみよう。レベル1のプラットフォームなら動き回れるけど、レベル2へ行く方法がないね。スプライトリストの顔のアイコンをクリックしてライブラリーから「Button1」を加えて、「ゲート」に名前を変えよう。

40 ゲートにはセットアップのためのコードが必要だよ。各レベルごとにゲートを正しい位置に置き、ゲートが開いていないときは、少し透明にするんだ。

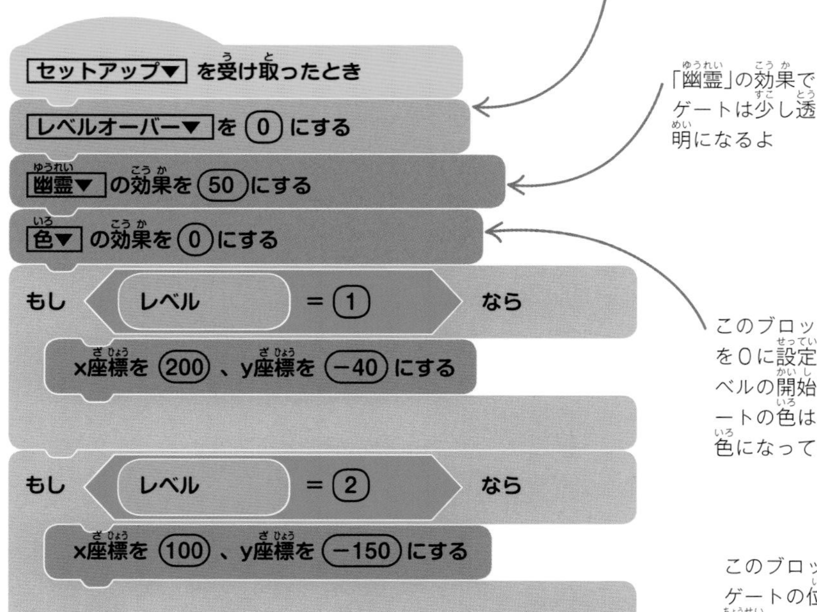

ほねが集められていないので、「レベルオーバー」を0にして、そのレベルがクリアされていないことをしめす

「幽霊」の効果でゲートは少し透明になるよ

このブロックで、効果を0に設定する。各レベルの開始時には、ゲートの色はふつうの緑色になっている

このブロックで、レベルに合わせてゲートの位置を決めている。あとで調整できるので、今は位置がずれていてもかまわないよ

ほねじゃなくて魚の方がいい！

41 次に、ほねが集められるのを待ってゲートを開け、ゲートにプレイヤーのスプライトがふれるまで色を変えておくためのコードを作るよ。ここで、ゲームを動かしてみよう。まだほねは登場していないので、ゲートはすぐに開くね。これですべてのレベルに入れるようになったぞ。もしうまくいかないなら、前のページにもどって、きちんと作れているか調べてみよう。

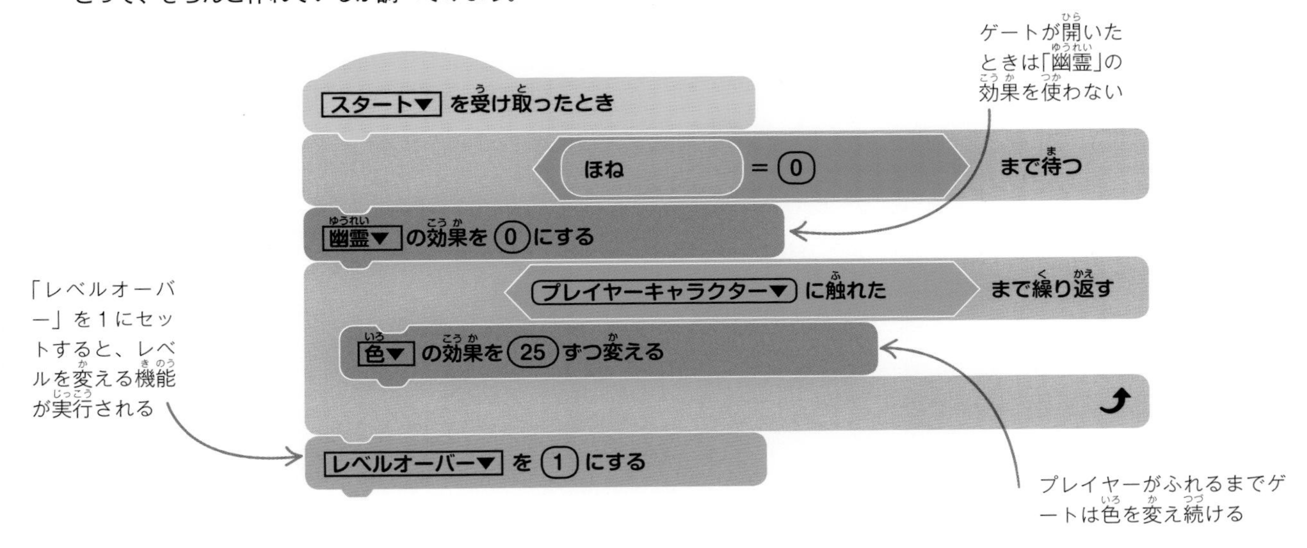

おぼえておきたいことば

フラグ

「レベルオーバー」は、ゲートのコードが「ゲームコントロール」スプライトに、げんざいのレベルがクリアされたことを知らせる変数だ(ゲームコントロールのコードのループに「～まで待つ」というブロックがあったのを覚えているかな？ 次のレベルのための処理をせずに待っているんだ)。「レベルオーバー」という変数を使って、コード同士で連絡をしているんだね。このような使い方をする変数をプログラマーは「フラグ」とよんでいるよ。メッセージの代わりにフラグが使えるんだ。

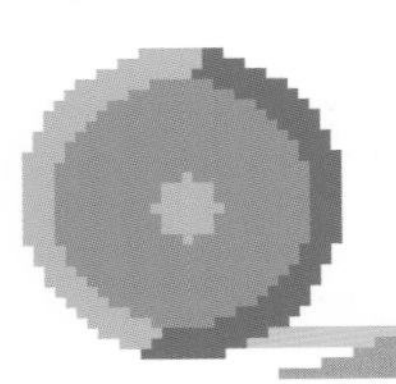

フラグが立っていない
レベルオーバー＝0

「レベルオーバー」が0のとき(そのレベルがクリアされていないとき)は、フラグが立っていないんだ。そして「レベルオーバー」が1になる(プレイヤーが開いたゲートに着く)と、フラグが立ったと言うんだ。メッセージではコードブロックの起動しかできないけれど、フラグならコードの途中で何かが起きるまで実行を止められる。「ゲームコントロール」スプライトのループでは、「～まで待つ」のブロックが、フラグが1になるまで待っているよ。

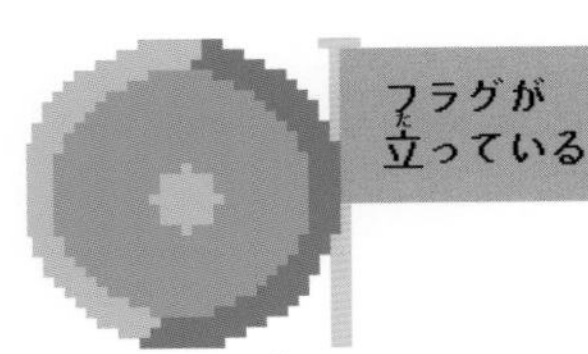

フラグが立っている
レベルオーバー＝1

犬のためのごちそう

「ほね」をいくつか加えて、犬がほねを集めないとゲートが開かないようにしよう。この犬ははらペコで、ごちそうをさがしているんだ。

42 新しいスプライトを作って犬と同じくらいの大きさのほねを自分でかくよ。「筆」のツールでかいて、「塗りつぶし」ツールで中を白くしよう。「ほね1」（1は半角）という名前にする。左下の表示は「ベクターに変換」にしておこう。

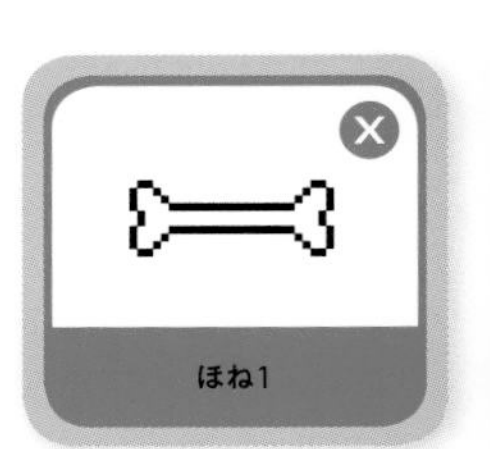

43 ほね1に右のコードを作り、各レベルの正しい位置にほねが置かれるようにしよう。各レベルでのほねの位置は、xとyの座標で決めるよ。ほねを置くと、君がかいたプラットフォームとずれてしまうかもしれない。でも今はそれでかまわないぞ。

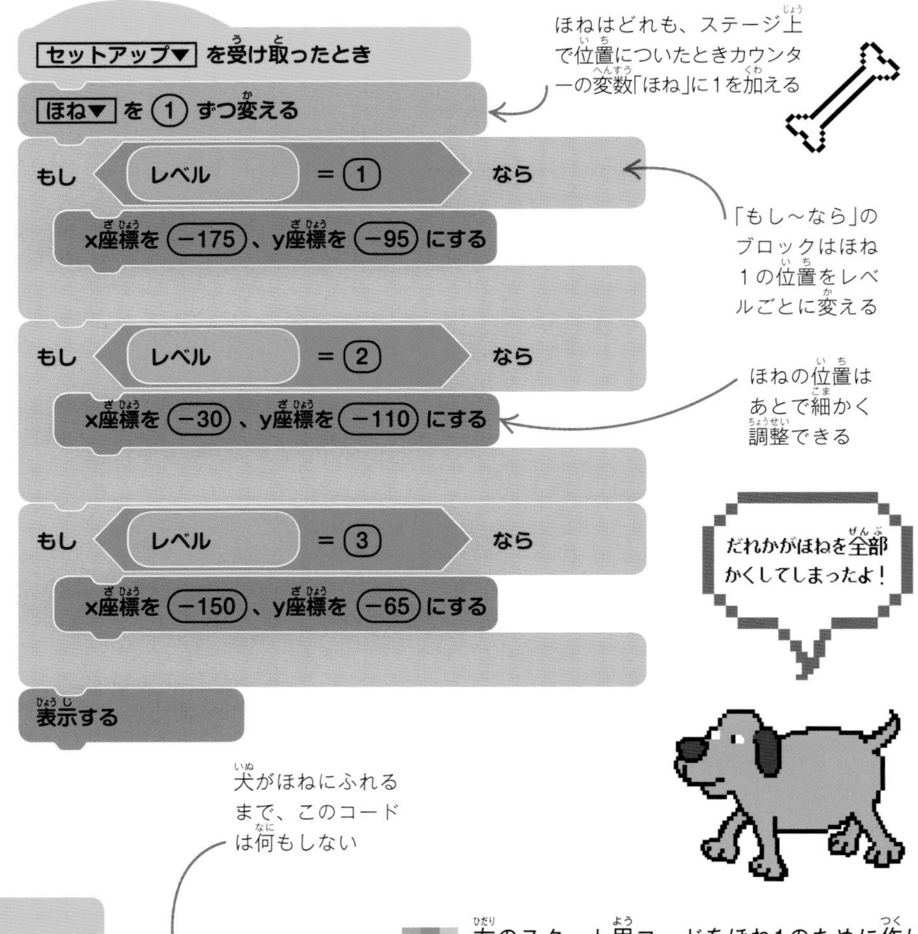

犬がほねにふれるまで、このコードは何もしない

```
スタート▼ を受け取ったとき
プレイヤーキャラクター▼ に触れた まで待つ
隠す
ほね▼ を -1 ずつ変える
Dog1▼ の音を鳴らす
```

集める必要があるほねの数が1つ少なくなる

44 左のスタート用コードをほね1のために作り、犬がほねを集めたらかくすようにしよう。このコードには、カウンターの「ほね」を最新の数にする役目もある。音のライブラリーから「Dog1」を読みこんで使おう。ほねを手に入れた犬がうれしそうにほえるぞ。プロジェクトを実行してみよう。今のところ、ほねを1つ手に入れればゲートが開くよ。

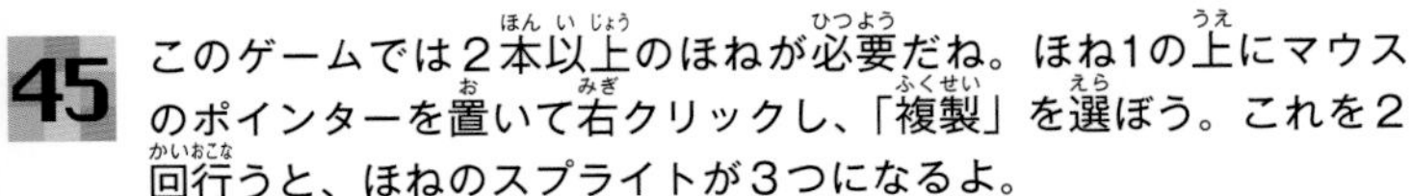

45 このゲームでは２本以上のほねが必要だね。ほね1の上にマウスのポインターを置いて右クリックし、「複製」を選ぼう。これを２回行うと、ほねのスプライトが３つになるよ。

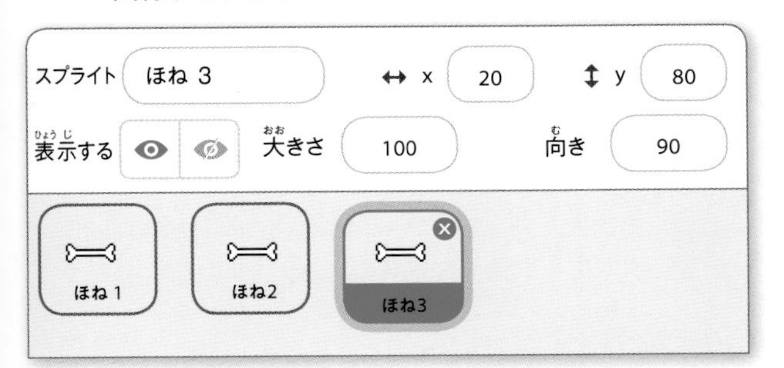

46 ほね２とほね３のセットアップ用コードを変えて、ほね１とはちがう位置にあらわれるようにしよう。「x座標を～、y座標を～にする」の中の数字をそれぞれ下のようにを変えよう。

ほね2

```
セットアップ▼ を受け取ったとき
ほね▼ を (1) ずつ変える
もし <(レベル) = (1)> なら
  x座標を (-10) 、y座標を (105) にする
もし <(レベル) = (2)> なら
  x座標を (-10) 、y座標を (80) にする
もし <(レベル) = (3)> なら
  x座標を (0) 、y座標を (15) にする
表示する
```

これらのブロックは、げんざいどのレベルなのかを調べ、ステージ上のほねの位置をレベルに合ったものにしている

ほね3

```
セットアップ▼ を受け取ったとき
ほね▼ を (1) ずつ変える
もし <(レベル) = (1)> なら
  x座標を (35) 、y座標を (-70) にする
もし <(レベル) = (2)> なら
  x座標を (60) 、y座標を (-60) にする
もし <(レベル) = (3)> なら
  x座標を (120) 、y座標を (140) にする
表示する
```

47 ほねのコードが動くと、そのレベルでのほねの数が自動的に計算されるよ。プロジェクトを動かしてみよう。３つのほねをすべて集めないと、ゲートが開かないね。

あまいおかし

このままだと犬はすべてのほねをかんたんに手に入れることができるね。しょうがい物を加えて、ゲームをむずかしくしよう。まずは空飛ぶドーナツだ。

48 スプライトのライブラリーを開いて「Donut」を選んで読みこもう。名前を「ドーナツ」に変えるよ。

ドーナツ

ドーナツのスプライトを読みこむ

49 下のセットアップ用コードでドーナツのスプライトを小さくして、各レベルの開始位置に置くよ。

50 次にスタート用のコードを作ってドーナツが左右に動くようにするよ。

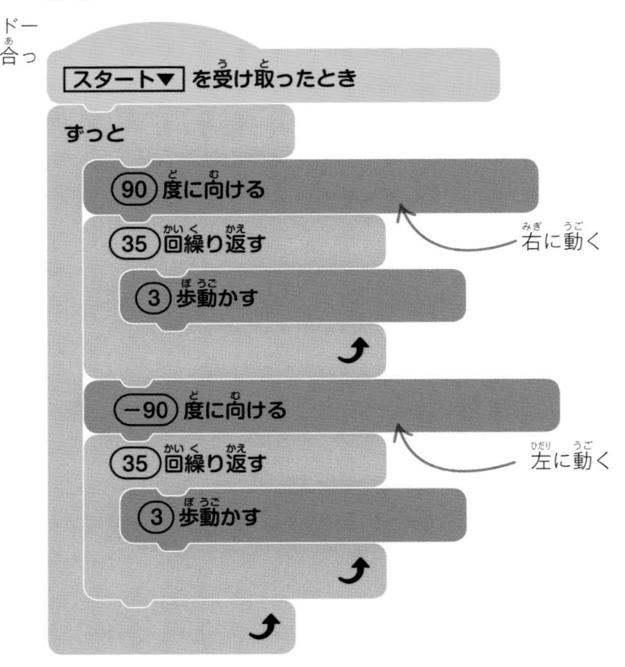

51 最後にプレイヤーキャラクターとしょうとつしたか調べるコードを作ろう。しょうとつしたらゲームオーバーだ。あまいおかしは体に悪いんだ。

52 ゲームを実行しよう。ドーナツをさけて通れるかな？ ドーナツにふれてしまうと、犬は立ち止まってほえるよ。

あぶないおかし

動かないけど、空飛ぶドーナツと同じようなあぶないおかしを用意するよ。プログラムをシンプルにするため、レベルごとにコスチュームを用意して、この3つのコスチュームを1つのスプライトにまとめてしまおう。

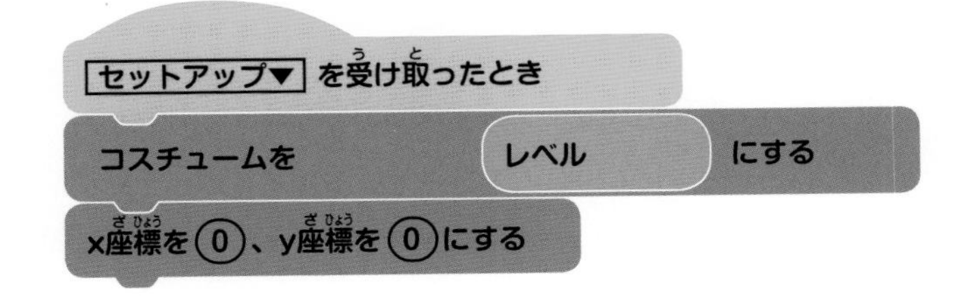


```
スタート▼ を受け取ったとき
  プレイヤーキャラクター▼ に触れた まで待つ
  ゲームオーバー▼ を送る
```

このコードは、犬がしょうがい物にふれたときにゲームを終わらせる

53 「しょうがい物」というスプライトを作り、上と左の2つのコードブロックを加えよう。セットアップ用のコードブロックは、レベルに合ったコスチュームをステージ中央に置くためのものだ（プラットフォームと同じやり方だね）。

54 「コスチューム」のタブの筆のアイコンをクリックして、空のコスチュームをあと2つ作り合計3つにする。「コスチューム1」を選び、左下の「コスチュームを選ぶ」ボタンでライブラリーを開き、「Cheesy Puffs」（チーズスナック）を読みこもう。同じように「コスチューム2」にケーキ2つ、「コスチューム3」にケーキ1つを読みこむ。どれも「選択」ツールで小さくして、それぞれ右の図の位置に置くよ。位置はあとで細かく調整できるぞ。

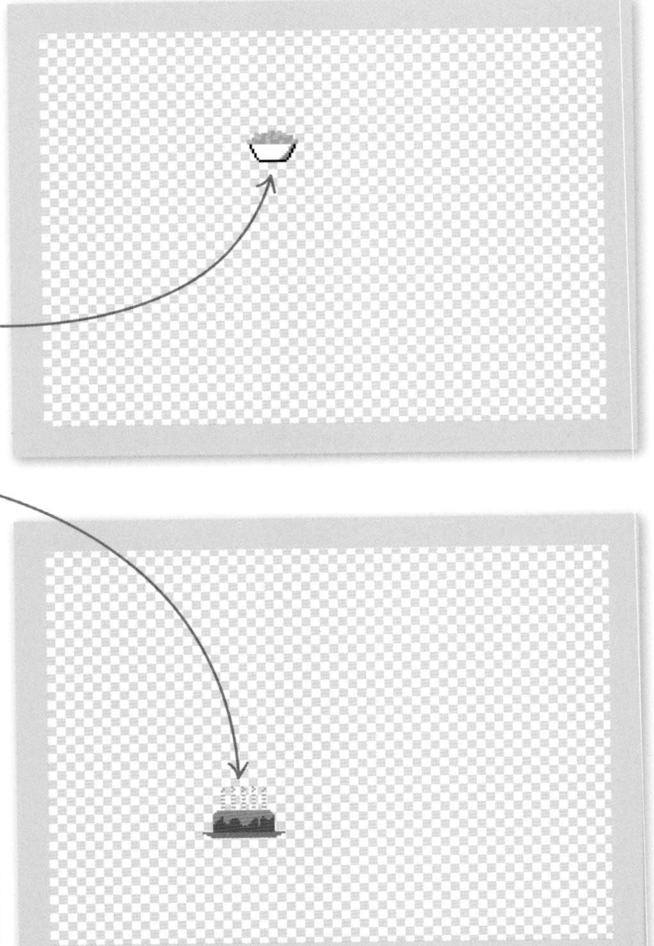

レベル1ではチーズスナックを1つ置く

背景は透明になっている

レベル2ではケーキを2つ置く

レベル3ではケーキを1つ置く

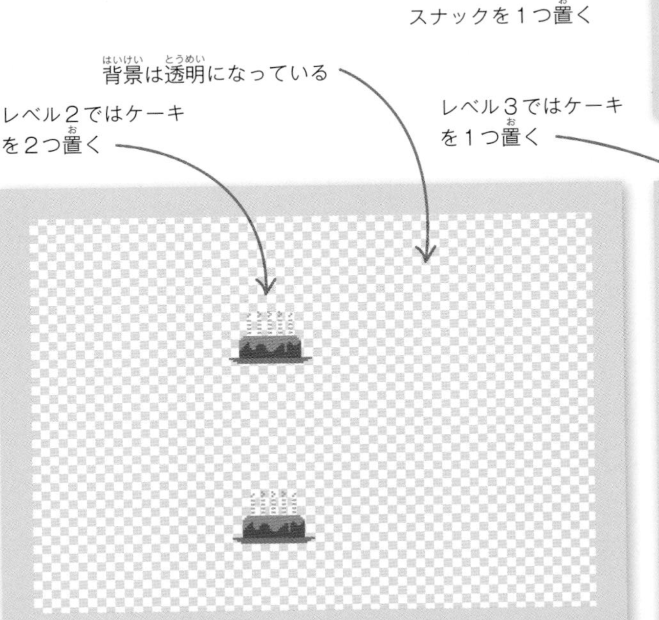

調整する

これでプラットフォーム、ゲート、ほね、しょうがい物のすべてがステージに置かれたね。プロジェクトを動かして、どんなゲームになったのか見てみよう。一部のスプライトが変な場所にあらわれたかもしれないね。ゲームがとてもプレイしにくくなっていたり、犬が動けなくなったりしていないかな。それならレベルごとに調整しよう。ここにあげたヒントは、君が新しいレベルを作るときにも役立つよ。

小さい円形のハンドルをクリックしてドラッグすれば、選んだ図形をのばしたりサイズを変えられる

55 問題の原因はプラットフォームの位置とサイズかもしれない。プラットフォームのスプライトを選び、「コスチューム」のタブをクリックする。「選択」ツールを使って、レベル１のプラットフォームを動かしたりサイズを変えてみよう。レベル1なら、145ページのようになるまで調整してみよう。

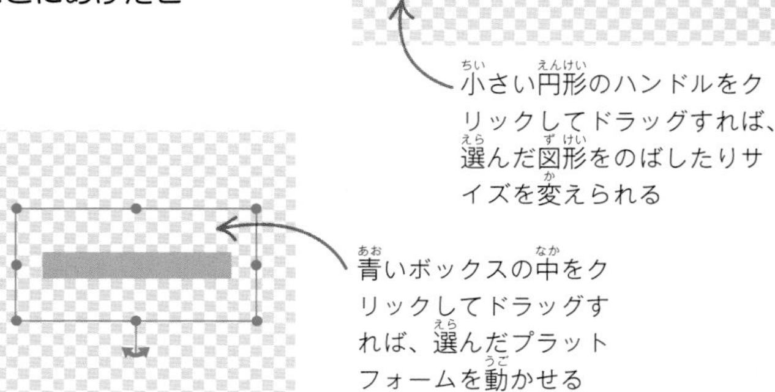

青いボックスの中をクリックしてドラッグすれば、選んだプラットフォームを動かせる

56 同じやり方でしょうがい物の位置も調整しよう。スプライトリストでしょうがい物を選び、コスチュームのタブをクリックする。「選択」ツールで、１番目（レベル１用）のコスチュームのおかしの位置を調整しよう。

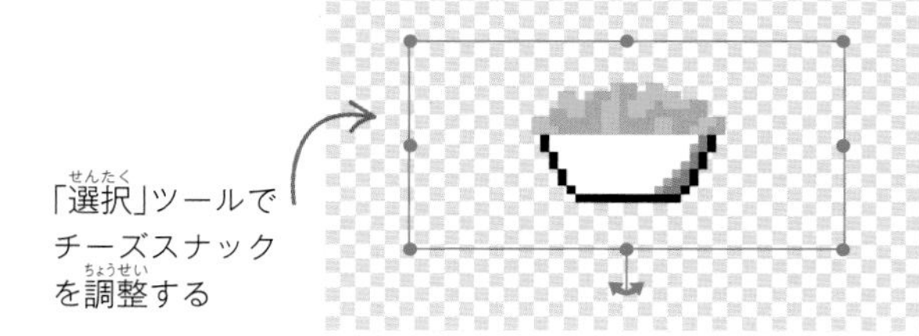

「選択」ツールでチーズスナックを調整する

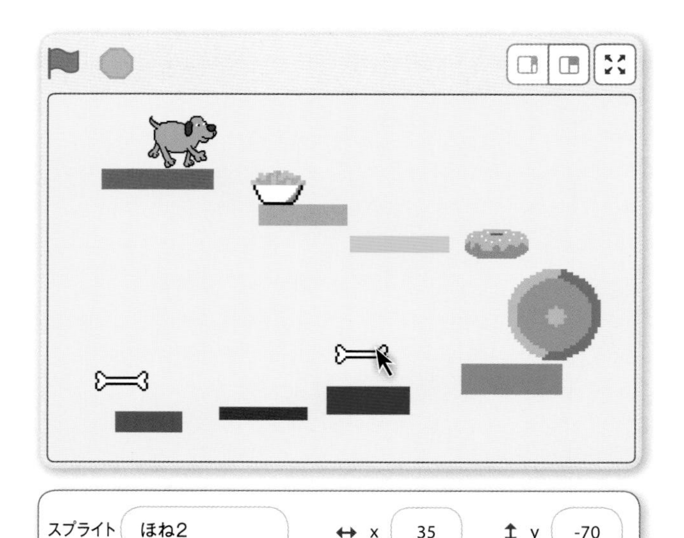

57 プラットフォーム以外のスプライトは、座標を使って位置を直せるぞ。ステージ上のスプライトを置きたい場所までドラッグしよう。情報パネルにxとyの数字（座標）が表示されるので、この数字をレベル1用の「x座標を～、y座標を～にする」ブロックに入力するんだ。

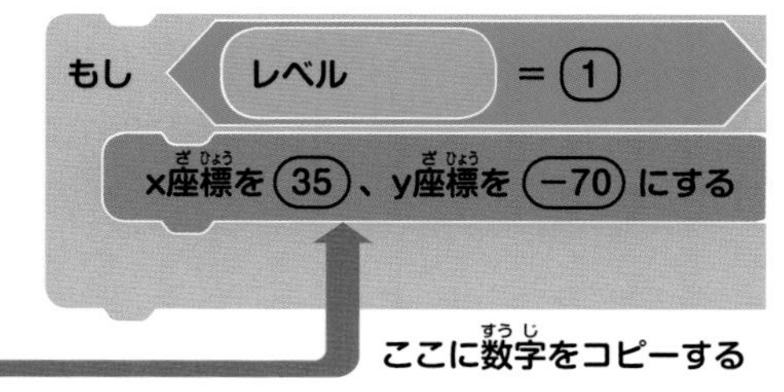

ここに数字をコピーする

うまくなるヒント

「x座標を〜、y座標を〜にする」ブロックを使う

スプライトの位置を完ぺきにしたいなら、いい方法があるよ。まずステージ上でスプライトを好きな位置に動かす。それからブロックパレットの「動き」の中で、まだ使っていない「x座標を〜、y座標を〜にする」ブロックを見るんだ。このブロックにはスプライトの座標が自動的に表示されるようになっている。このブロックをそのままドラッグしてコードで使えば、数字を入力する必要がないんだ。かんたんだね！

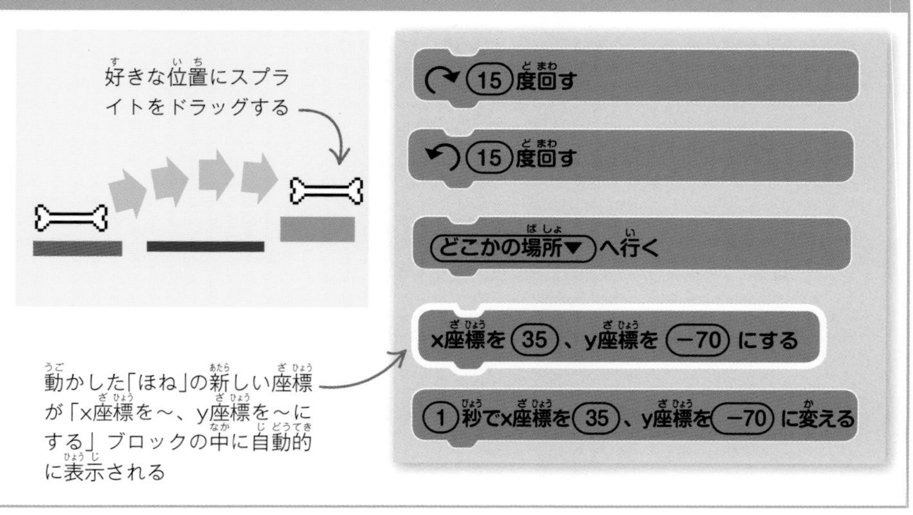

58 空飛ぶドーナツを調整するときは「x座標を〜、y座標を〜にする」ブロックはドーナツのスタート位置を決めるだけだということに注意しよう。どれだけ動くかを調整するときは、2つの「〜回繰り返す」ループの中のブロックの数字を変えなければならないよ。

59 レベル1はうまく動くようになったかな。他のレベルを調整するには「ゲームコントロール」スプライトのコードを一時的に変えると便利だよ。「レベルを〜にする」ブロックの数字を2にすれば、ゲームを動かしたとたん、レベル2が表示されるよ。レベル2で調整し終わったら、この数字を1にもどすのをわすれないようにしよう。

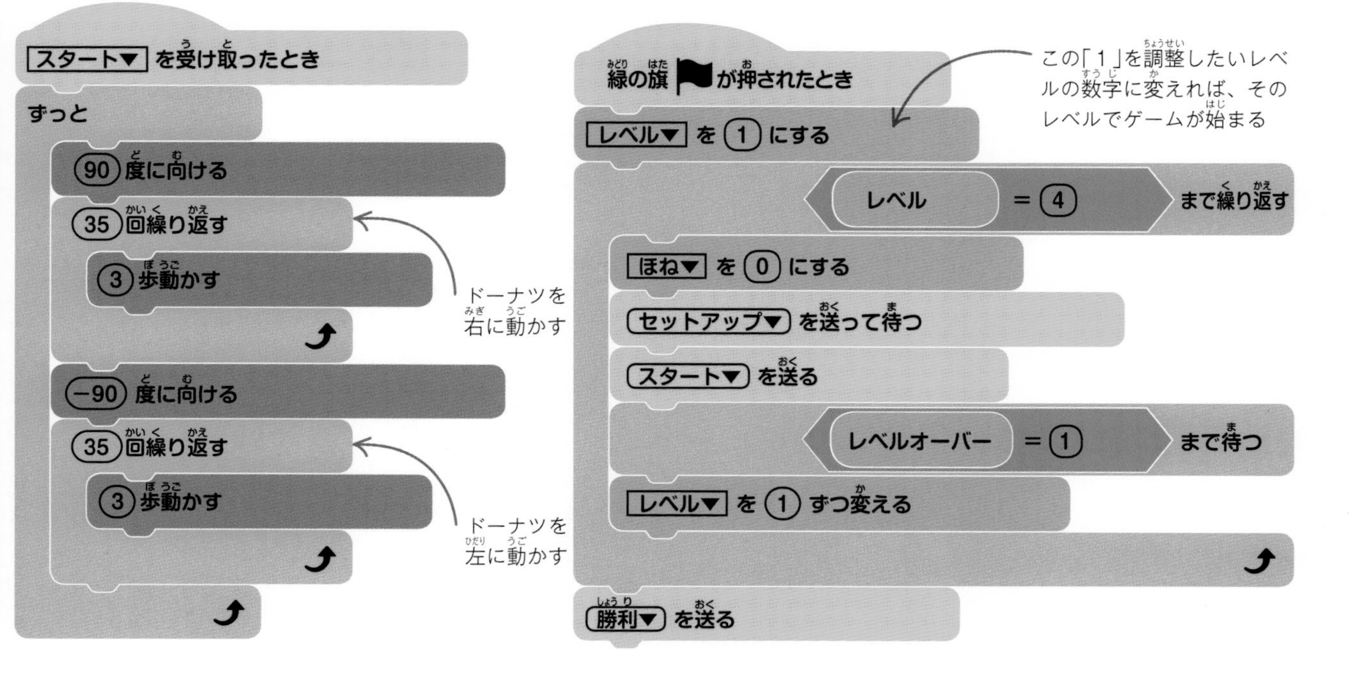

説明文と音楽

まだゲームが完成したわけではないよ。プレイヤー向けの説明文とメッセージを表示するようにしよう。音楽も加えて、ゲームをもっと楽しくしよう。

60 スプライトメニューで筆のアイコンをクリックして新しいスプライトを作ろう。名前は「説明」にしてね。それからコスチュームメニューで筆のアイコンをクリックして、新しいコスチュームを2つ追加だ。3つのコスチュームは上から「説明文」「勝ち」「負け」と名前をつけよう。

説明文

犬のごちそう

左右に動く：左右の矢印キー
ジャンプ：スペースキー

ほねを全部集めると
ゲートが開いて次の
レベルに行ける

犬はあまいおかしが
きらいだよ！

勝ち

勝った！

負け

おかしを食べちゃった
負けだ！

61 下のコードブロックを作って、「説明」のスプライトがメッセージを受け取ったときに文章を表示するようにしよう。プロジェクトを実行して、ゲームのプレイに合わせて正しい文章が表示されるかチェックだ。

```
緑の旗 が押されたとき
コスチュームを (説明文▼) にする
x座標を (0)、y座標を (0) にする
[最前面▼] へ移動する
表示する
< (プレイヤーキャラクター▼) に触れた > まで待つ
隠す
```

プレイヤーキャラクターが文字のどれかにふれると文章は消えてしまう

```
[勝利▼] を受け取ったとき
コスチュームを (勝ち▼) にする
[最前面▼] へ移動する
表示する
```

```
[ゲームオーバー▼] を受け取ったとき
コスチュームを (負け▼) にする
[最前面▼] へ移動する
表示する
```

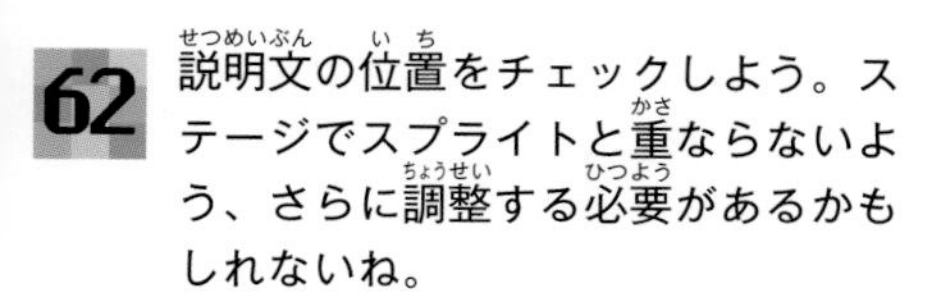

62 説明文の位置をチェックしよう。ステージでスプライトと重ならないよう、さらに調整する必要があるかもしれないね。

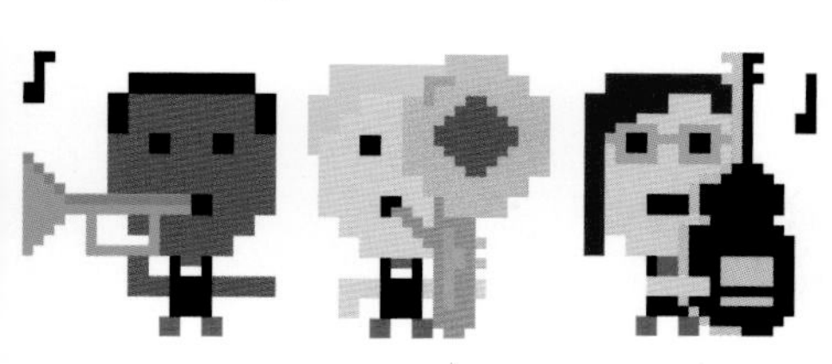

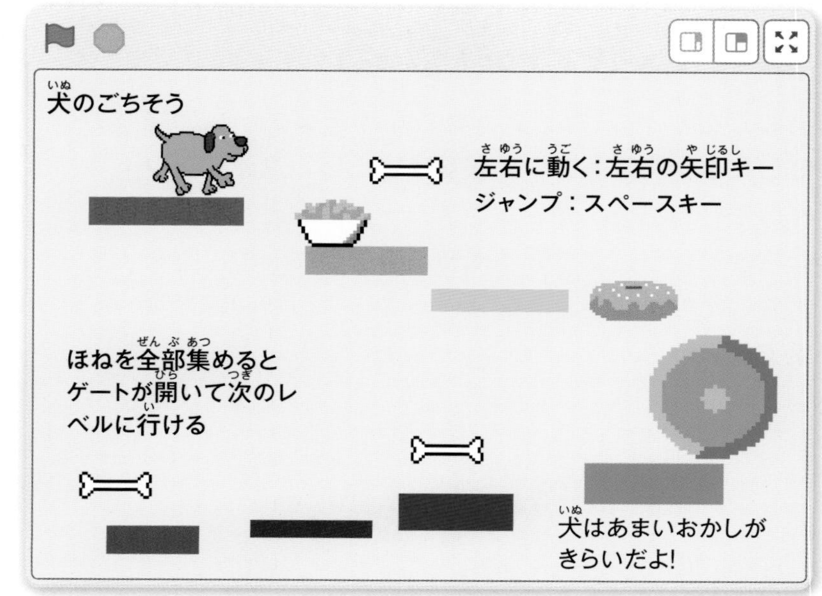

63 レベルごとに音楽をつけられるよ。「ゲームコントロール」のスプライトを選んで音のライブラリーから「Xylo2」、「Xylo3」、「Xylo4」を読みこもう。下のコードを作れば、レベルが変わるごとに音楽も変わるよ。

```
緑の旗 が押されたとき
レベル = 2 まで繰り返す
    終わるまで (xylo2▼) の音を鳴らす
レベル = 3 まで繰り返す
    終わるまで (xylo3▼) の音を鳴らす
レベル = 4 まで繰り返す
    終わるまで (xylo4▼) の音を鳴らす
```

最初の「～まで繰り返す」ループは、プレイヤーがレベル2に着くまで「Xylo2」を鳴らす

64 下のコードを「ゲームコントロール」のスプライトに加えると、新しいレベルがスタートしたことを効果音で知らせてから音楽を変えるよ。ライブラリーから「Space Ripple」の音を読みこんで使おう。

```
[スタート▼] を受け取ったとき
すべての音を止める
(Space Ripple▼) の音を鳴らす
```

65 最後のレベルをクリアしたときに鳴らすため、音のライブラリーから「Triumph」を読みこんで「ゲームコントロール」スプライトに加えよう。ゲームを実行してみるよ。レベルごとに音楽が変わるか、各レベルの開始時に効果音が鳴るか、ゲームの終わりに音が鳴るかをチェックだ。

```
[勝利▼] を受け取ったとき
すべての音を止める
(Triumph▼) の音を鳴らす
```

ゲームを改造する

おめでとう！ これでプラットフォームゲームが完成したよ。テストプレイをすませたら、友達にプレイしてもらおう。ゲームがスムーズに進み、むずかしさがちょうどよくなるよう、スプライトの位置を調整したり、プラットフォームやしょうがい物を変えてみよう。

うまくなるヒント

バックアップ

ゲームを改造したり直したりする前にバックアップをとっておき、ちがう名前にしてセーブしておこう。こうしておけば、改造に失敗してもコピーを使ってもとにもどせるよ。オンライン版では、ファイルメニューから「コピーを保存」を選べばいいよ。

▼勝利のダンス

ゲームの終わり方がもの足りないと感じたら「勝ち」と表示するコードを改造して、何か目をひくようなことをしよう。犬が勝利のダンスをするというのはどうかな？ 犬がプラットフォームからステージの底に落ちたときの表示を変えてもいいね。犬を消し去ることもできるぞ。

◀レベルをふやす

さらにレベルをふやせば、ゲームを長くプレイできるようになるよ。そのためには、プラットフォームとしょうがい物のスプライトにコスチュームを追加しなければならないね。ほね、ゲート、ドーナツをゲーム開始時の位置にセットするには、レベルごとに「もしレベル＝～なら」というブロックを追加しよう。「ゲームコントロール」スプライトの「レベル＝４まで繰り返す」ループの、「４」という数字を変えるのをわすれないように。追加したレベルをクリアしたときにゲームがきちんと終わるようになるよ。

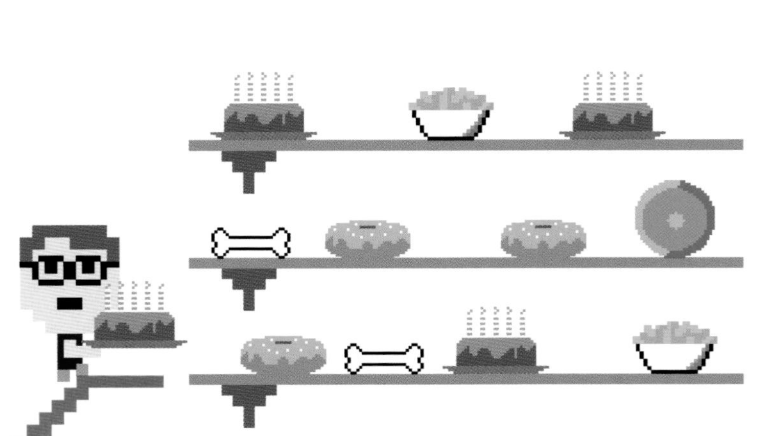

▶もっと大きな改造

犬にライフを設定するには、どうすればいいかわかるかな？「ライフ」という変数を作り、「ゲームオーバーを送る」というブロックすべてに「ライフ」から1を引くという処理を加えるんだ。この処理はライフが残っている（0になっていない）間だけ実行するよ。「ゲームコントロール」のループも変えないといけないね。よく考えて取り組もう。

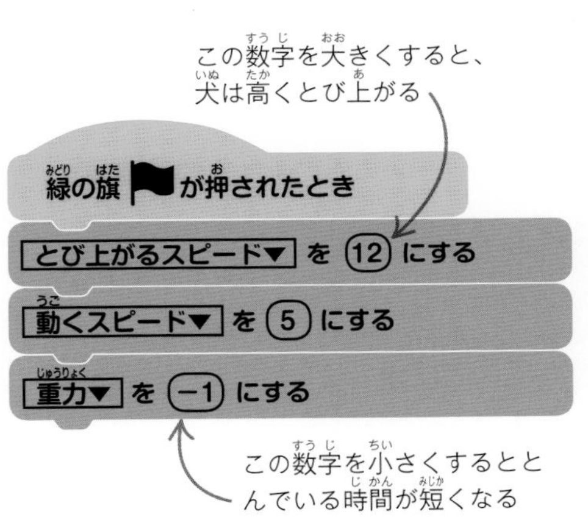

◀ジャンプを改造する

犬のジャンプは変数「とび上がるスピード」の中の数を多くすれば、もっと高くとべるようになる。変数「重力」の中の数を変えれば、1回のジャンプでとんでいられる時間を変えられるぞ。レベルごとにジャンプの条件を変えるには「もしレベル＝～なら」の中で、ジャンプに関する変数を設定する必要があるよ。

ゲームをデザインする

改造のためのヒント

作ったゲームがやさしすぎないか、あるいはむずかしすぎないかをチェックするため、友達にプレイしてもらおう。ただし、友達にお願いする前に、自分でそのゲームをクリアしておこう。

タイミング　動くしょうがい物が速すぎて通りぬけられないとか、ゆっくり動くのでかんたんすぎないかな？ちょうどよいスピードになるよう調整しよう。

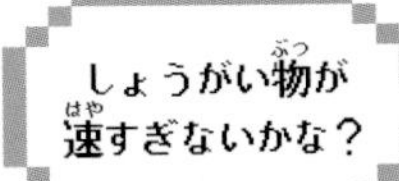

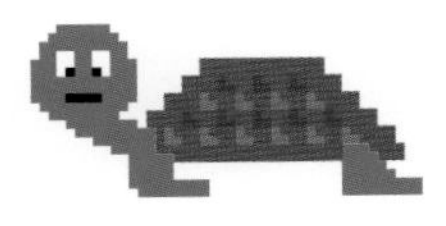

間かく　プラットフォームからプラットフォームへとかんたんに飛びうつれるかな？ それともかんたんには飛びうつれないかな？ レベルに合わせて、プラットフォームの間かくを調整しよう。

トリック　プレイヤーをだましてみよう。同じしかけをいくつも用意しておき、プレイヤーをなれさせておく。そして最後のしかけに「わな」をしこんでおくんだ。

ツール　コンピューターゲームには、ゲームをクリアするとデザインツールが使えるようになるものがあるよ。ツールを使えば、そのゲームでオリジナルの面やパズルを作れるぞ。このゲームでも、新しいレベルを作ったらオンラインで公開してみよう。だれかが挑戦してくれるかもしれないよ。

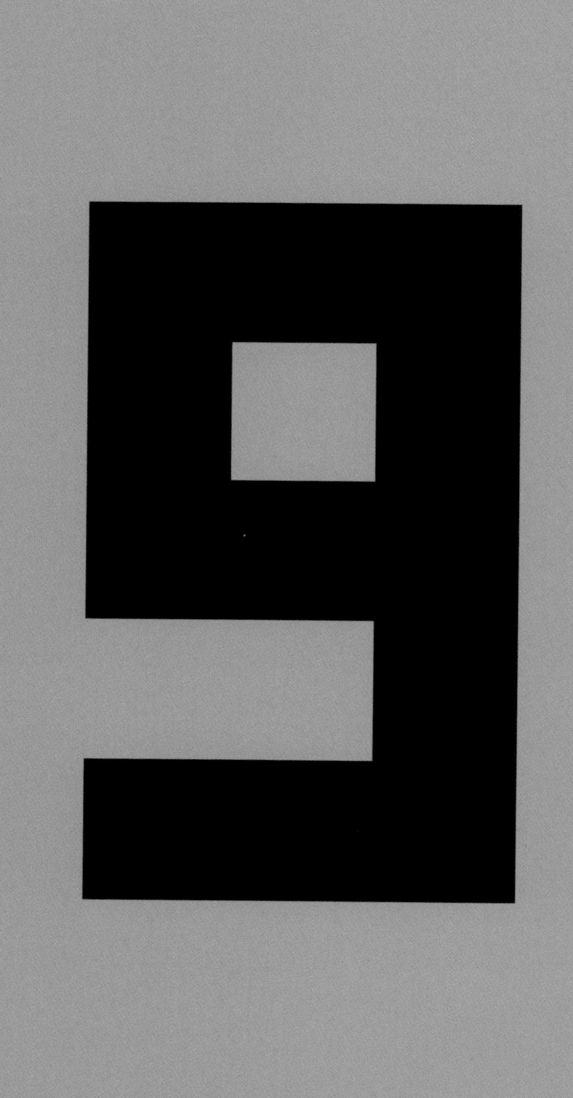

氷(こおり)の上(うえ)のレース

氷の上のレースの作り方

このゲームは2人でプレイするレーシングゲームだ。画面の上に向かって走りながらしょうがい物をよけ、宝石を集めていくよ。このレースにはゴールラインはないよ。勝つのは、時間内に多くの宝石を集めたプレイヤーだ。

宝石を多く集めたプレイヤーの勝ち

赤いレーシングカーは左側からスタートし、キーボードのW, A, S, Dのキーでそうじゅうする

ゲームの目的

赤と青のレーシングカーを、せいげん時間いっぱい走らせるよ。時間がなくなるまでに、相手よりも多くの宝石を集めるんだ。宝石を集めるとせいげん時間が延長される。でも雪玉にぶつかるとスピンしてしまうぞ。

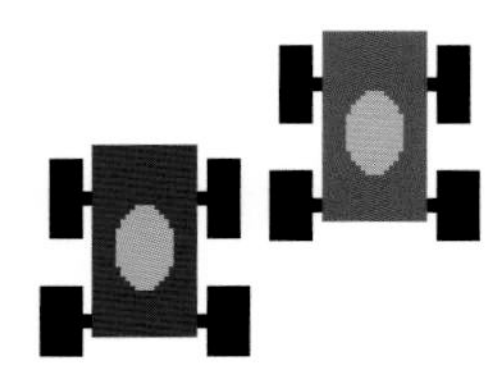

◀レーシングカー

キーボードでレーシングカーをそうじゅうして、氷の上を走りながら宝石を集めるよ。相手のレーシングカーをコースから追い出すこともできるぞ。

◀しょうがい物

巨大な雪玉と道路のふちにぶつからないようにしよう。スピンしてコントロールを失ってしまうよ。

◀ペンギン

レースを管理しているのはペンギンだ。最初にレーサーの名前を聞き、指示をしてくれるよ。ゲームの終わりには勝者の発表もするよ。

宝石を集めて、ポイントと残り時間をふやせば、長くゲームを楽しめる

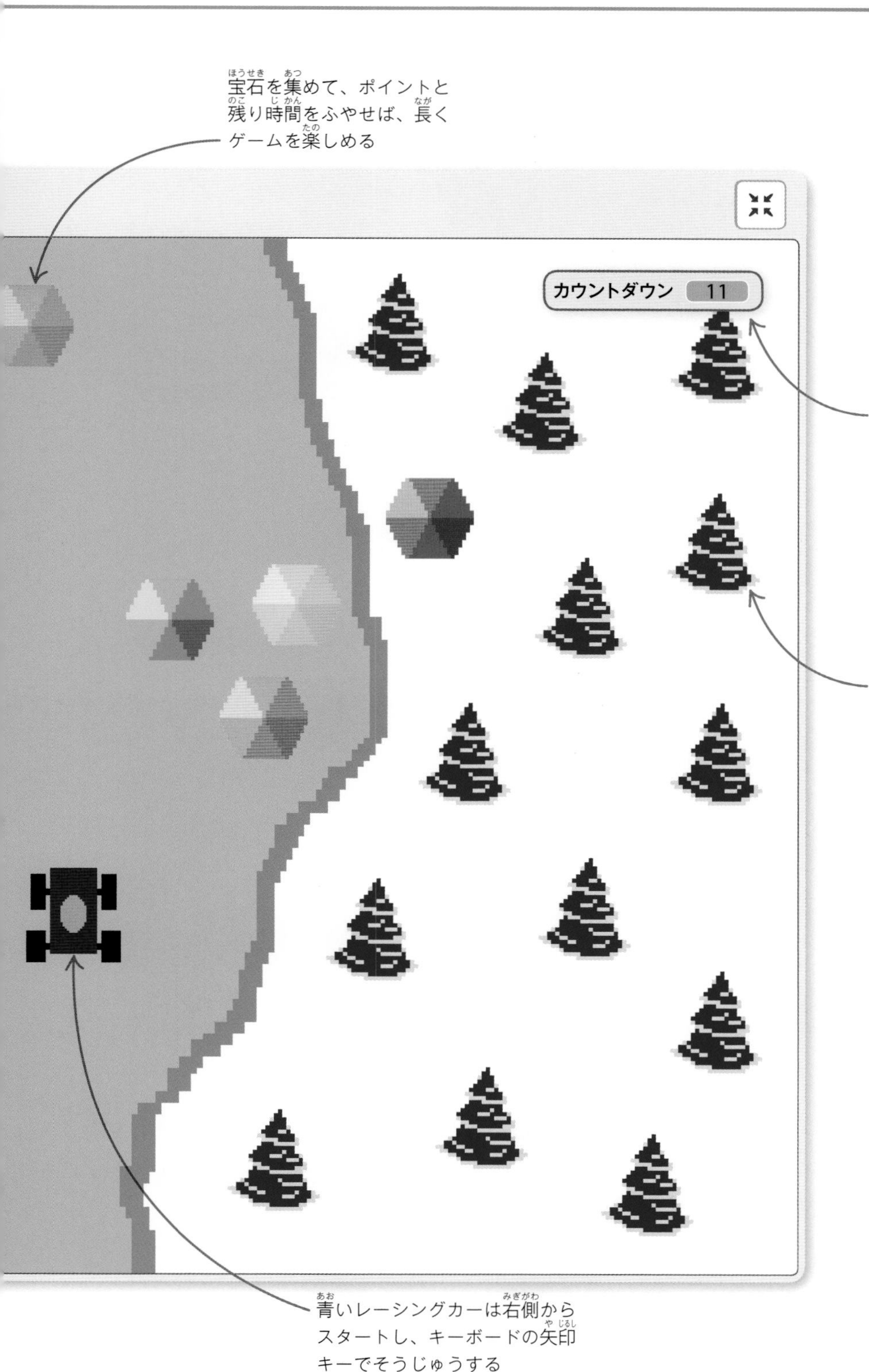

カウントダウンは20秒から始まり0になるとゲームが終わる

レース中は雪でおおわれた丘と木々が後ろ（画面下）へと飛び去っていく

青いレーシングカーは右側からスタートし、キーボードの矢印キーでそうじゅうする

コントローラー

キーボードの矢印キーとW, A, S, Dキーをコントローラーにするよ。

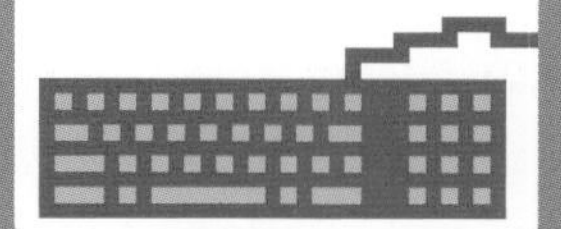

◀氷の世界でたいけつ
対戦相手がいるので、このレーシングゲームはとても楽しいよ。友達や家族とプレイして、だれが一番多く宝石を集められるか競争だ。

ゲームループ

テンポの速いゲームは、うまくプログラミングしないといけないよ。このゲームでは「ゲームループ」というテクニックを使って、すべてのアクションがタイミングよく起きるようにする。ゲームループをドラム（たいこ）にたとえると、ドラムが鳴るたびに他のスプライトすべてが１歩動くようなものだね。まず空のスプライトを作ってゲームループのコードを組むことから始めよう。

1 新しいプロジェクトを開始して、ネコのスプライトを「削除」しよう。筆のアイコンをクリックして新しいスプライトを作り、「ゲームループ」に名前を変えよう。それから残り時間（秒数）をステージに表示するための「カウントダウン」という変数を作る。「セットアップ」、「計算」、「動作」、「ゲームオーバー」というメッセージも作る必要があるよ。

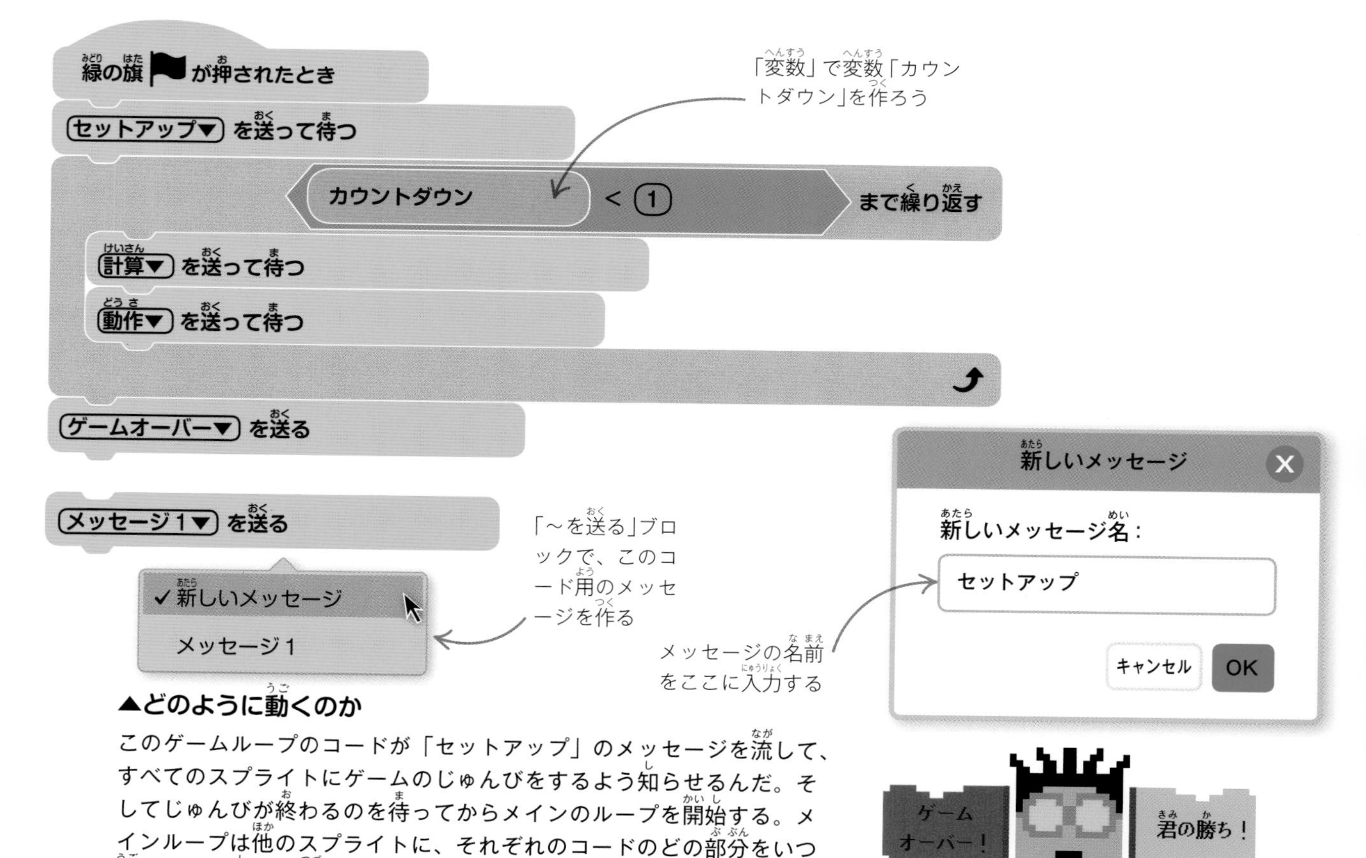

▲どのように動くのか

このゲームループのコードが「セットアップ」のメッセージを流して、すべてのスプライトにゲームのじゅんびをするよう知らせるんだ。そしてじゅんびが終わるのを待ってからメインのループを開始する。メインループは他のスプライトに、それぞれのコードのどの部分をいつ動かすかを知らせ続けるよ。メインループはカウントダウンが「0」になると「ゲームオーバー」のメッセージを送るんだ。

うまくなるヒント

ゲームループ

1つのメインループで、ゲーム内のあらゆるものがタイミングよく動くようにする方法は、コンピューターゲームでよく使われる。この方法ならプログラムが読みやすくなるし、ゲームの反応を速くするのにも役立つぞ。「氷の上のレース」の場合、ゲームループは1秒間に30回もくり返し実行されている。スクラッチではループを持つスプライトが多いと、コンピューターがそれらの処理にふり回されてしまいゲームがゆっくりとしか進まないんだ。ゲームループを1つにまとめればこの問題は解決できるぞ。

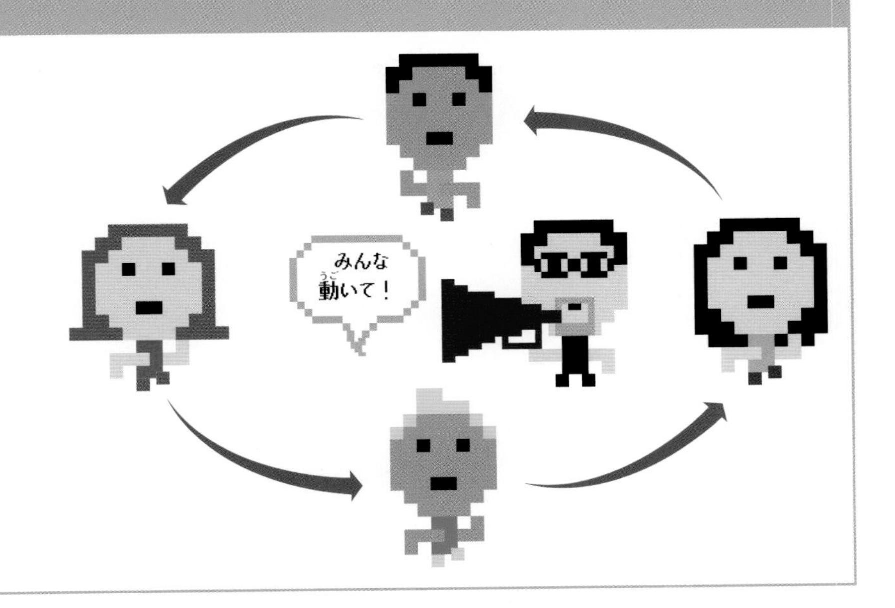

2 新しく「ロードY」（後ろの景色を動かすときのy座標を記録する）と「カースピード」（ステージ上でのレーシングカーのスピードをセットする）の2つの変数をすべてのスプライト用に作ろう。チェックを外して、ステージに表示されないようにするよ。それから右のコードを作って、ゲーム開始時に変数に数がセットされるようにしよう。

```
[セットアップ▼] を受け取ったとき
[ロードY▼] を (0) にする
[カースピード▼] を (5) にする
[カウントダウン▼] を (20) にする
タイマーをリセット
```

このブロックがゲームのせいげん時間を秒単位で決める

3 すべてのスプライト用に「ロードスピード」という変数を作ろう。これは後ろの景色を動かすスピードをセットする変数だよ。チェックは外してステージに表示されないようにしておこう。それから右のコードを作る。これはゲームループがくり返されるごとにコースの位置を計算するためのものだ。

```
[計算▼] を受け取ったとき
[ロードスピード▼] を (-5) にする
[ロードY▼] を (ロードスピード) ずつ変える
もし <(ロードY) < (-360)> なら
  [ロードY▼] を (720) ずつ変える
```

コースのy座標は360から始まって−360までへり、ふたたび360にもどって、同じ景色をくり返し使う

コースをスクロールさせる

このゲームでは、プレイヤーはコースを走っているように感じるけど、実はレーシングカーはそれほど動いていないんだ。動いているのはコースの方だよ。コースは２つのスプライトでできていて、コース1とコース2が切れ目なく表示される。この２つのスプライトを交互に表示して画面をスクロールさせることで、レーシングカーがとても速く動いているように見せるんだ。

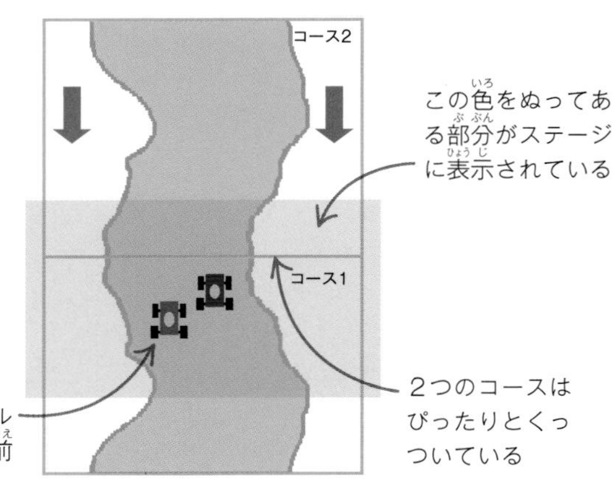

4 新しいスプライトを作って「コース1」と名づけよう。ペイントエディターで「筆」のツールを選び、太さは10にする。道路のふちを一番上から一番下まで切れ目なく引こう。それから「塗りつぶし」ツールで、道路の両側を白くぬって雪の感じを出そう。

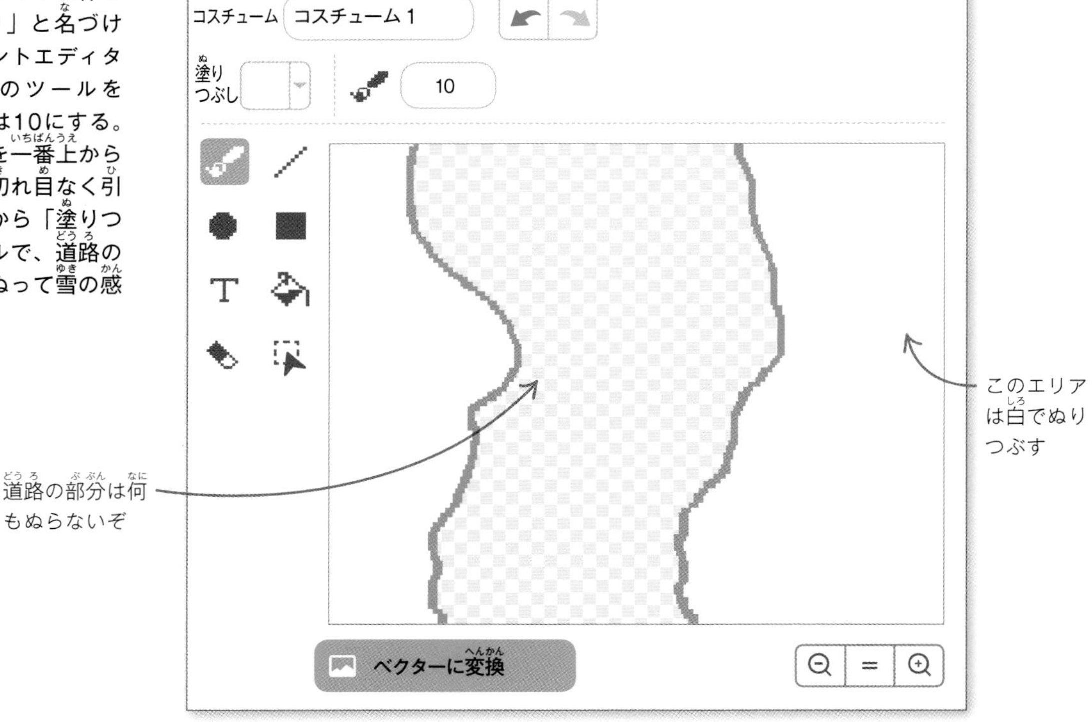

5 コース1を「複製」してコース2のスプライトを作ろう。コース2の「選択」ツールを選んでから画面の右上にある「上下反転」ボタンをおそう。上下がひっくり返るよ。これでコース1と2にかかれた道路の線は鏡にうつしたように上下対称になったね。

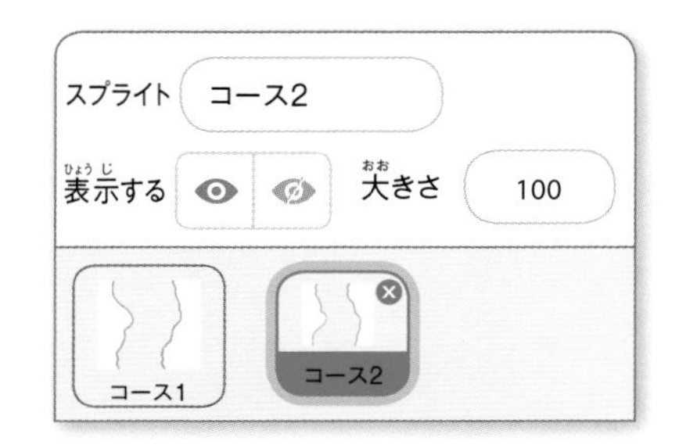

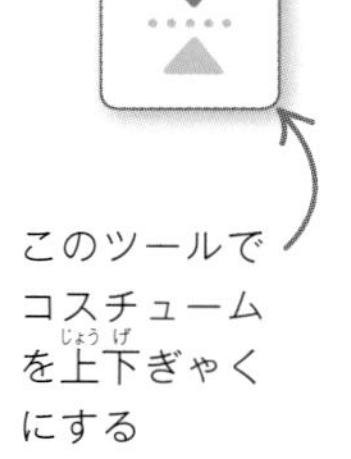

6 コース1に右の２つのコードを作ろう。ゲームループはコースの位置をコントロールするのに「ロードY」という変数を使う。プロジェクトを実行して、コース1だけがスクロールするのを見てみよう。

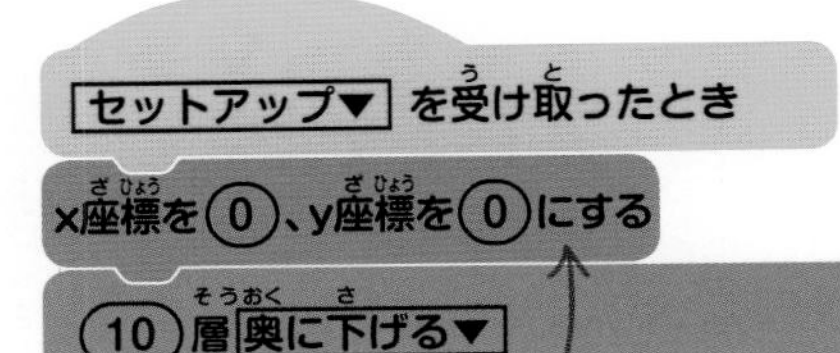

ゲーム開始時にコース1をステージにセットする

動作▼ を受け取ったとき
x座標を 0 、y座標を ロードY にする

ゲームループが「動作」のメッセージを送るとこのブロックがコース1の位置を変える

この変数には、ゲームループが「計算」のメッセージを送ったときに数がセットされる

7 次に、下のコードブロックをコース2のために作るよ。コース2はコース1といっしょに動くんだ。プロジェクトを実行して、コースがステージの上から下へとスムーズにスクロールするかチェックしよう。

セットアップ▼ を受け取ったとき
x座標を 0 、y座標を 360 にする
10 層 奥に下げる▼

このブロックは、コースなどの景色を他のスプライトの後ろに置く

動作▼ を受け取ったとき
もし ロードY < 0 なら
　x座標を 0 、y座標を ロードY + 360
でなければ
　x座標を 0 、y座標を ロードY − 360

コース2はコース1の上か下に置かれるが、どちらになるかはコース1のそのときの位置で決まる

8 道路の部分に色をつけよう。スプライトではなく背景に色をぬるよ。右下の「ステージ」を選んで「背景」のタブをクリックしよう。「塗りつぶし」ツールでアイスブルーにぬってしまおう。

おぼえておきたいことば

スクロール

画面上のすべてのものを同じ方向にいっしょに動かすことをスクロールとよぶよ。このゲームではコースが下にスクロールしているね。「横スクロール」という言葉を聞いたことはないかな？これはキャラクターが左右に動くのに合わせて、画面上のものも横方向に動くという意味なんだ。

9 後ろの景色に木を加えると、もっと本物らしくなるね。コース1を選んで「コスチューム」タブをクリックしよう。ペイントエディターを使い、好きなように木や林をかく。コース2にも同じようにして木を置こう。

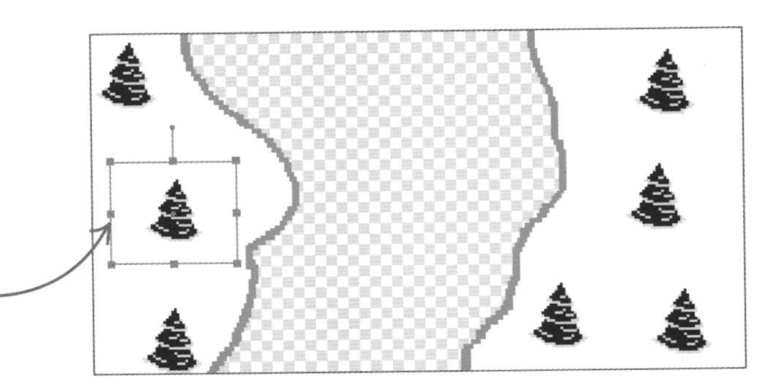

道路のまわりに自由に木を置いていこう

レーシングカー

いよいよレーシングカーを加えよう。1台を作って動くようにすれば、もう1台は「複製」で作れるよ。こうすればかんたんだね。

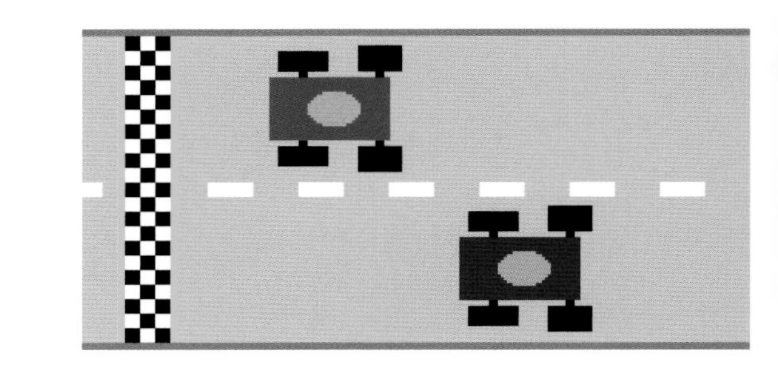

10 スプライトリストで顔のアイコンをクリックしてライブラリーを開き、「Cat」を読みこもう。ペイントエディターを開いて、右下の「ビットマップに変換」ボタンをおして「ベクターに変換」を表示させ、「四角形」と「円」のツールを使ってレーシングカーをかこう。右向きにかかないとゲームでちがう向きになってしまうぞ。ネコのイラストは消しておこう。

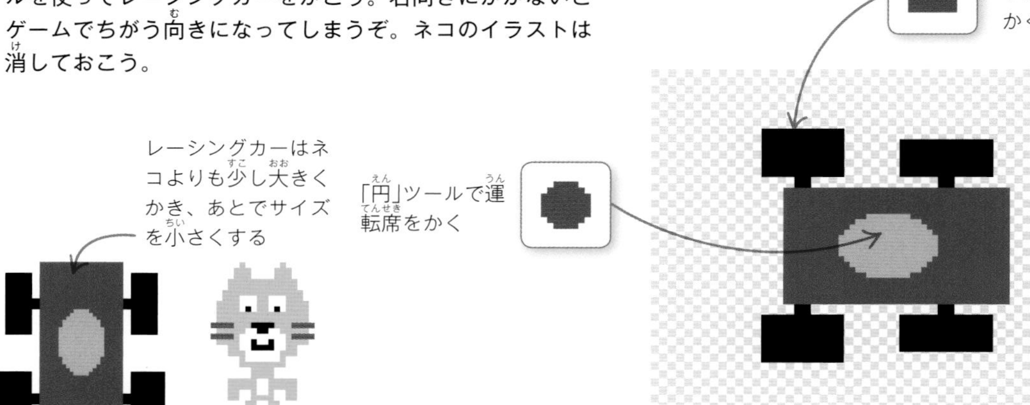

11 今作ったスプライトの名前を「レッドカー」に変える。それから「スピン判定」という変数を作るよ。この変数では「このスプライトのみ」を選ばなければならない。チェックを外してステージに表示されないようにしよう。

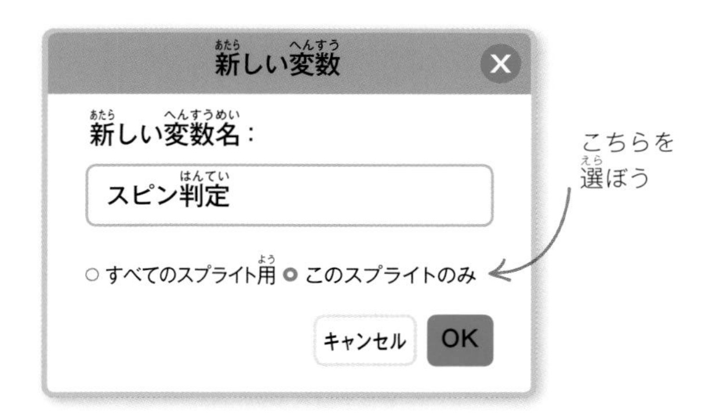

12 このゲームでは、スプライトはゲームループからのメッセージを受け取ったときだけ動くことを思い出そう。次のコードをレッドカーに加えてゲーム開始時にじゅんびが整っているようにしよう。

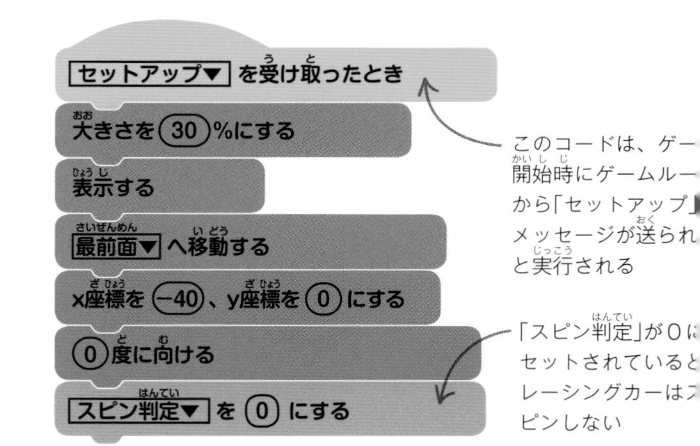

13 キーボードでレーシングカーをそうじゅうできるようにするよ。レッドカーを選んだまま、ブロックパレットの「ブロック定義」の中の「ブロックを作る」をクリックする。「カーコントロール」という新しいブロックを作り、下のようなコードを組み立てよう。

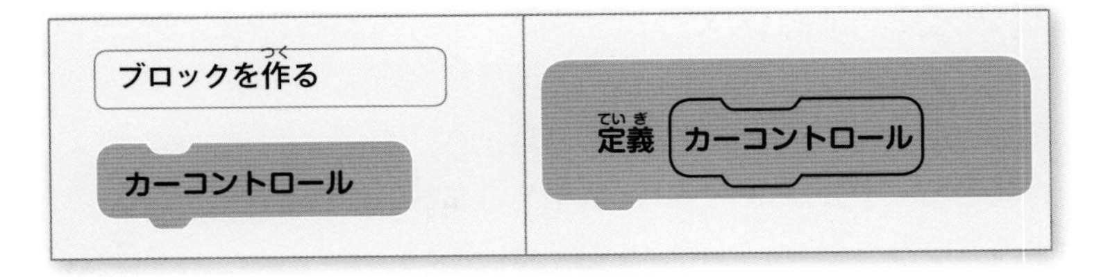

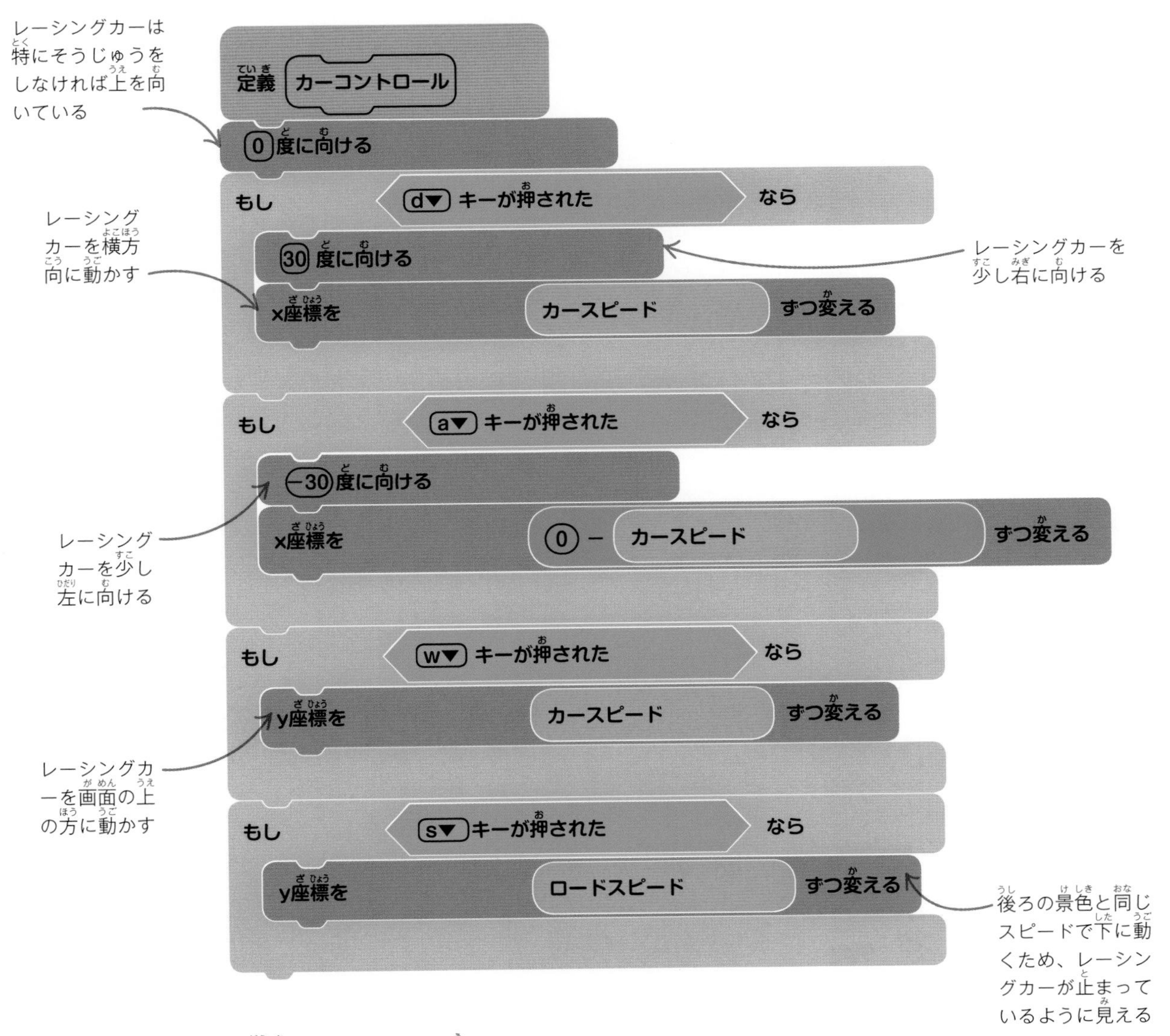

14 ゲームループから「動作」のメッセージを受け取って、「カーコントロール」を実行するためのコードを作ろう。それからプロジェクトを動かしてみよう。赤いレーシングカーをW, A, S, Dのキーでそうじゅうしてコース上を走れるよ。

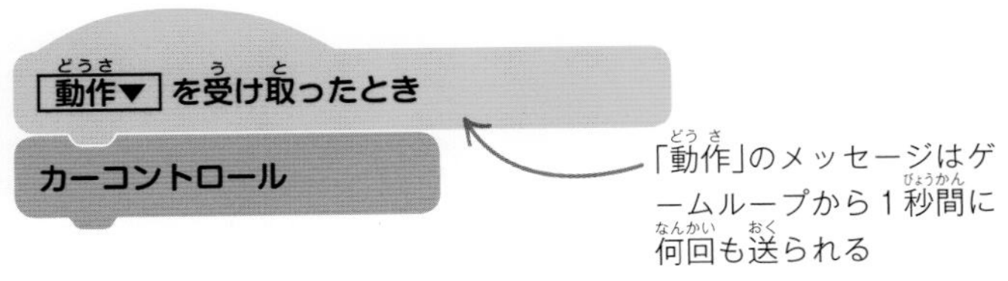

しょうとつとスピン

スリルのあるゲームにするため、プレイヤーが雪をよけなければならないようにしよう。ぶつかるとレーシングカーがスピンして、コントロールできなくなってしまうんだ。そのためにはいくつか新しいブロックを作る必要があるね。

15 レッドカーを選んで、雪とのしょうとつを判定するブロックを作ろう。ブロックパレットで「ブロック定義」を選び、「ブロックを作る」をクリックしよう。ブロックの名前は「しょうとつ判定」にするよ。下のコードを組み上げよう。

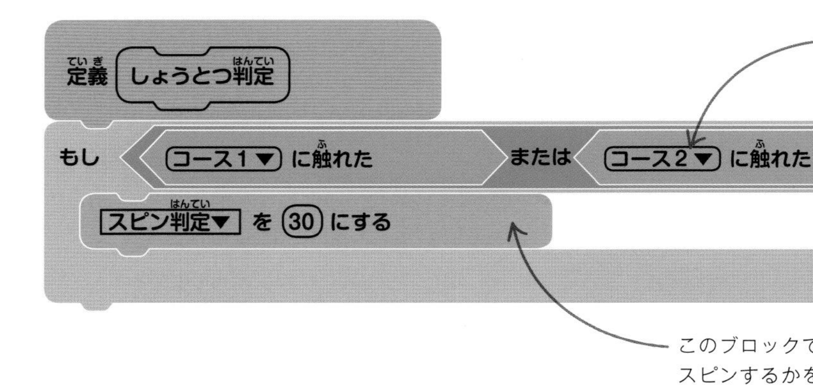

「～に触れた」ブロックは、コースのスプライトの色がぬられた部分にふれたかどうかを調べる。道路の部分はスプライトではなく背景に色がぬられているので関係がないんだ

このブロックでどれだけの間、スピンするかを決めている

16 もう1つ、右のような「スピン」という名前のブロックを作るよ。このブロックはレーシングカーがスピンしたときに実行される。車を回転させ、変数「スピン判定」を1へらすよ。この変数が0になるとスピンは終わり、レーシングカーはステージの一番下に置かれるんだ。

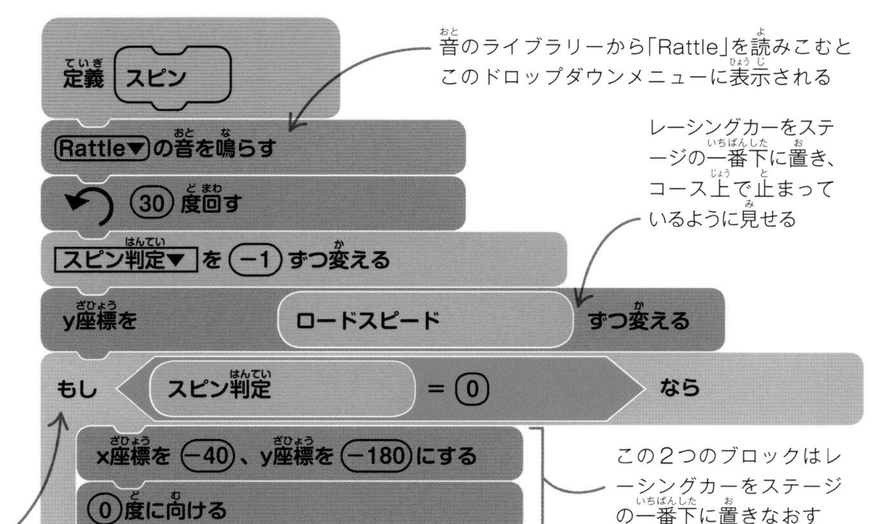

音のライブラリーから「Rattle」を読みこむとこのドロップダウンメニューに表示される

レーシングカーをステージの一番下に置き、コース上で止まっているように見せる

この2つのブロックはレーシングカーをステージの一番下に置きなおす

スピンが終わったかをチェックする

17 最後に14で作った「動作」のメッセージで実行されるコードを右のように変えるよ。これで「スピン判定」が0のときだけレッドカーをコントロールできるようになる。しょうとつの判定は、レーシングカーがスピンしていないときにだけ行われるよ。ゲームを実行してみよう。レッドカーは雪にぶつかるとスピンするぞ。

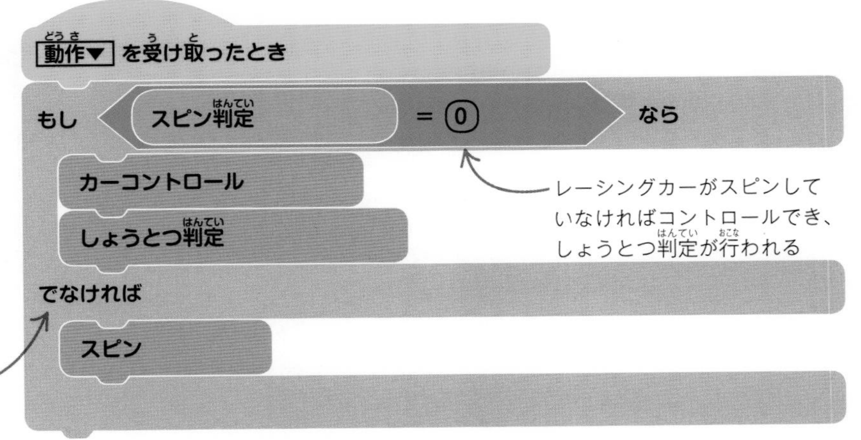

18 しょうがい物の雪玉のスプライトを、ペイントエディターでかこう。ステージ上のレーシングカーと同じくらいのサイズにするよ。かき終わるとステージに表示されるので、それを見ながらサイズを調整しよう。だいたい40×40の大きさになるようにしよう。このスプライトには「雪玉」という名前をつけるよ。

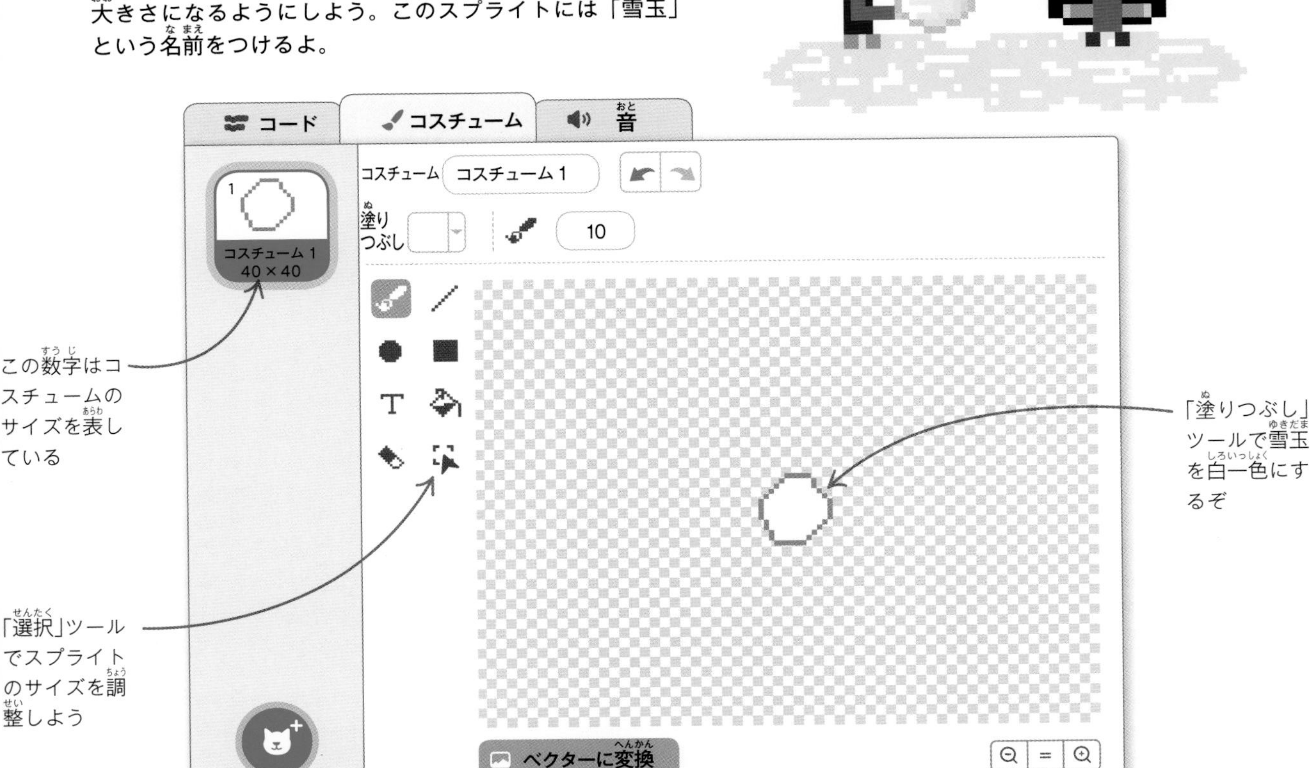

19 下の3つのコードブロックを雪玉のスプライトのために作るよ。雪玉のクローンを作って数をふやすけど、「〜のクローンを作る」というブロックがないのに気づいたかな。クローンはゲームループのスプライトが作るんだ。あとでゲームループのコードを変えるよ。

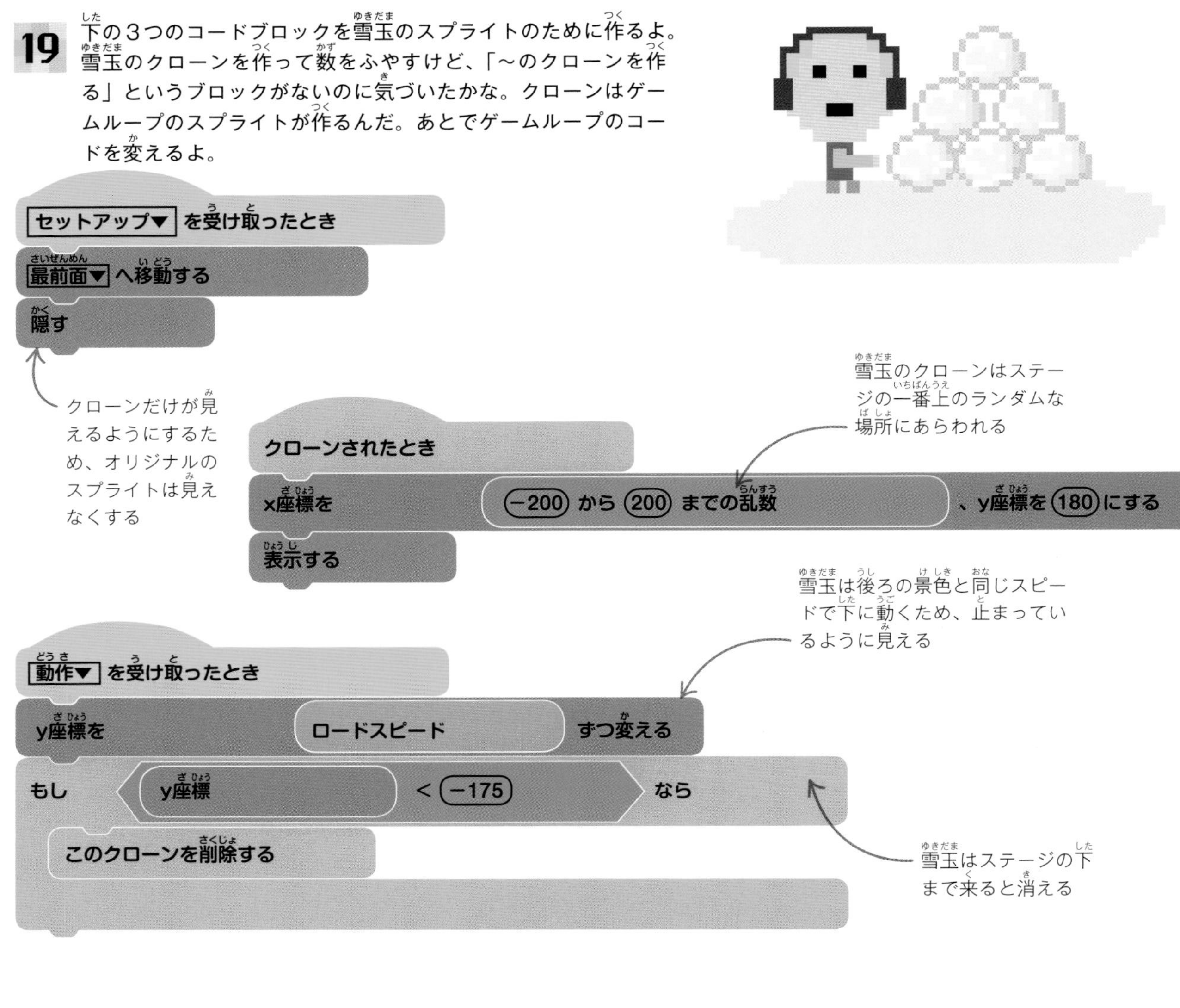

20 ゲームループのコードを選び、下のコードを加えよう。ループが200回くり返されるうちの1回の割合で、新しい雪玉があらわれるぞ。

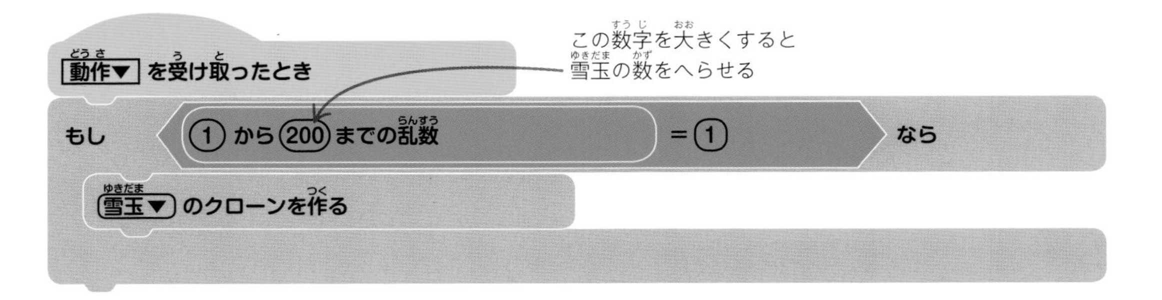

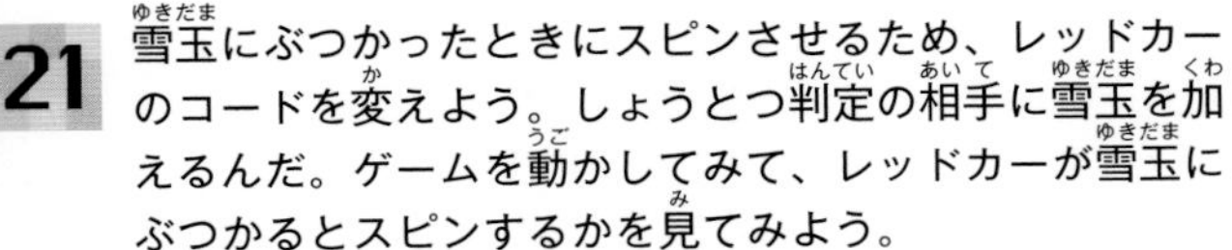

21 雪玉にぶつかったときにスピンさせるため、レッドカーのコードを変えよう。しょうとつ判定の相手に雪玉を加えるんだ。ゲームを動かしてみて、レッドカーが雪玉にぶつかるとスピンするかを見てみよう。

「～または～」ブロックをもう1つの「～または～」ブロックの中に入れる

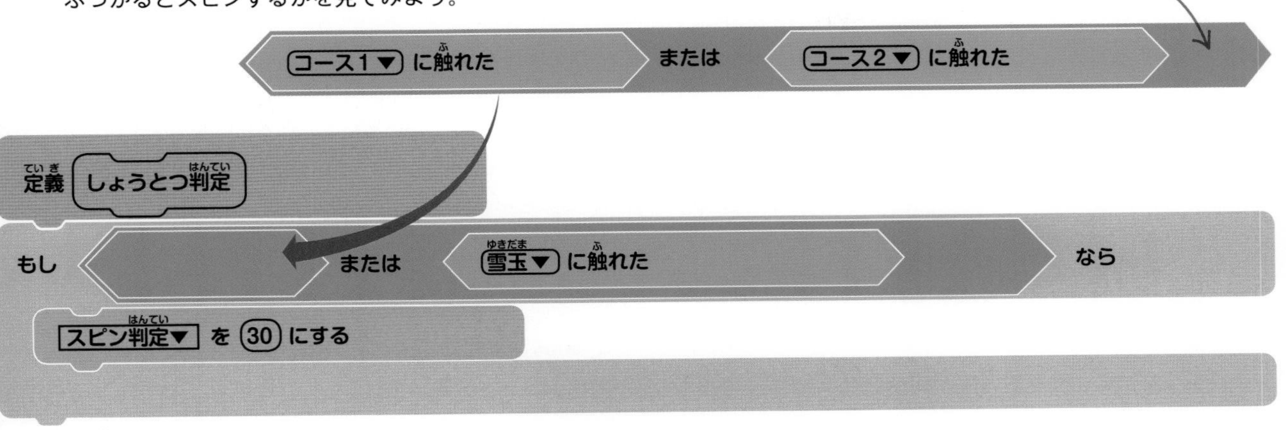

2人目のプレイヤー

次に2台目のレーシングカーを入れることにしよう。これはかんたんにできるぞ。1台目をコピーすればいいんだ。色は青に変えてコードも変えておこう。

22 レッドカーのスプライトを「複製」して、名前を「ブルーカー」にしよう。このようにスプライトをコピーすると、コードブロックもすべてコピーされるぞ。今回の場合、変数「スピン判定」(「このスプライトのみ」を選択)もコピーされ、ブルーカー専用の変数が作られるよ。

23 ブルーカーのスプライトを選んで「コスチューム」のタブをクリックし、ペイントエディターを開こう。「塗りつぶし」ツールでボディの色を青に変えてね。

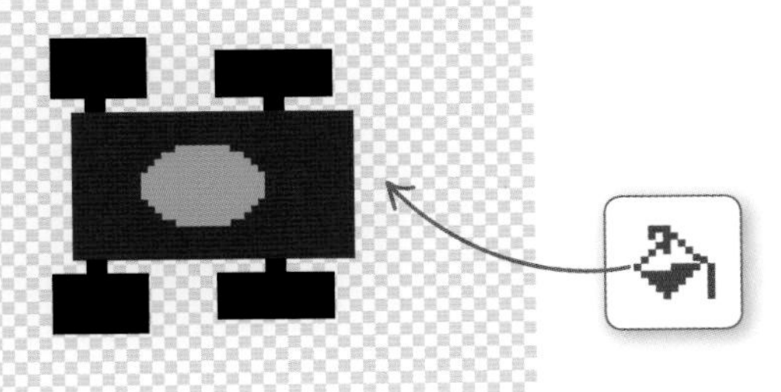

「塗りつぶし」ツールで青に変える

24 ブルーカーのコードの「定義 スピン」と「セットアップを受け取ったとき」のコードの中にある「x座標を～、y座標を～にする」ブロックのx座標にセットする数を40に変えよう。これで赤青２台のレーシングカーがならんでスタートするよ。

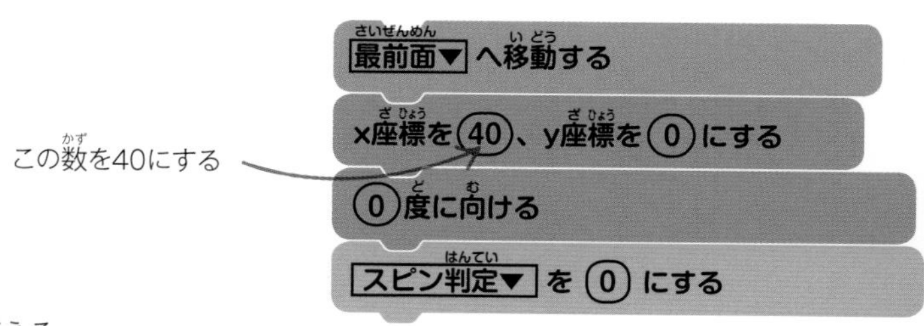

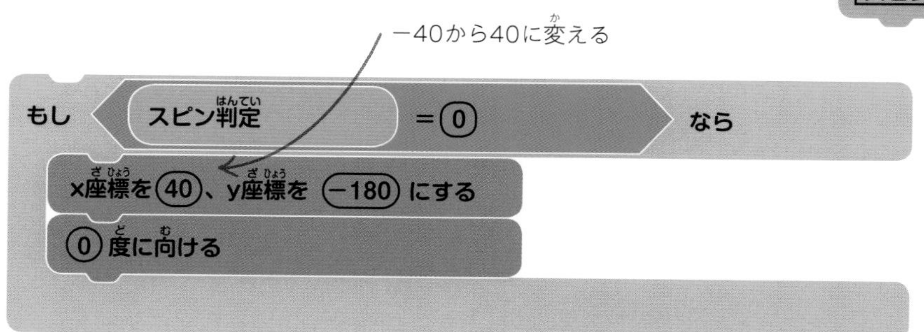

25 ブルーカーの「定義 カーコントロール」を右のように変えるよ。「～キーが押された」のブロックを、キーボードの矢印キーでそうじゅうできるようにしよう。終わったらゲームを実行してみよう。２台のレーシングカーがコースを走るね。でも２台がぶつかっても、たがいに相手を通りぬけてしまうよ。

４つの「～キーが押された」ブロックで指定しているキーをすべて矢印キーに変える

```
もし 右向き矢印▼ キーが押された なら
  30 度に向ける
  x座標を カースピード ずつ変える

もし 左向き矢印▼ キーが押された なら
  －30 度に向ける
  x座標を 0 － カースピード ずつ変える

もし 上向き矢印▼ キーが押された なら
  y座標を カースピード ずつ変える

もし 下向き矢印▼ キーが押された なら
  y座標を ロードスピード ずつ変える
```

▶コードを変える

「～キーが押された」のブロックを変えるよ。「d」キーは右向き矢印キー、「a」キーは左向き矢印キー、「w」キーは上向き矢印キー、「s」キーは下向き矢印キーにしよう。

26 レーシングカーがぶつかっても、たがいに相手を通りぬけてしまう。これをふせぐには、レーシングカー同士でぶつかったかを調べて、はね返るようにする必要があるね。レッドカーの「定義 しょうとつ判定」コードに、新しい「もし〜なら」ブロックを加えて下のようにしよう。そして「はね返る」という新しいメッセージを作る。右下の新しいコードも作って、このメッセージを受け取ったレッドカーがブルーカーからはなれるようにしよう。

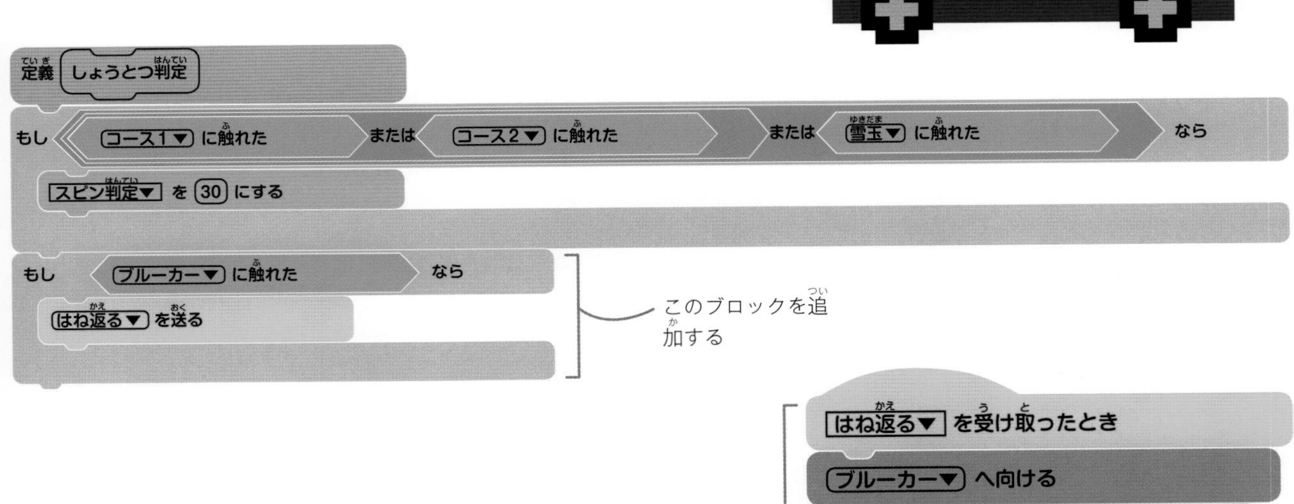

27 今度はブルーカーのコードを同じように変えて、レッドカーにぶつかったかどうかを調べ、はね返るようにするぞ。ゲームを実行して2台がしょうとつしたときにはね返るかチェックしよう。

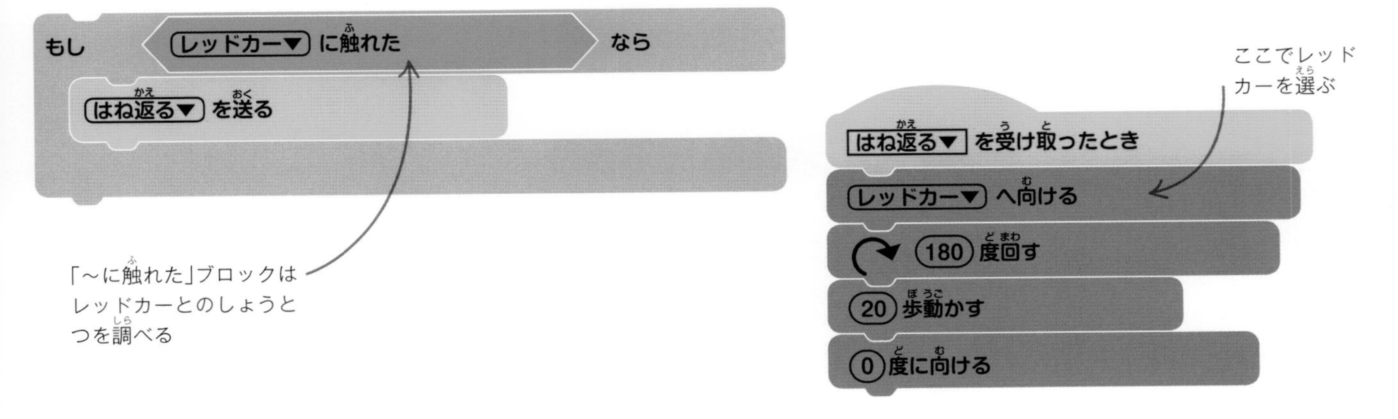

氷の上のレース

次のステップはカラフルな宝石を作ることだ。プレイヤーはこの宝石をとりあうよ。宝石はどれも、１つのスプライトから作ったクローンになっている。こうすれば一度にいくつもの宝石をステージに置けるね。

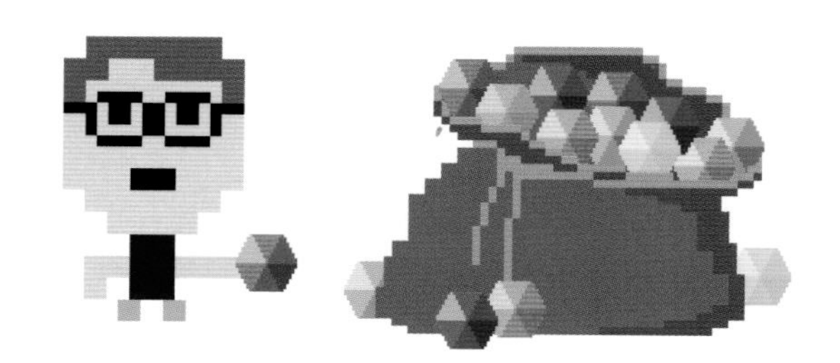

28 スプライトメニューの筆のアイコンをクリックして、新しいスプライトをペイントエディターで作る。まず「直線」ツールを使って六角形をかこう。六角形の中の６つの三角形は、それぞれ色のこさを変えた緑色でぬりつぶすよ。大きさは雪玉と同じぐらいにしよう。

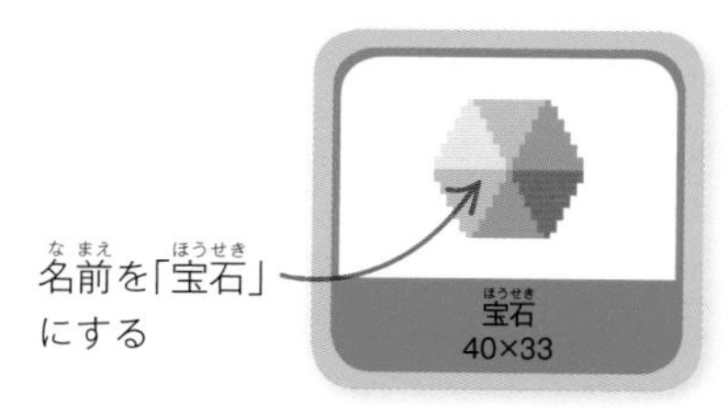

名前を「宝石」にする

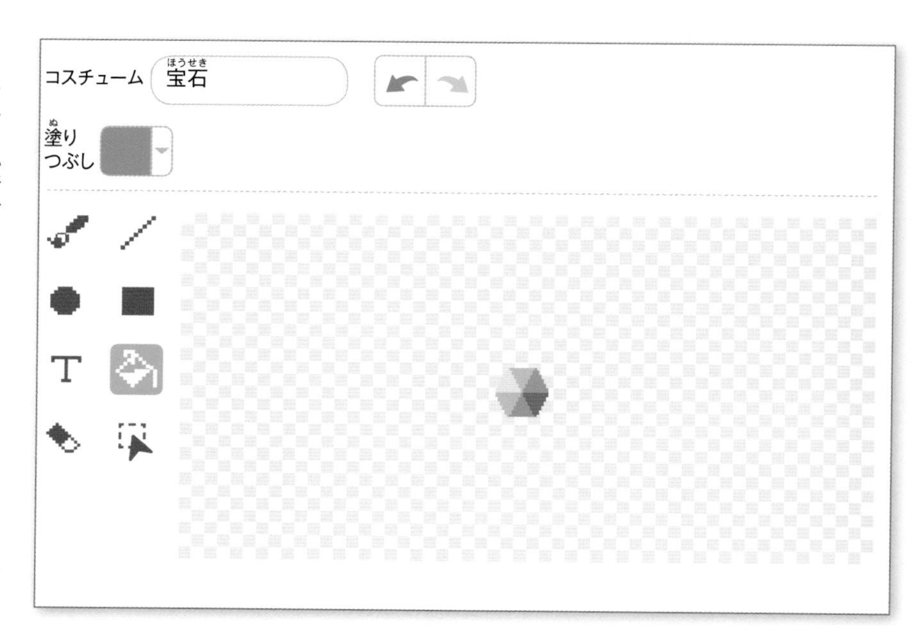

29 「レッドカーの宝石」と「ブルーカーの宝石」という２つの変数を、すべてのスプライト用に作るよ。それぞれのレーシングカーが宝石をいくつ集めたか記録する変数だ。それから右と下の２つのコードブロックを作ろう。雪玉のコードブロックににているね。

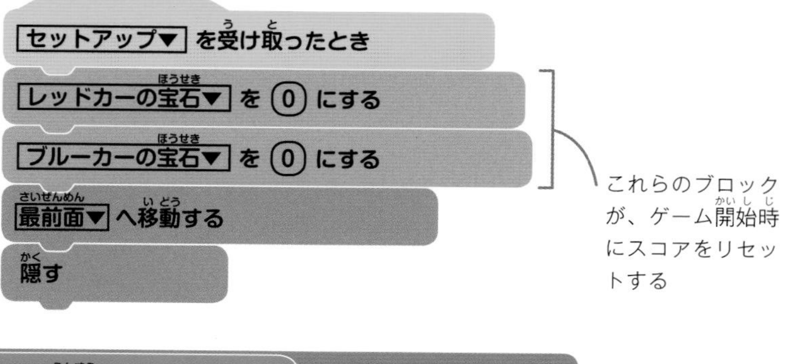

これらのブロックが、ゲーム開始時にスコアをリセットする

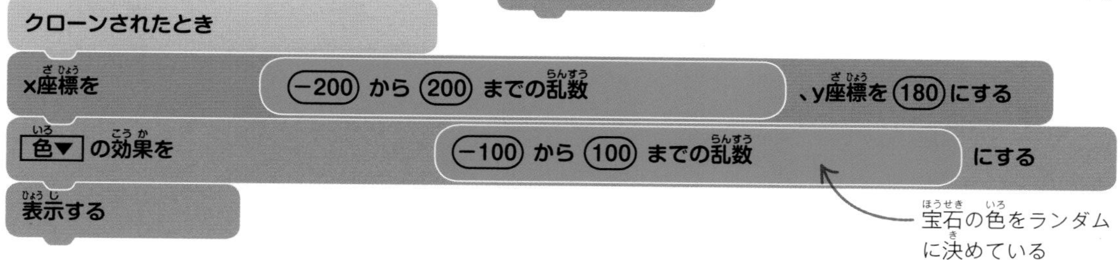

宝石の色をランダムに決めている

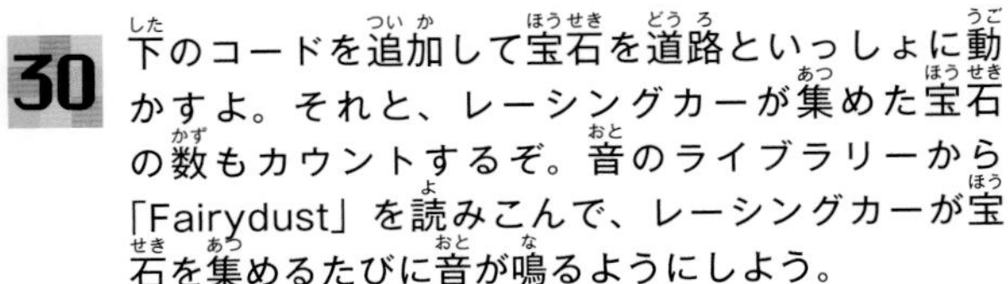

30 下のコードを追加して宝石を道路といっしょに動かすよ。それと、レーシングカーが集めた宝石の数もカウントするぞ。音のライブラリーから「Fairydust」を読みこんで、レーシングカーが宝石を集めるたびに音が鳴るようにしよう。

```
動作▼ を受け取ったとき
y座標を ロードスピード ずつ変える
もし レッドカー▼ に触れた なら
    Fairydust▼ の音を鳴らす
    レッドカーの宝石▼ を 1 ずつ変える
    カウントダウン▼ を 1 ずつ変える
    このクローンを削除する
もし ブルーカー▼ に触れた なら
    Fairydust▼ の音を鳴らす
    ブルーカーの宝石▼ を 1 ずつ変える
    カウントダウン▼ を 1 ずつ変える
    このクローンを削除する
もし y座標 < -175 なら
    このクローンを削除する
```

このブロックが宝石を道路と同じスピードで動かすため、宝石は同じ場所に止まっているように見えるんだ

宝石を集めるとスコアに1ポイント加わる

宝石を集めるとカウントダウンに1秒加わる

集められずにステージの下まで来た宝石を消し去る

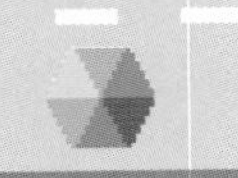

31 ゲームループのスプライトの「動作を受け取ったとき」で始まるコードに「もし～なら」のブロックを追加して、宝石のクローンを作れるようにしよう。雪玉のおかげで、ステージの上の方にレーシングカーを進めて宝石を全部集めようとしてもうまくいかなくなっているぞ。

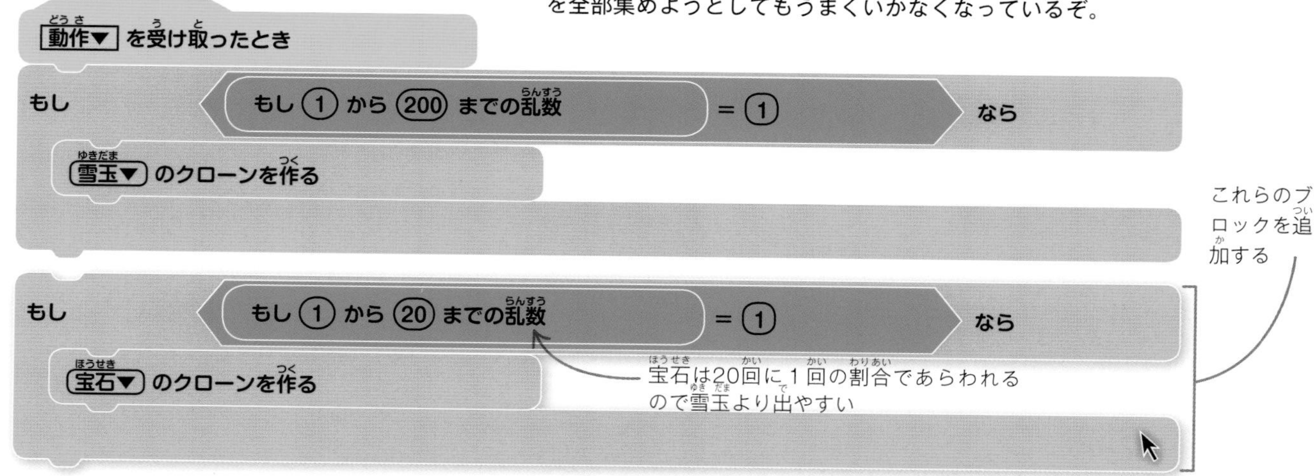

32 ゲームを実行してみると、カウントダウンの数字が変わらず、いつになってもゲームが終わらないよ。このバグを直すには、ゲームループのスプライトに右のコードを追加しよう。もう一度ゲームを実行してみよう。カウントダウンが0になるとゲームが終わるはずだ。

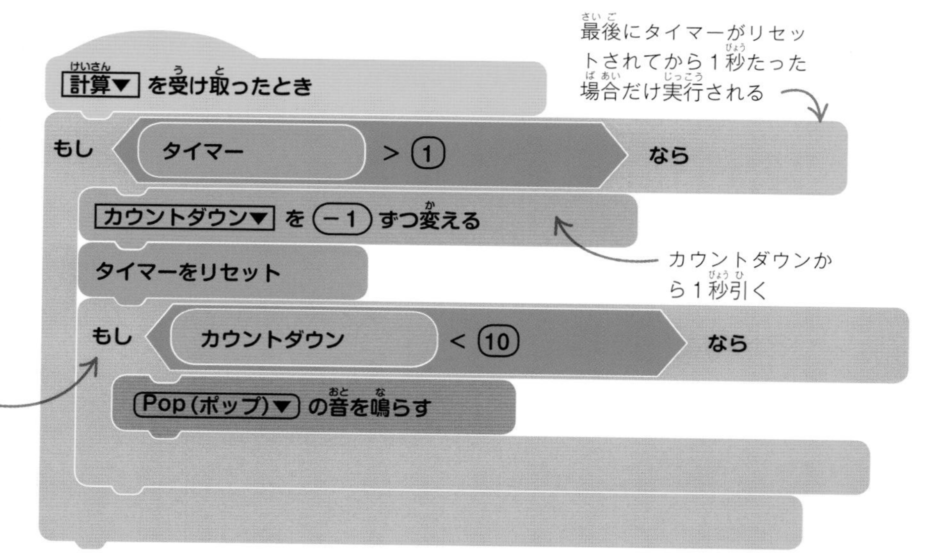

レースを管理するペンギン

スタートとフィニッシュの場面をきちんと作るとゲームが本格的な感じになるよ。レースの管理をペンギンにまかせて、プレイヤーの名前を聞いたり、レースをスタートさせたり、勝った人をアナウンスしてもらおう。

33 まずすべてのスプライト用に、プレイヤーの名前を記録する「レッドの名前」と「ブルーの名前」、レース中にプレイヤーのスコアを記録する「レッドスコア」と「ブルースコア」、合計4つの変数を作る。それからスプライトのライブラリーを開いて「Penguin2」を選んで名前をペンギンに変えよう。音のライブラリーから「Gong」を読みこんでおこう。

34 ペンギンのスプライトのために左のコードを作るよ。ゲームループでは「〜を送って待つ」というブロックを使っているので、プレイヤーが自分の名前を入力してペンギンが「スタート！」と言うまでゲームは始まらないぞ。

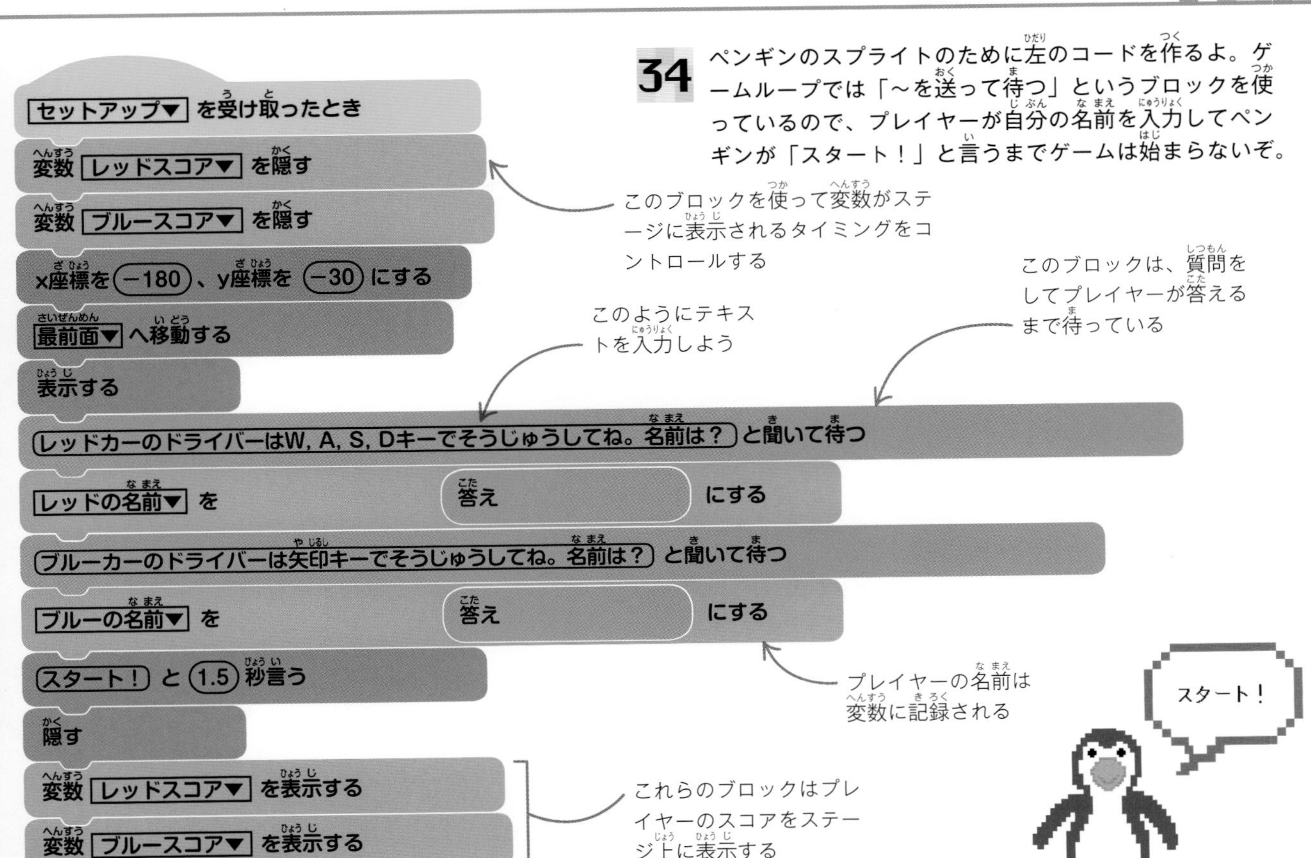

うまくなるヒント

「〜と聞いて待つ」ブロック

「〜と聞いて待つ」というブロックを使うと、スプライトはコンピューターを使っている人に質問ができる。何かをキーボードで入力すると、それは「答え」というブロックに記録されるんだ。「答え」ブロックは変数のように、他のブロックでも利用できるよ。

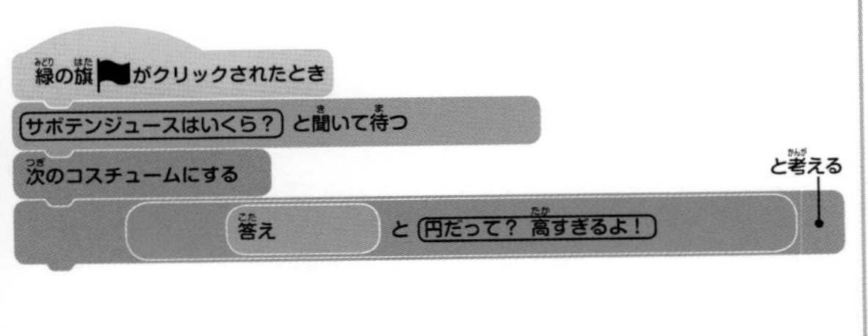

35 下のコードをペンギンに追加して、ステージに表示する変数「レッドスコア」と「ブルースコア」にプレイヤーのスコアをセットするよ。

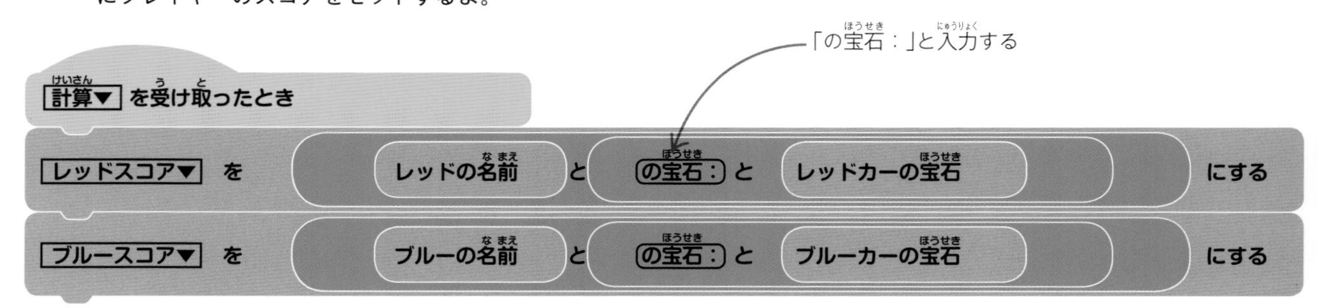

36 「カウントダウン」、「レッドスコア」、「ブルースコア」以外の変数は、チェックボックスのチェックを外して、ステージに表示されないようにしよう。それからステージ上のレッドスコアとブルースコアの上にマウスのポインターを当てて右クリックし、「大きな表示」を選ぼう。スコア表示はステージの左上、カウントダウンは右上にドラッグしてステージを見やすくしよう。

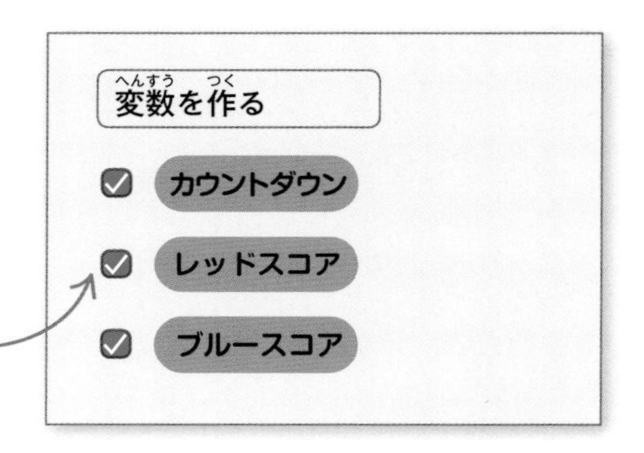

チェックボックスをチェックすると、変数がステージに表示される

おぼえておきたいことば

文字列

数ではないアルファベットなどの文字が入ったデータを、プログラマーは「文字列」とよぶんだ。スクラッチの文字列にはキーボードで打てる文字を入れられるよ。

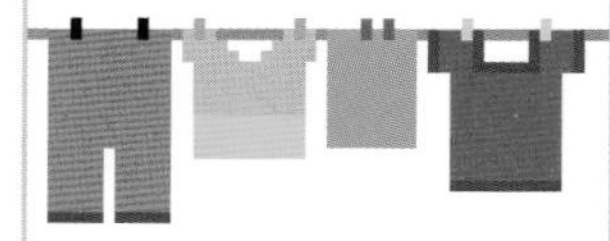

37 下のコードを作って、ペンギンが勝った人の名前を発表するようにしよう。「もし～なら…でなければ」のブロックの中に、同じブロックがもう１つ入っているね。レースの結果は「レッドの勝利」、「ブルーの勝利」、「引き分け」の３パターンがあるぞ。

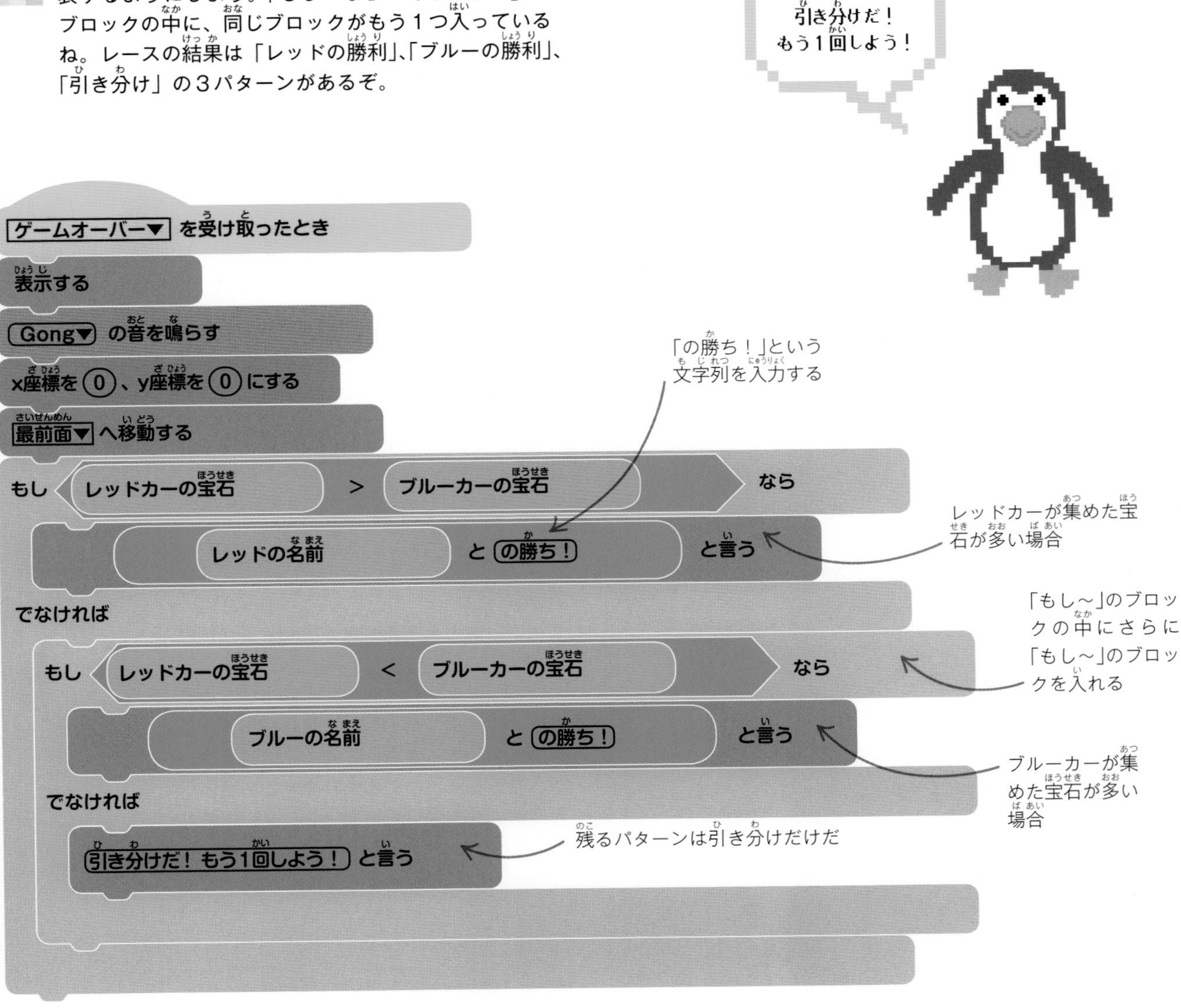

38 最後に音楽を加えよう。ゲームループのスプライトで「Dance Around」を音のライブラリーから読みこみ、右のコードを作ろう。ループをふやすとゲームの処理スピードがおそくなってしまうけれど、このループは2、3秒に1回くり返されるだけなのでほとんどえいきょうしないよ。

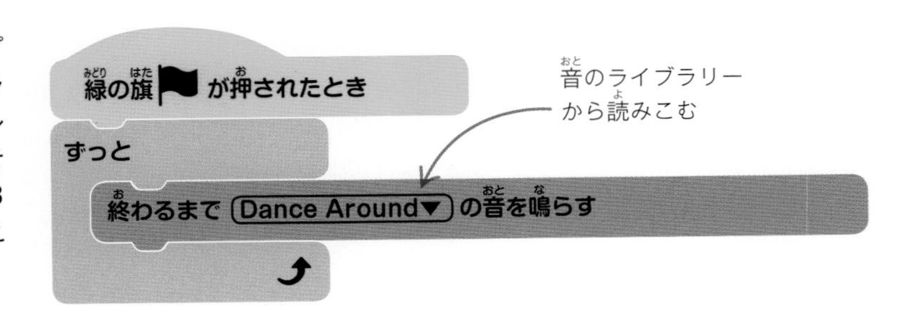

ゲームを改造する

さて、今度は君の番だ！ このレースゲームを好きなように改造してみよう。ゲームのテンポやむずかしさを変えたり、楽しいしかけを入れるのもいいね。

▼自分の声を使う

ゲームに自分の声を使うこともできるよ。自分の声を録音するには、マイクロフォンのついたコンピューターが必要だ。ペンギンのスプライトを選んで「音」のタブをクリックしよう。音メニューのマイクのアイコンをクリックして録音開始だ。ペンギンの「～と言う」ブロックを「～の音を鳴らす」ブロックに変える。そして鳴らす音は、さっき録音した自分の声にするんだ。

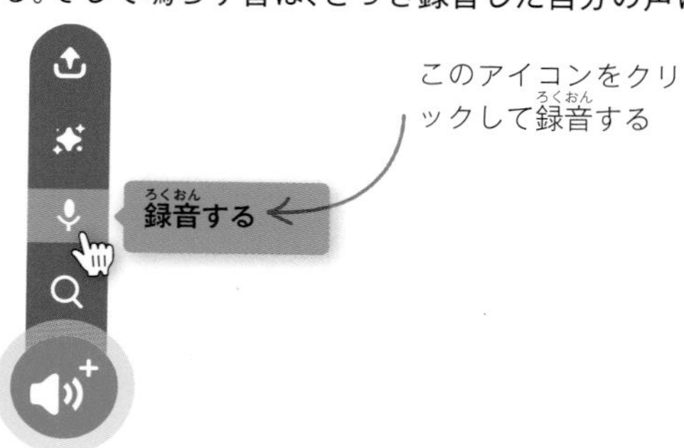

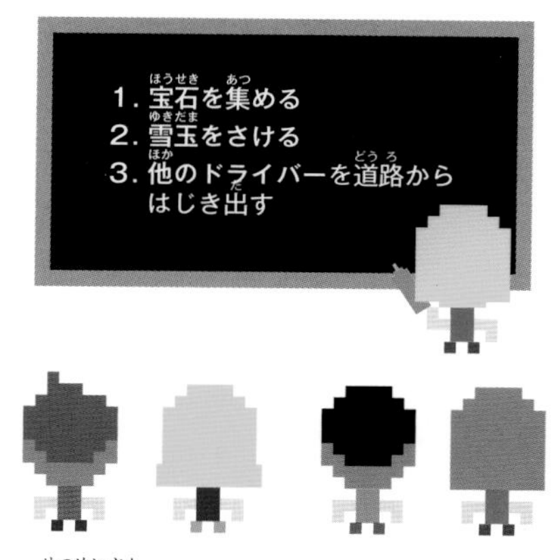

▲説明文

スクラッチのプロジェクトページに説明文を書いておこう。このゲームはゴールを目指すレースではなく、宝石を集めるレースだということをはっきりとしめそう。相手のレーシングカーを道路から追い出してもいいというヒントもあると助かるね。

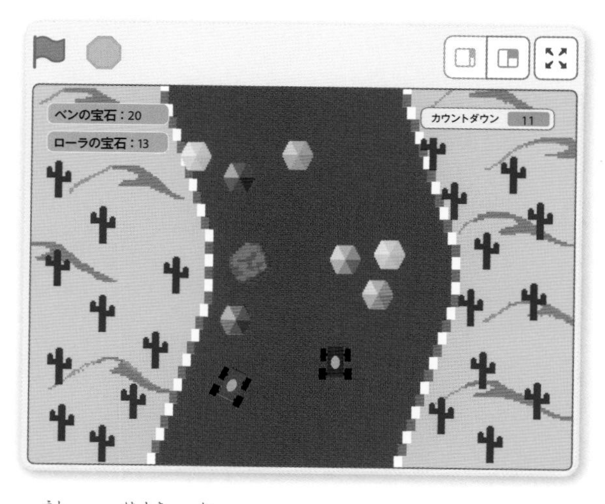

▲後ろの景色を変える

後ろの景色を変えても楽しいぞ。さばくを走ったり、森の中のドロ道を走るようにもできる。景色に合うように雪玉を他の物に変えるのをわすれないようにしよう。

▶調整する

このゲームのむずかしさを調整するには変数「カースピード」、「ロードスピード」、「カウントダウン」に開始時に入れる数を変えればいい。ぶつかったあとにレーシングカーがスピンする時間、どれくらいはね返るか、雪玉と宝石のあらわれやすさも変えられるね。むずかしすぎないレベルに調整しよう。

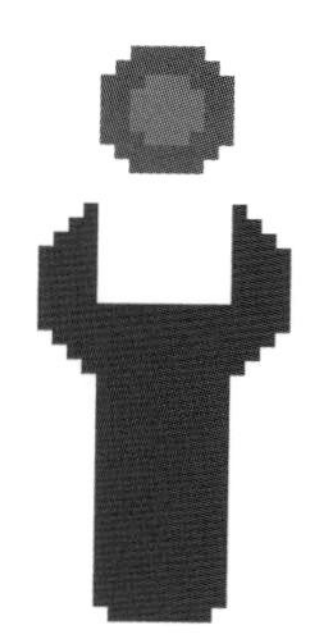

▲1人用のゲームにする

コンピューターがそうじゅうするブルーカーに、レッドカーで挑戦する1人用ゲームにしてみよう。まずプロジェクトをコピーして、今までで作った2人用ゲームがなくならないようにする。それからブルーカーをコントロールするコードを上のように変えよう。ブルーカーがレッドカーを追いかけ、ぶつかろうとしてくるよ。

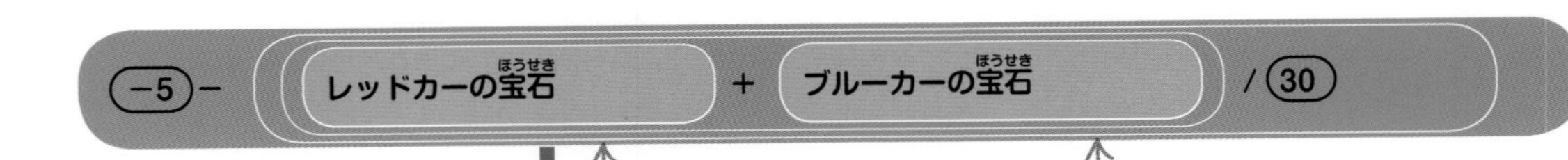

計算▼ を受け取ったとき
ロードスピード▼ を -5 にする
ロードY▼ を ロードスピード ずつ変える

これらのブロックを2番目の「−5」のウィンドウに入れる

「〜 + 〜」のブロックを「〜 / 〜」の最初のウィンドウに入れる。それらを「〜 − 〜」のブロックの中に入れる

▲もっと速く！

ゲームのスピードを速くしてもっと多くの宝石を集められるようにしよう。「ゲームループ」コードの「ロードスピードを〜にする」ブロックを変えて、宝石を集めるほどコースが動くスピードが速くなるようにすればいい。

ゲームをデザインする

カメラワーク

ゲームのデザイナーはカメラワークについてよく相談しているよ。カメラワークとはゲーム内でのアクションをどのように画面に表示するかを指しているんだ。本物のカメラがあるわけではないけれど、いろいろなとり方(見方)があるね。コンピューターゲームでよくあるカメラワークをしょうかいしよう。

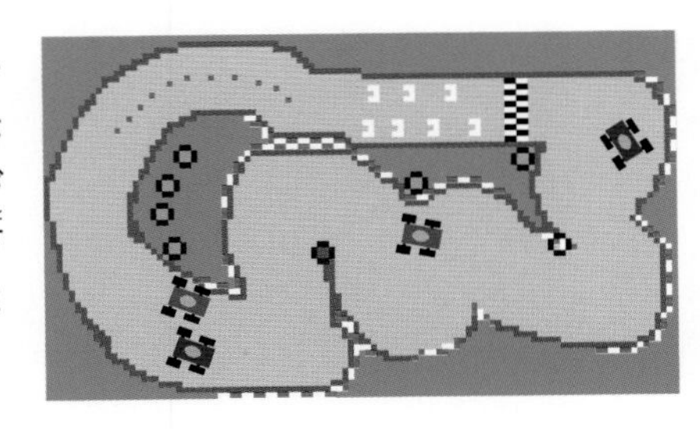

◀固定

カメラはある地点で動かずに、すべてのアクションをとっている。この本で作るゲームのほとんどがこのタイプだよ。横から見るか、上から全体を見わたしているね。

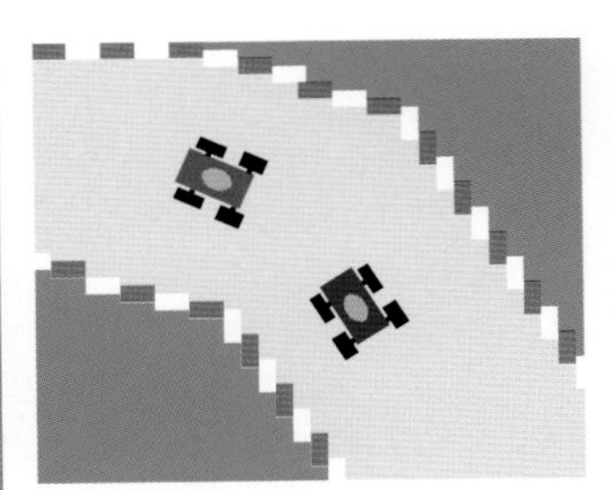

▲トラッキング

カメラがプレイヤーを追いかけるよ。「氷の上のレース」ではコースが下に流れていってもカメラはレーシングカーをうつし続けているね。

▲ファーストパーソン

プレイヤーが自分の目で見ているようにカメラがうつしている。プレイヤーははなれた場所から見ているのではなく、ゲームの中に入っているように感じるぞ。

▲サードパーソン

プレイヤーのすぐ後ろにカメラがあるよ。プレイヤーは自分でアクションをしているように感じながら、自分が何をしているか少しはなれたところから見ていられるんだ。

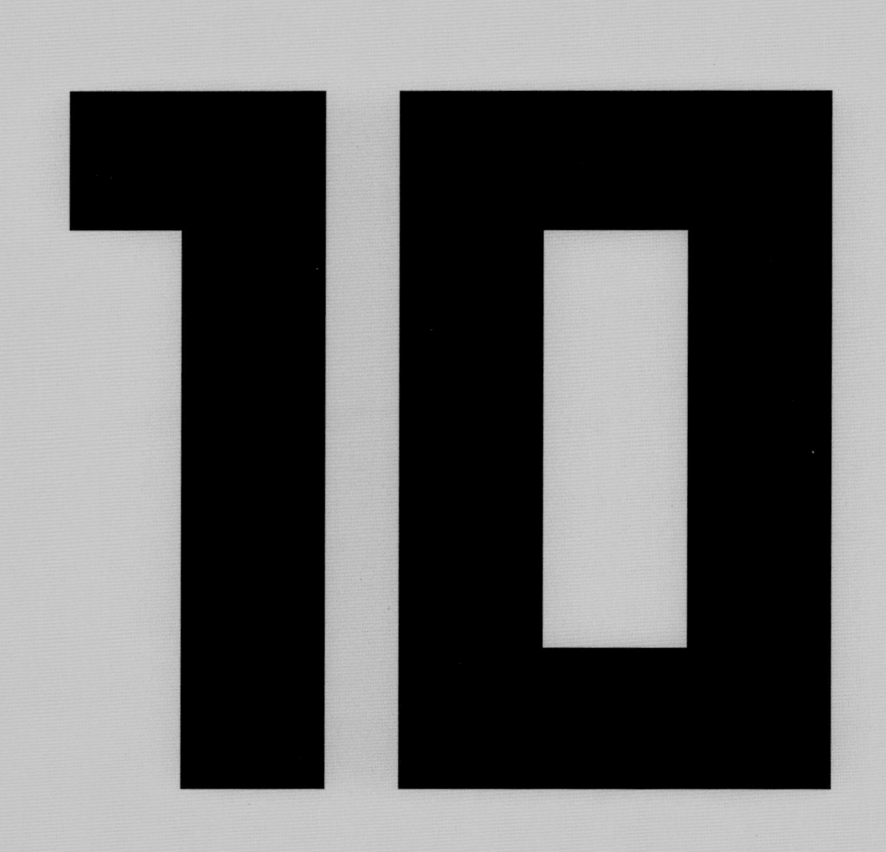

ドラムで音（おと）あそび

ドラムで音あそびの作り方

コンピューターゲームには、すばやく指を動かしてプレイするゲームだけではなくて頭を使うことが多いゲームもあるぞ。ここからは、君の記憶力を試すゲームを作ろう。

緑の旗を押すと新しいゲームが始まる

正しくドラムをたたくたびに1ポイントがスコアに入る

ゲームの目的

このゲームではドラムが順番に鳴らされる。プレイヤーはそれを聞いて覚えておき、あとでそのとおりにくり返すんだ。ゲームを進めるとともに、ドラムが鳴る回数はふえていく。できるだけ長くゲームを続けると、ポイントも高くなるよ。

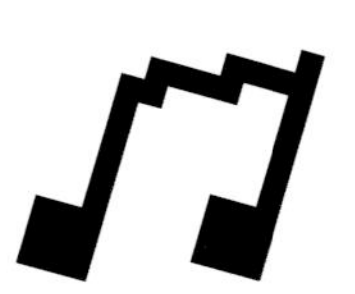

◀聞く
ドラムが順番に鳴らされるよ。最初は音が1つだけだけれど、ゲームが進むと音が1つずつふえていくよ。

◀ドラム
ドラムの上でクリックして聞いたとおりに鳴らしてみよう。

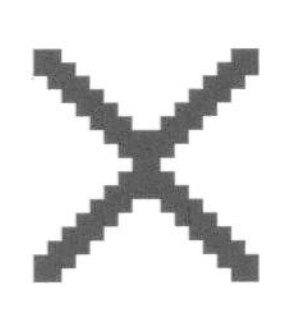

◀ゲームオーバー
もし鳴らす順番をまちがえると、ゲームオーバーになってしまう。ドラムが鳴る回数がふえるほど、ゲームはむずかしくなるよ。

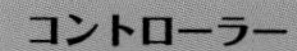

コントローラー

このゲームはマウスかタッチパッドをコントローラーにするよ。

このゲームでは背景はそれほど重要ではないよ。好きな背景にしよう

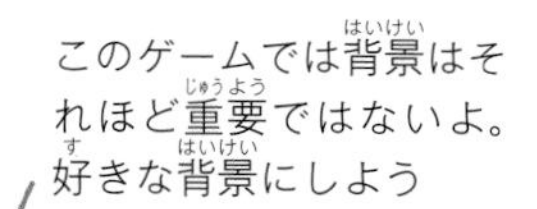

ここをクリックして全画面表示にしてプレイしよう

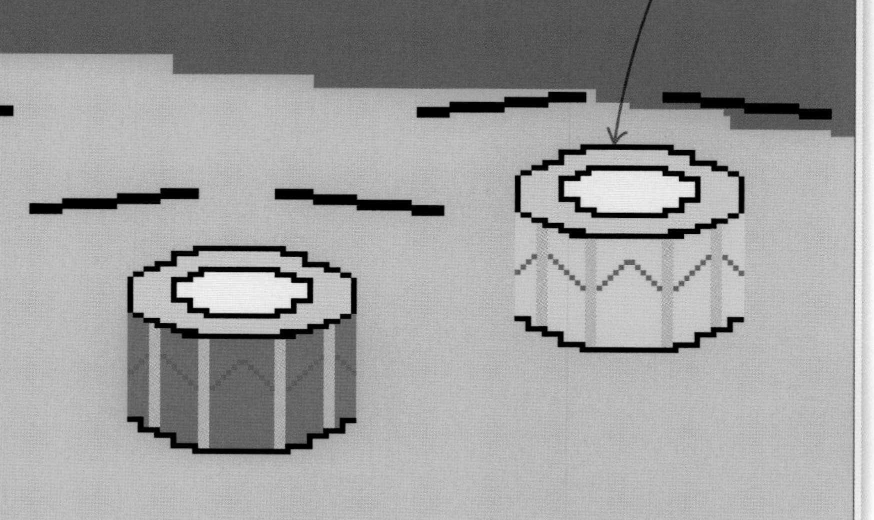

音を鳴らすとき、ドラムはジャンプする

◀どんどんむずかしくなる

このゲームは、長くプレイしているほどむずかしくなっていくよ。ドラムが鳴る順番を覚えやすくするため、ドラムはちがう高さの音を鳴らし、ちがう色がぬってあるよ。

ドラムを作る

このゲームはふくざつだから注意してプログラムを組んでいこう。まずドラムを1つと、ドラムに必要なコードをすべて作ってしまうよ。これができれば、あとはドラムを「複製」して4つそろえればいいね。そのあとで「マスターコントローラー」という名前のゲームループのスプライトを作るぞ。マスターコントローラーがドラムを鳴らす指示を出すんだ。

1 スクラッチの新しいプロジェクトを作り、好きな背景をセットしよう。

このアイコンをクリックして背景のライブラリーを開こう

2 このゲームにはドラムが4つ必要だけど、まず1つだけ作ればいいよ。ネコのスプライトを「削除」してライブラリーから「Drum」を読みこもう。ステージにドラムが表示されるので、ステージの左下の方に動かそう。

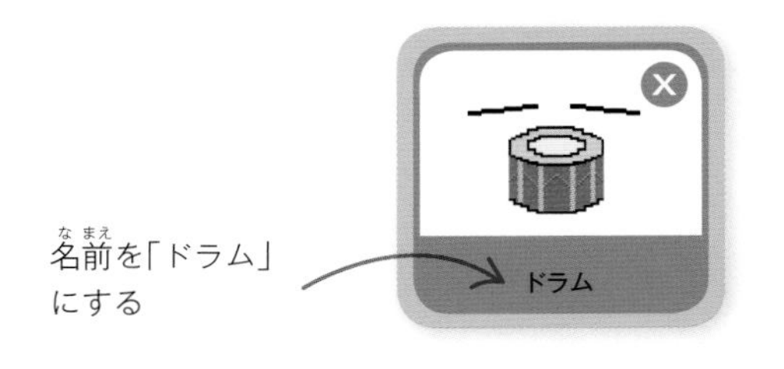

名前を「ドラム」にする

変数の2つのタイプ

変数を作るとき「すべてのスプライト用」と「このスプライトのみ」の2つがあることは知っているよね。ほとんどの場合は「すべてのスプライト用」を選ぶけれど、このゲームでは両方を使うよ。

3 まず変数をいくつか作る必要がある。ブロックパレットの「変数」をクリックして、すべてのスプライト用に「**鳴らすドラム**」と「**クリックされたドラム**」の2つの変数を作ろう。チェックボックスのチェックは外しておいてね。どのスプライトもこの2つの変数を使えるよ。

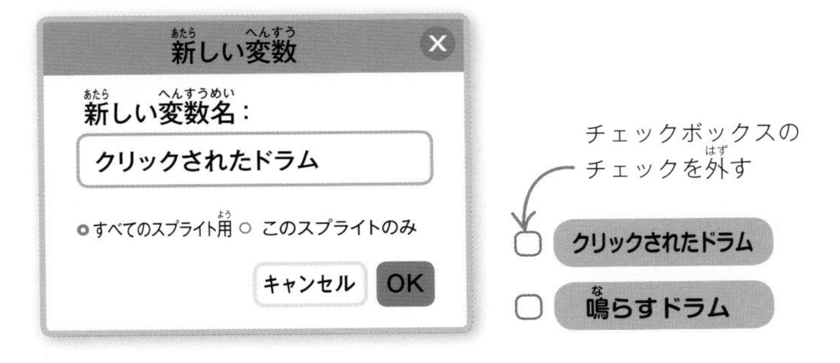

4 「ドラムの音」、「ドラムの色」、「ドラムの番号」の3つの変数を「このスプライトのみ」として作るよ。この3つはドラム1の情報だけを記録するよ。こうしておけば、あとでこのスプライトをコピーしたとき、それぞれのドラムがちがう数を変数に入れておけるぞ。

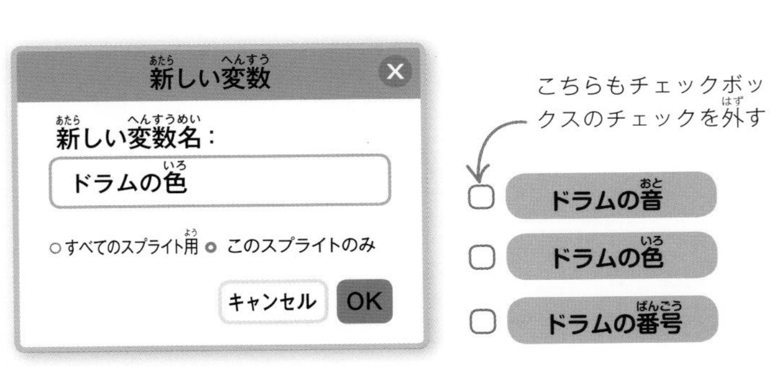

5 「拡張機能を追加」で「音楽」を選んでから、下のコードをドラムに作ろう。このコードでドラムの番号、色、音、そして楽器の種類も設定するよ。プロジェクトを実行してみて、ドラムの色が変わるかたしかめよう。

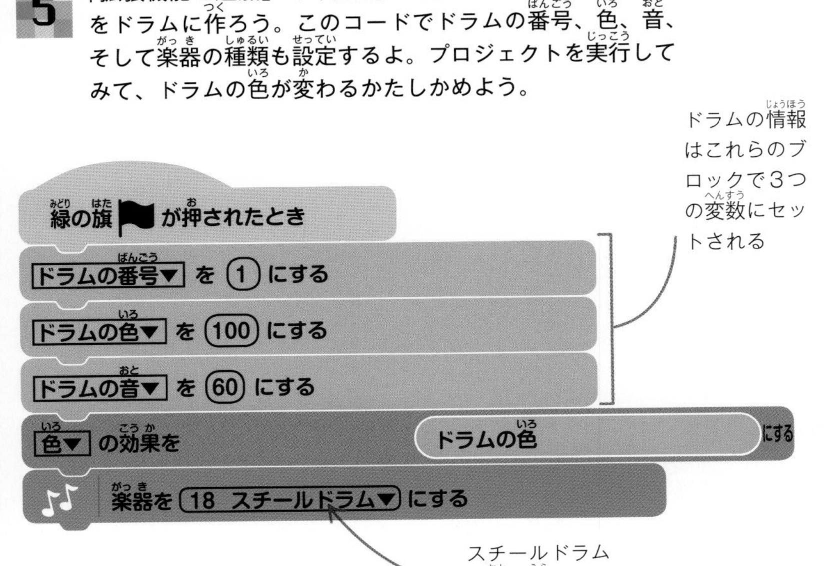

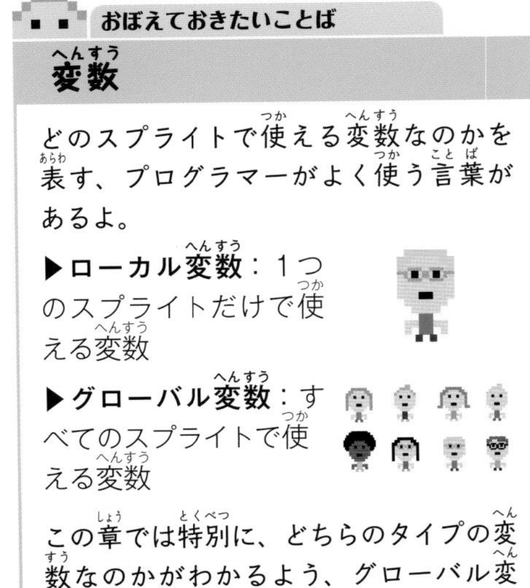

ブロックを自作する

「犬のごちそう」と「氷の上のレース」でブロックを自分で作る方法を覚えたね。このゲームでもいくつかのブロックを自作するよ。

6 ブロックパレットの「ブロック定義」で「ブロックを作る」をクリックし、右のようなポップアップを表示しよう。新しいブロック名を「ドラムを鳴らす」にして「OK」をクリックだ。

ここをクリック

ブロック定義

ブロックを作る

ここに新しいブロックの名前を入力しよう

ブロックを作る

ドラムを鳴らす

引数を追加 数値またはテキスト

引数を追加 真偽値

ラベルのテキストを追加

画面を再描画せずに実行する

キャンセル OK

7 ブロックパレットに新しいブロックがあらわれたね。コードエリアには「定義 ドラムを鳴らす」というピンク色のヘッダーブロック（コードの一番上に置くブロック）が出てきたよ。

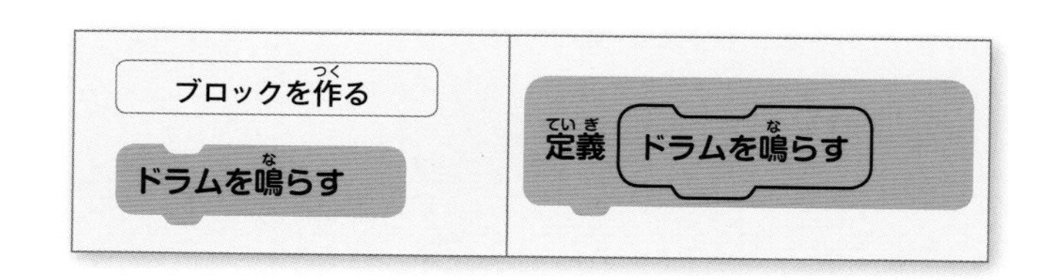

8 「定義 ドラムを鳴らす」の下にブロックをつなげて下のようなコードを組もう。このコードはドラムのサイズを大きくし、音を鳴らし、それからドラムのサイズを元にもどすんだ。

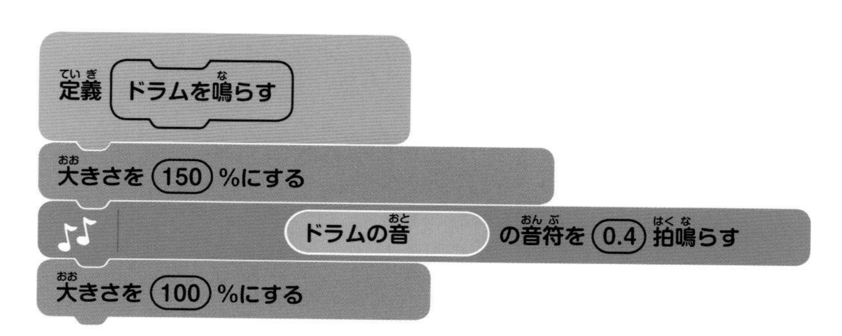

9 さらに下のコードを追加し、ステージ上のドラムをクリックして音が鳴るかテストしてみよう。

このスプライトが押されたとき

ドラムを鳴らす

このコードが実行されるかチェックしよう

ドラムをコントロールする

このゲームではドラムが順番に鳴って、プレイヤーがそれをまねることになるね。ドラムはマスターコントローラーでコントロールする。マスターコントローラーはメッセージをドラムに送って返事を待つんだ。マスターコントローラーを作る前に、メッセージをやりとりするためのコードをドラムのために作っておこう。

10 右のコードブロックを作ろう。「リモートコントロール」というメッセージを受け取ると、ドラムを鳴らすようになっているよ。「～を受け取ったとき」のブロックで「新しいメッセージ」を選び、「リモートコントロール」というメッセージ名にしよう。

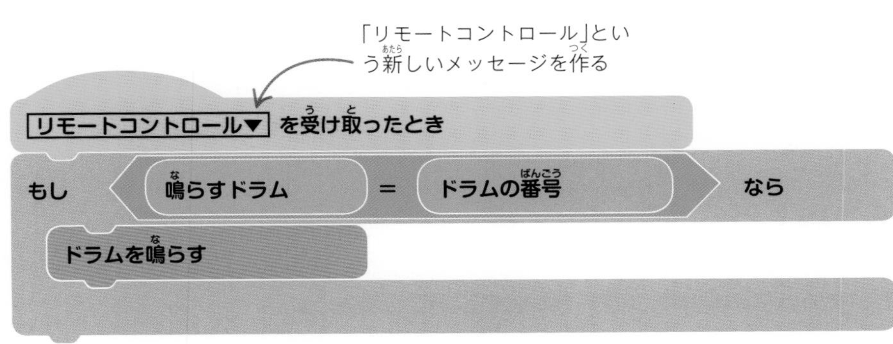

▼どのように動くのか

ゲームが完成したときには、1から4番まで4つのドラムがそろうことになる。マスターコントローラーは「リモートコントロール」のメッセージを送る前に、グローバル変数の「**鳴らすドラム**」に鳴らしたいドラムの番号をセットしておくんだ。メッセージを受け取ると、この番号のドラムだけが鳴るんだよ。右のコードはあとで組みこむよ。

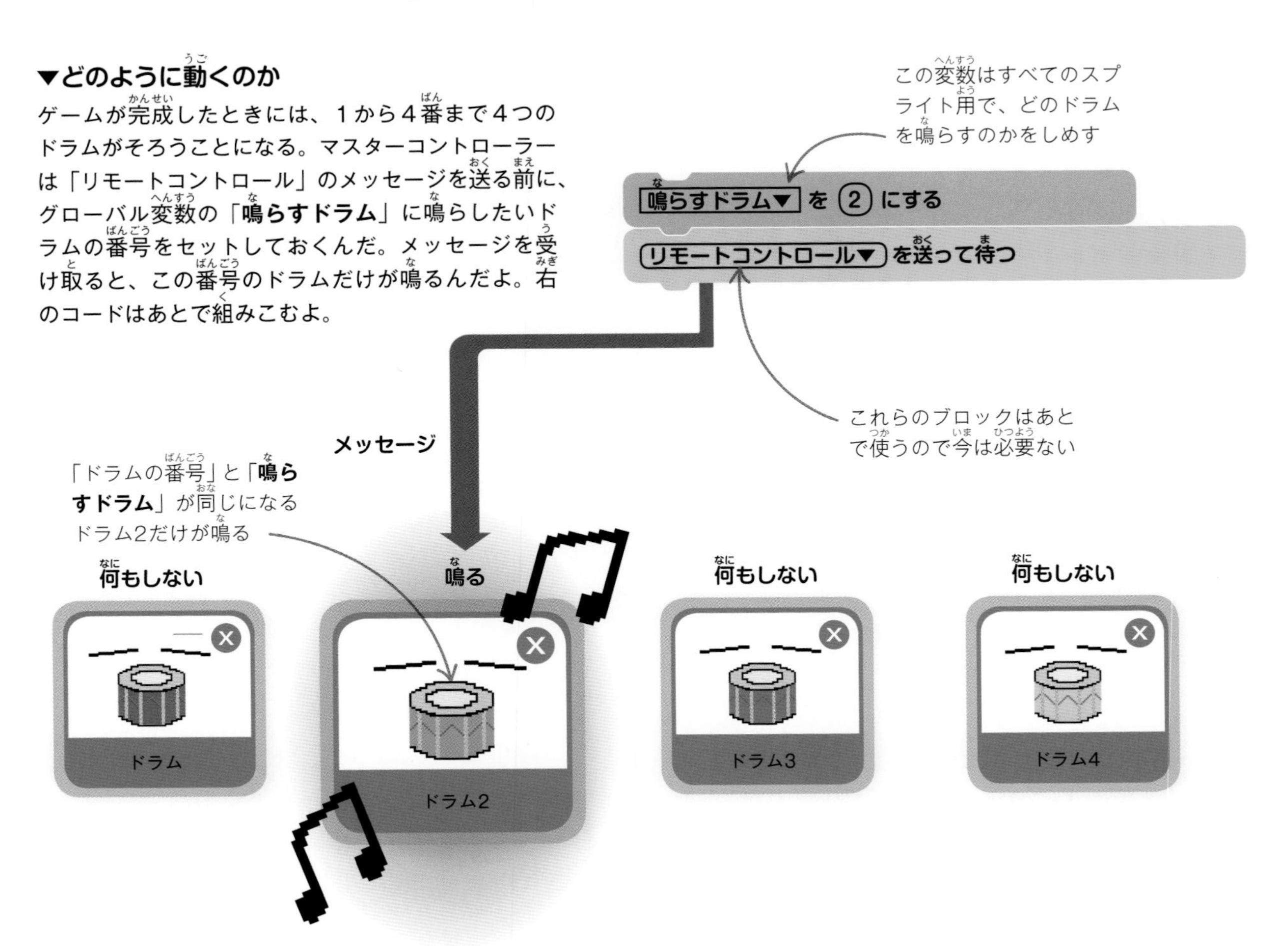

11 プレイヤーがドラムをクリックしたとき、マスターコントローラーは正しいドラムがクリックされたかをはんだんしなければならない。そのため、クリックされたときにドラムのスプライトは２つの処理を行う。まずグローバル変数「**クリックされたドラム**」に自分の番号を入れること。そしてマスターコントローラーにメッセージを送って、グローバル変数をチェックするようたのむことだ。ドラムの「このスプライトが押されたとき」で始まるコードを右のように変えよう。

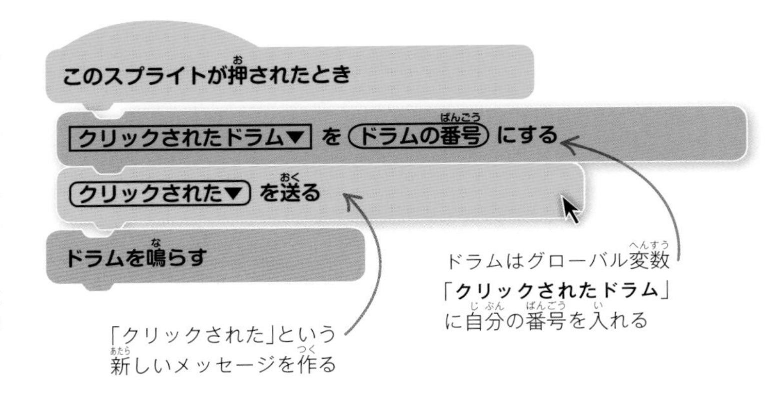

４つのドラム

これでドラムのコードブロックが全部できたことになるよ。このドラムをコピーして、ゲームに必要な４つのドラムをそろえてしまおう。

12 ドラムのスプライトを３回「複製」するよ。それから、３つのローカル変数の設定を下のように変えて、４つのドラムがそれぞれちがう番号、色、音になるようにする。ステージ上のドラムは、１から４まで番号順にならべよう。

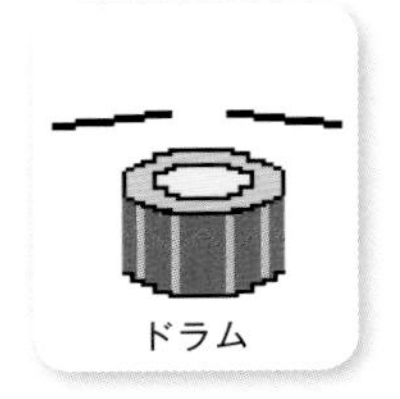

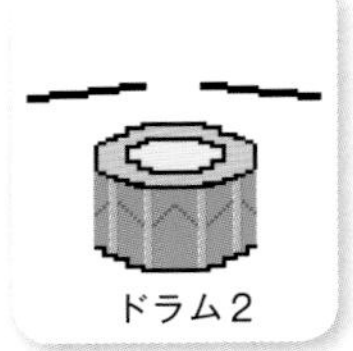

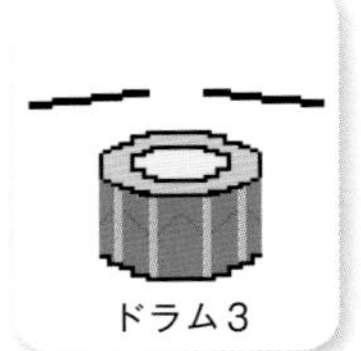

緑の旗 が押されたとき

ドラム	ドラム２	ドラム３	ドラム４
ドラムの番号▼ を 1 にする	2 にする	3 にする	4 にする
ドラムの色▼ を 100 にする	60 にする	170 にする	30 にする
ドラムの音▼ を 60 にする	62 にする	64 にする	65 にする

13 プロジェクトを実行しよう。ドラムが１つ１つちがう色になったね。順にクリックして音を聞いてみよう。音が鳴らずにスプライトが動いてしまうなら、ステージ右上のアイコンをクリックして全画面表示にしよう。今は音を鳴らすだけしかできないけれど、ドラムが正しく鳴ればOKだよ。

マスターコントローラー

いよいよこのゲームの頭脳になるコード、マスターコントローラーを作るよ。マスターコントローラーは「リモートコントロール」というメッセージを送ってドラムを鳴らすけれど、それ以外にも仕事はあるよ。ドラムを鳴らす順番を決めたり、プレイヤーが正しいドラムをクリックしたかをチェックしたり、スコアを管理したりするんだ。

14 ステージは、スプライトの「持ち物」ではないので、マスターコントローラーを組みこむのにちょうどいいね。画面右下にある「ステージ」をクリックしてからコードを作ろう。

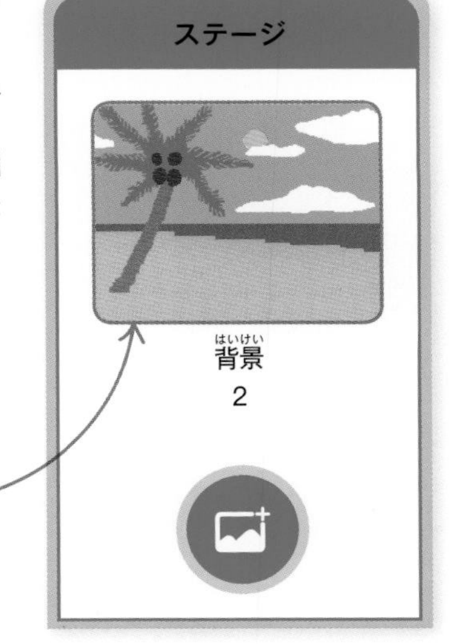

ここをクリックしてからステージにコードを組みこむ

15 マスターコントローラーは1、2、3…と順に数字をふったリストに、それまでに鳴らしたドラムの番号を記録するよ。リストを作るには、「変数」を選んで「リストを作る」のボタンをクリックしよう。リストには「**ドラムの順番**」という名前をつけるよ。ここに入るのはプレイヤーがドラムをどの順でクリックすればいいかという情報だ。ステージ上に表示したいので、チェックボックスにチェックを入れておこう。

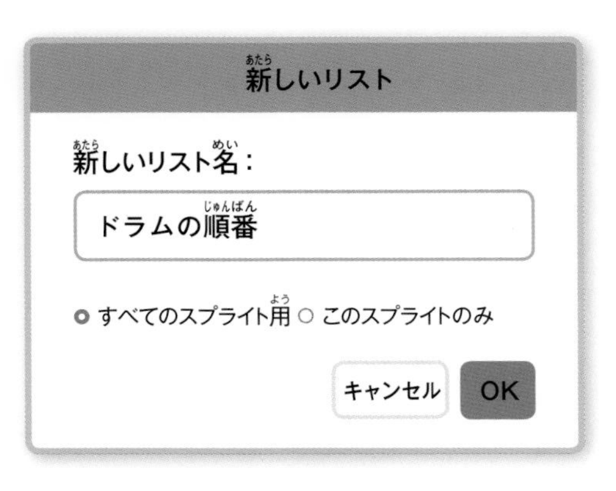

リストを作る

ドラムの順番

ここをチェックしておくとステージに表示される

16 ステージを選んだら右のコードを作ろう。ただしこのコードはあとでかき変えるよ。まずはリストがどのような働きをするかを、ドラムを使って見てみよう。

```
緑の旗 が押されたとき
ドラムの順番▼ のすべてを削除する
7 回繰り返す
    1 から 4 までの乱数 を ドラムの順番▼ に追加する
    1 秒待つ
```

コードの最初でリストの中を空にする

リストの最後に、ランダムに選んだドラムの番号を追加していく

このブロックで何が起きているかをプレイヤーがチェックする時間を作っている

17 コードを動かして、ステージ上の「**ドラムの順番**」のリストがゆっくりとふえていく様子を見てみよう。右のような感じになるけれど、番号のならび方はちがっているはずだ。ドラムを鳴らす指示を出すブロックはないので、まだ音は鳴らないよ。

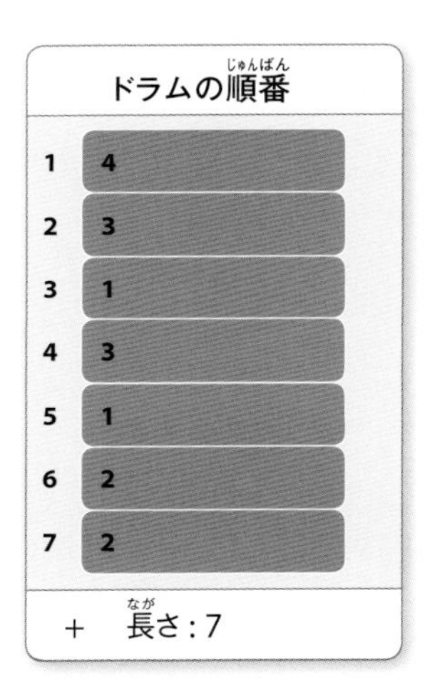

うまくなるヒント

リスト

リストを作るのは情報を記録するのにとても役立つ方法なので、プログラミング言語の多くはリストを使えるようになっている。スコアを管理したり、スプライトにふくざつな計算をさせたり、リストはとても便利なんだ。このゲームでは番号をリストに入れているけれど、言葉を入れることもできるよ。

```
このスプライトが押されたとき
せりふ▼ の 1 から 5 までの乱数 番目 と言う
```

リストはふつうは見えないようにするけれど、変数と同じようにステージに表示することもできる

リストを利用するとスプライトがランダムに選んだ言葉を話すようにできる

ドラムに指示を出す

18 ステージが選ばれているのをチェックしてから、もう1つ、右のような「順番に鳴らす」というブロックを作ろう。このブロックは「**ドラムの順番**」のリストの中身を調べて、そこに入っている番号を変数「**鳴らすドラム**」にセットしてから「リモートコントロール」のメッセージを送っている。リストの長さと同じ回数だけ、この処理がくり返されるよ。

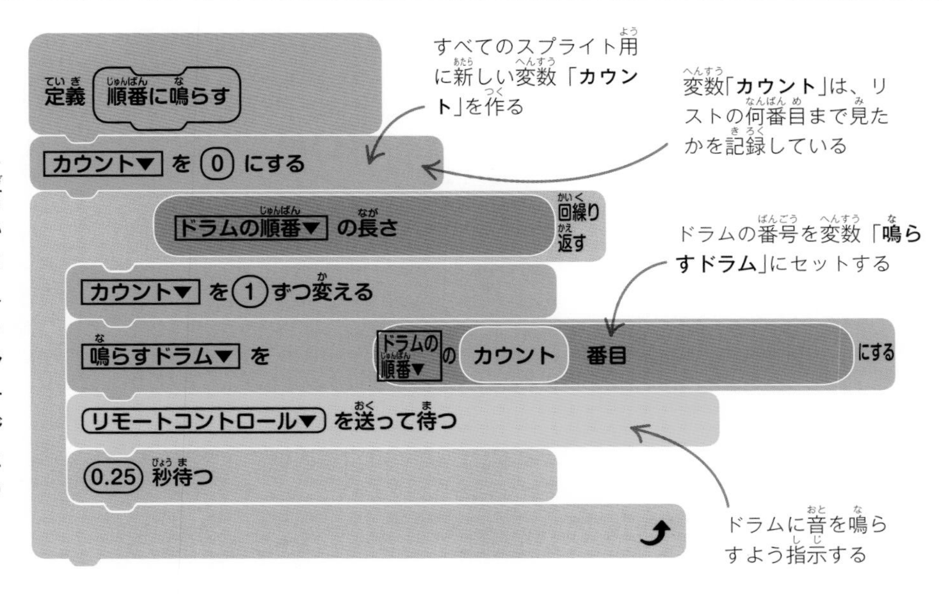

19 16で作ったコードに「順番に鳴らす」ブロックを追加しよう。

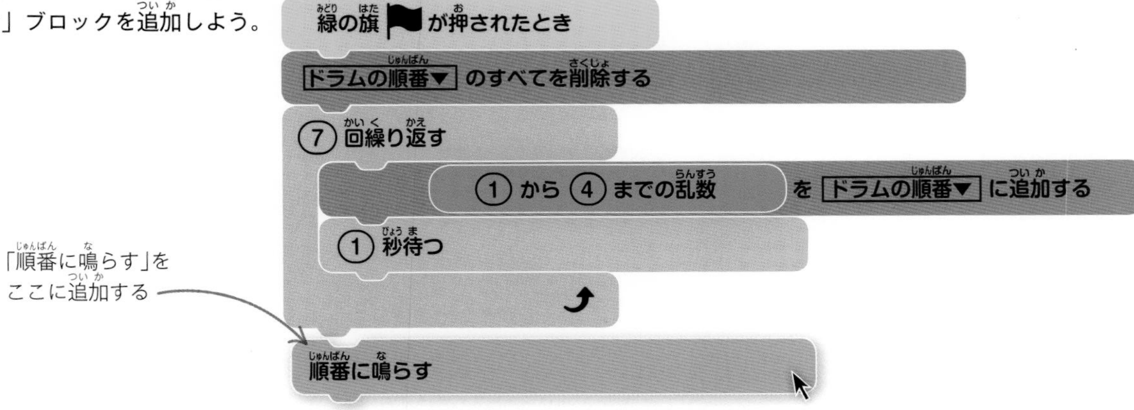

うまくなるヒント

「～を送る」「～を送って待つ」ブロック

スクラッチにはメッセージを送るブロックが2種類ある。それぞれちがう場面で活躍するよ。

メッセージ1▼ を送る

▲「～を送る」ブロック

このブロックは、メッセージを送ってすぐに次のブロックの処理を始めるよ。今やっていることを止めずに、何か他のことを始めるきっかけにするのに向いているね。例えばプレイヤーのスプライトを動かしているループを止めずに、矢を放つような場合だ。

メッセージ1▼ を送って待つ

▲「～を送って待つ」ブロック

このブロックは、メッセージを送るとそのメッセージをきっかけに何かを始めたスプライトのすべてが処理を終えるまで、次のブロックに進まず待っているんだ。何かの処理（このゲームならドラムを鳴らすこと）が終わるまで、次のブロックに進ませたくない場合に便利だね。

20 ではコードを動かしてみよう。ステージ上のリスト「**ドラムの順番**」に数が順に追加されていくね。そのたびにドラムが鳴らされるので聞いてみてね。変数「**鳴らすドラム**」のチェックボックスをチェックすれば、「リモートコントロール」メッセージが送られるごとに変数にセットされている数をチェックできるよ。

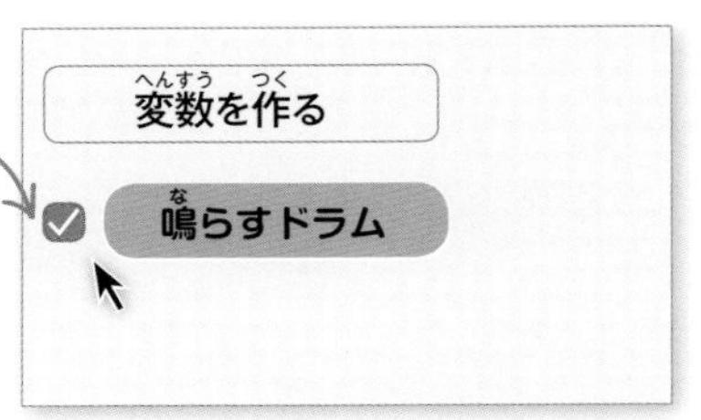

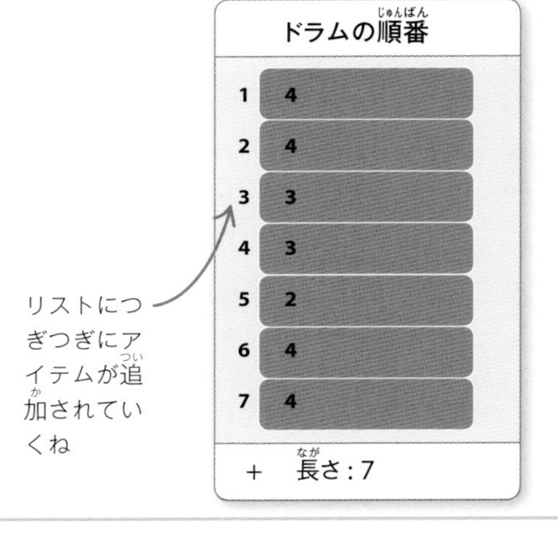

音の数をふやしていく

ドラムのテストが終わったから、実際のゲームで使うコードを組もう。プレイヤーがドラムを順番に鳴らせるようにするよ。最初は音1つから始めて、1つずつ音をふやしていくぞ。プレイヤーは正確にまねしなければならないよ。

21 「ステージ」に使ったテスト用のコードはもう必要ないから右のコードに置きかえてしまおう。新しく「プレイヤーを待つ」というブロックを作る。すべてのスプライト用に「**スコア**」という変数も作り、チェックボックスにチェックしてステージに表示されるようにしよう。

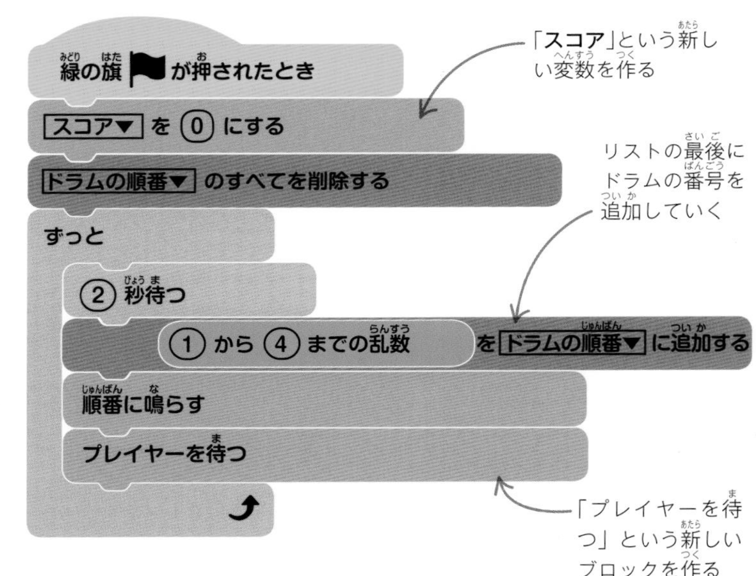

22 プレイヤーがドラムを正しくクリックした回数を記録するため、「**当たった回数**」という新しい変数を加えるよ。それから下のコードを組もう。

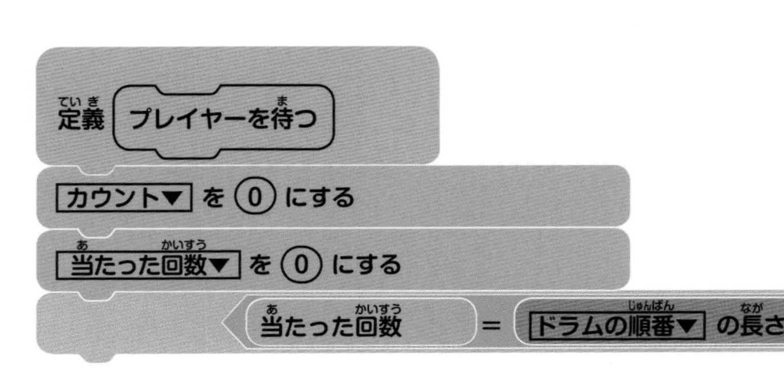

23 このままだとドラムが1回鳴っただけで止まってしまうよ。ステージでドラムを何回でもクリックできるけれど何も起こらないね。これは「クリックされた」というメッセージを受け取って処理を行うプログラムが、まだ作られていないからなんだ。

クリックの順番をチェックする

あと必要なのは、プレイヤーがドラムをクリックしたというメッセージを受け取って処理するプログラムだね。ドラムをクリックするたびに「クリックされた」というメッセージが送られ、このメッセージがきっかけになり、正しいドラムがクリックされたかチェックされる。もしクリックするドラムをまちがえていたら、ゲームオーバーというメッセージが送られるよ。

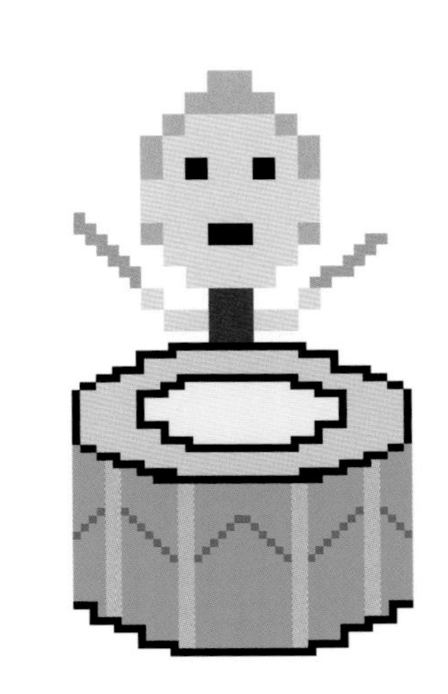

24 「ステージ」に下のコードを作ろう。このコードは、正しいドラムがクリックされるたびに「**当たった回数**」に1を加えていく。クリックされたドラムは音を鳴らし、「クリックされた」というメッセージを流し、「**クリックされたドラム**」に自分の番号を入れるよ。下のコードはこの「クリックされた」というメッセージをきっかけに実行されるんだ。もしクリックされたのがまちがったドラムだと、ゲームは終わりになるぞ。

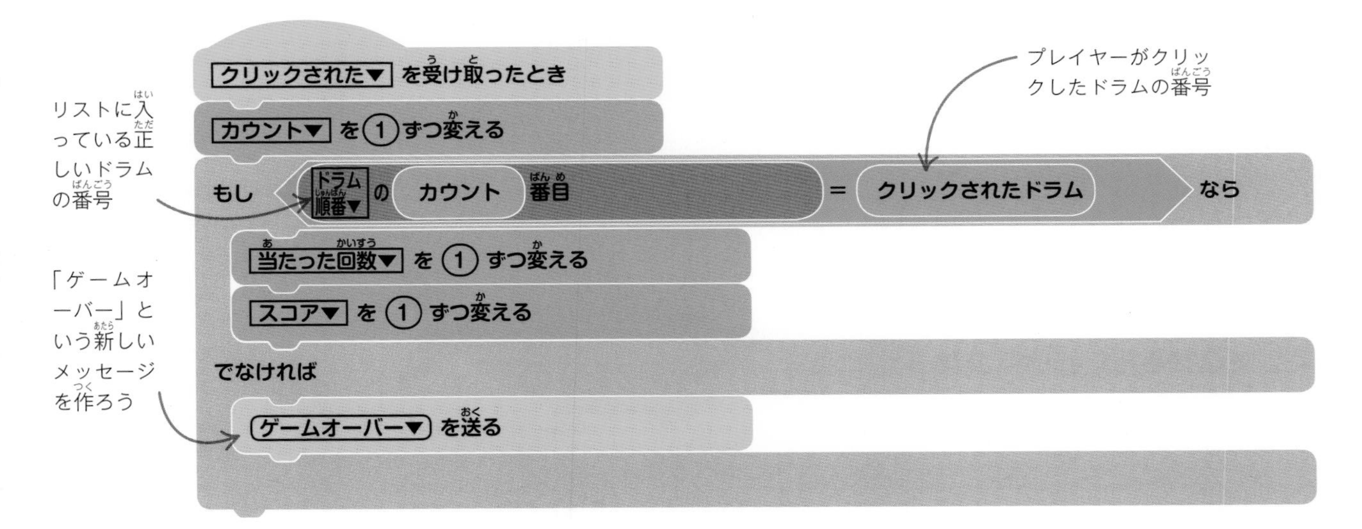

25 ゲームオーバーのコードをステージに追加しよう。スクラッチの音のライブラリーから、「Bell Toll」という音をステージに読みこむ必要があるよ。

26 ようやくゲームが完成したぞ。さあ、プレイしてみよう。ただし、ブロックパレットの「変数」で「**ドラムの順番**」のチェックボックスからチェックを外しておくのをわすれないようにしよう。

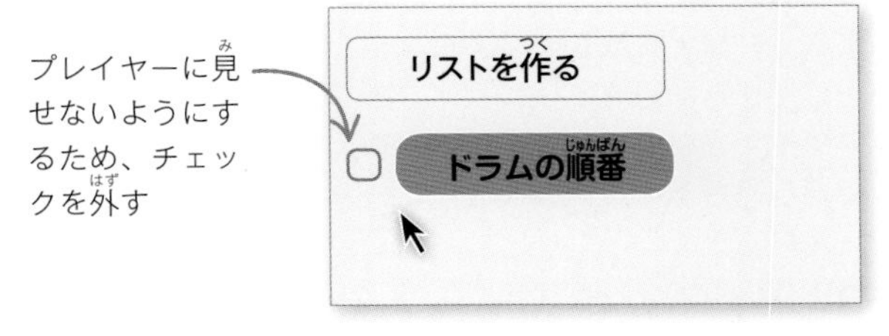

▶どのように動くのか

このゲームでは2つのメッセージが大きな働きをしているよ。「リモートコントロール」はドラムに音を鳴らすよう指示し、「クリックされた」はドラムがプレイヤーにクリックされたことをマスターコントローラーに知らせている。マスターコントローラーは2つのメッセージを順に処理するループを持ち、ドラムを鳴らしてから正しい順番でドラムがクリックされかチェックするんだ。

メッセージ「リモートコントロール」がドラムを鳴らす

ドラムがクリックされると、メッセージ「クリックされた」がマスターコントローラーに知らせる

マスターコントローラー

ドラムを鳴らす順番を書き足す
順番どおりにドラムを鳴らす
プレイヤーがドラムを順番どおりに鳴らすのを待つ

マスターコントローラーはこの3つの処理をくり返す

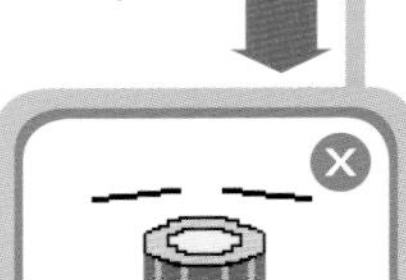

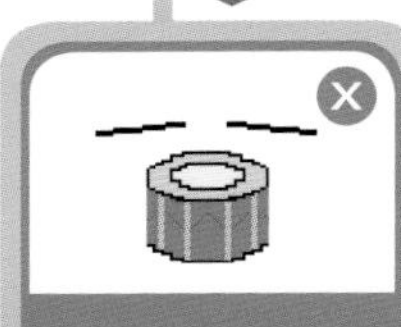

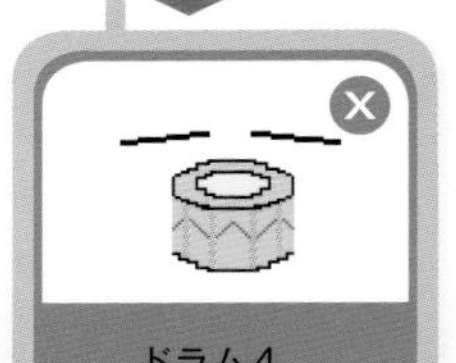

ゲームを改造する

ゲームがスムーズに動くようになったら、プログラムを変えてみよう。ゲームをもっとおもしろくしたり、むずかしくしたりするんだ。いくつかアイデアを書いておくね。

▲しゃべるサメ

サメのスプライトを加えよう。サメはステージに泳いできて指示を出すんだ。「～と言う」のブロックを使おう。

▼ドラムを追加する

5番目のドラムを加えてみよう。ドラムの番号、音、色は今までのドラムと変える必要があるね。それからコードの中で、ドラムが4つしかないつもりで組まれている部分は全部変えなければならないよ。例えばマスターコントローラーの「～から～までの乱数」のブロックがそうだね。

14

▲ラウンド・カウンター

新しいグローバル変数「**ラウンド**」を作ってステージに表示してみよう。ラウンドはゲーム開始時に0にセットされ、プレイヤーがドラムを正しい順でクリックし終わるごと（マスターコントロールのループの終わり）に1が足されるようにしよう。

◀ゲームオーバー

「GAME OVER !」のスプライトを作って表示するか、ステージを泳ぐサメを前に出して「GAME OVER !」と言わせよう。

うまくなるヒント

デバッグ

バグはプログラムの中にあるまちがいのことだ。このバグをなくすことをデバッグとよぶよ。プログラムがうまく動かないときは、よくあるまちがいが原因かもしれない。いくつかの例を下にあげてみたよ。この本に書かれているとおりに作ったのにうまく動かないときは、最初にもどって作業のステップごとに点検するといい。まちがいが1か所でも、ゲーム全体にえいきょうが出ることもあるよ。

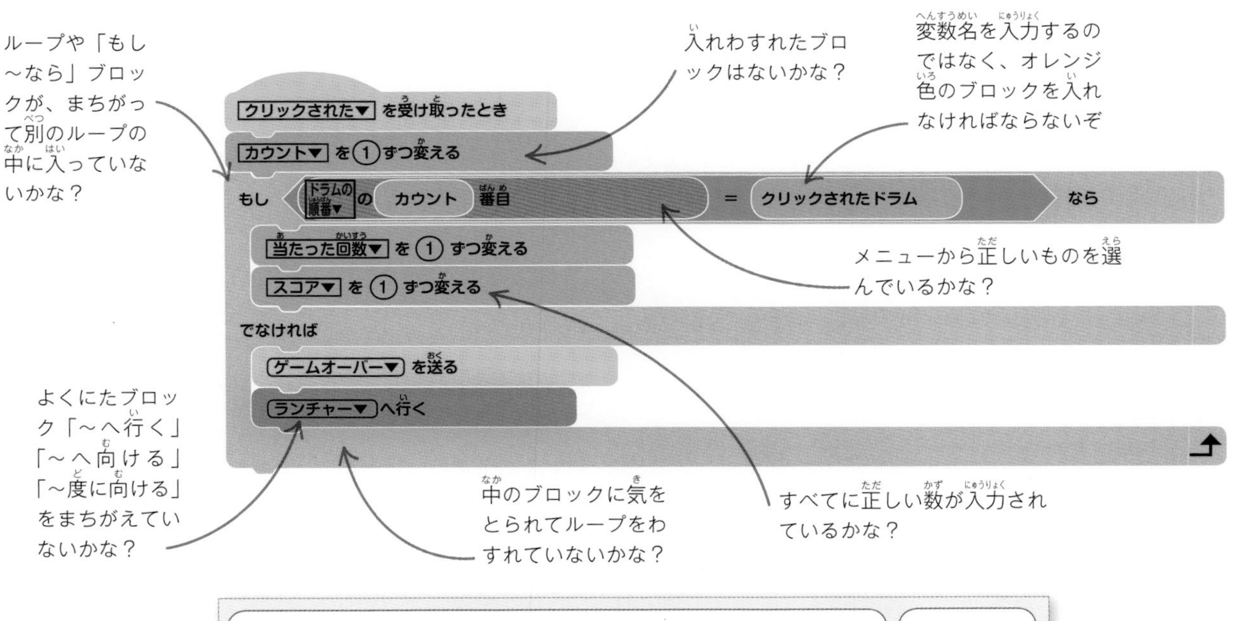

スプライトがステージから消えてしまったら、「表示しない」が選ばれていないかチェックしよう。こちらの「表示する」アイコンをクリックすればいい。

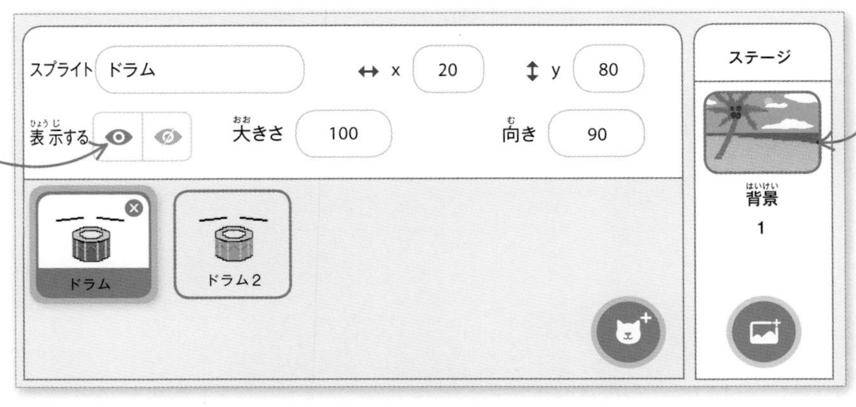

コードブロックは正しいスプライト（またはステージ）に作られているかな？　コードブロックをまちがったスプライトにつけてしまうミスは起こりやすいよ。

重要な変数のチェックボックスにチェックを入れてステージに表示して、変数の中身や変わり方がおかしくないか見てみよう

☑ クリックされたドラム
☐ 鳴らすドラム

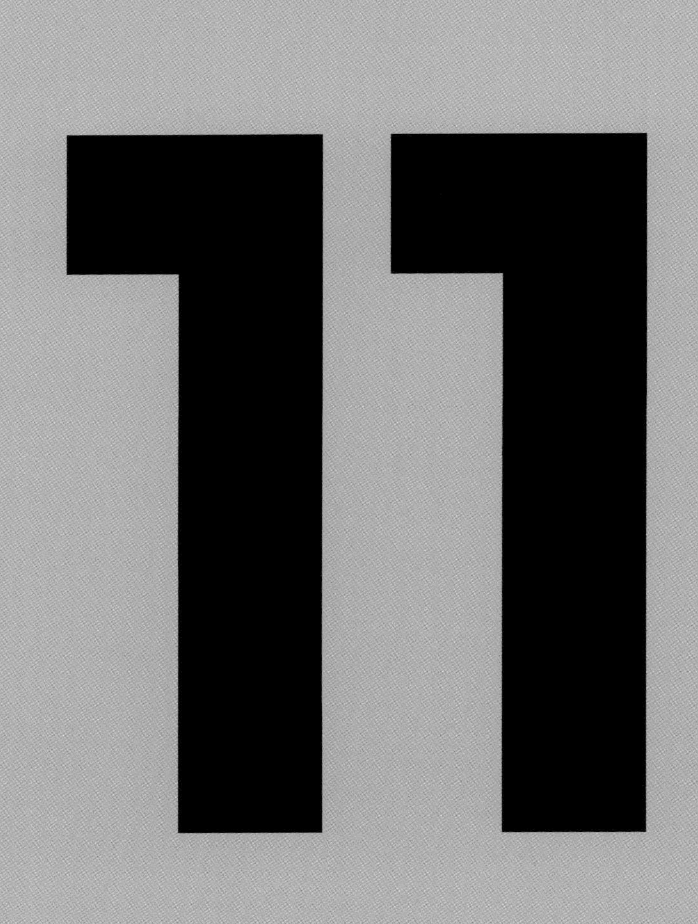

次(つぎ)はどうする？

リミックスとオリジナルゲーム

スクラッチのウェブサイトで他のユーザーが作ったゲームプログラムを見られるよ。そうしたプログラムを利用して自分でゲームを作ることをリミックスとよぶんだ。オンライン上で多くのプロジェクトが共有されているので好きなものをプレイしてみよう。スクラッチのウェブサイトは、君のゲームを公開したり、他の人のゲームをプレイできる楽しい場所なんだ。

スクラッチの作品を調べる

他のスクラッチユーザーが作ったゲームをさがすには、スクラッチのウェブサイト（https://scratch.mit.edu）にアクセスして、メニューの「見る」をクリックしよう。

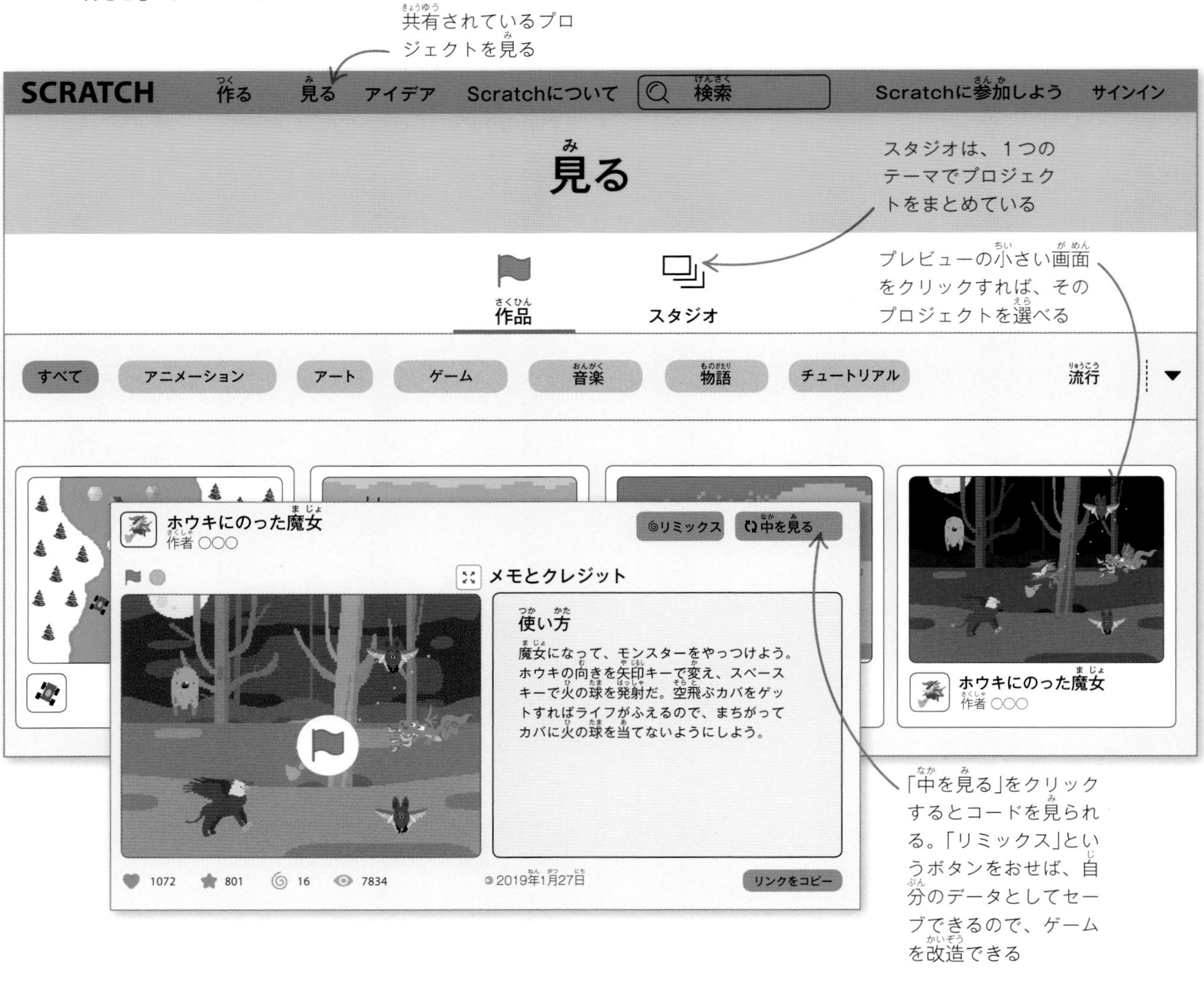

共有されているプロジェクトを見る

スタジオは、1つのテーマでプロジェクトをまとめている

プレビューの小さい画面をクリックすれば、そのプロジェクトを選べる

「中を見る」をクリックするとコードを見られる。「リミックス」というボタンをおせば、自分のデータとしてセーブできるので、ゲームを改造できる

オリジナルゲームを作る

この本のゲームをひととおり作ったら、自分でもいろいろなゲームを作ってみたいと思うはずだ。ゲーム作りのヒントをまとめてみたよ。

1 アイデアをメモする

よいアイデアは急に思いつく。メモを持ち歩いて、アイデアがうかんだらわすれる前に書きとめておこう。新しいゲームのアイデアをメモするときは、おおまかに書くのではなく、キャラクター、しょうがい物、レベル、アクションなど細かいところまで考えて書いておくようにしよう。

2 アイデアを借りる

スクラッチなら他の人のアイデアをかんたんに借りたりできるぞ。他のユーザーのプロジェクトをチェックして、気に入ったスプライト、コスチューム、背景、音、コードブロックをバックパックにとっておいてあとで利用できるよ。

3 プログラミングする

いちばん基本的なことから始めよう。メインのキャラクターのコードを作り、コントローラー（キーボードかマウス）で動くようにするんだ。それから、一度に１つのスプライトを加えていき、ゲームでそのスプライトが必要とするコードを組んでいこう。

4 テストプレイ

自分でプレイして満足したら、他の人にもプレイしてもらおう。自分では気がつかないことを見つけてくれるかもしれないぞ。ゲームを作った人は、そのゲームについて知りすぎているため、問題を見のがしてしまうんだ。

5 公開して共有する

オンライン版のスクラッチの画面の上側にある「プロジェクトページを見る」というボタンをおして、ゲームのタイトルや説明文を書こう。それから「共有する」のボタンをクリックして、君のゲームを世界中のユーザーに公開しよう。

プロジェクトページを見る

共有する

上手なプログラミング

ゆうしゅうなプログラマーは、プログラムを理解しやすく、改造しやすくかくものだ。スクラッチのプロジェクトを改良したり、スクラッチについての知識をふやす方法は数多くあるよ。ここではその中のいくつかをしょうかいしよう。

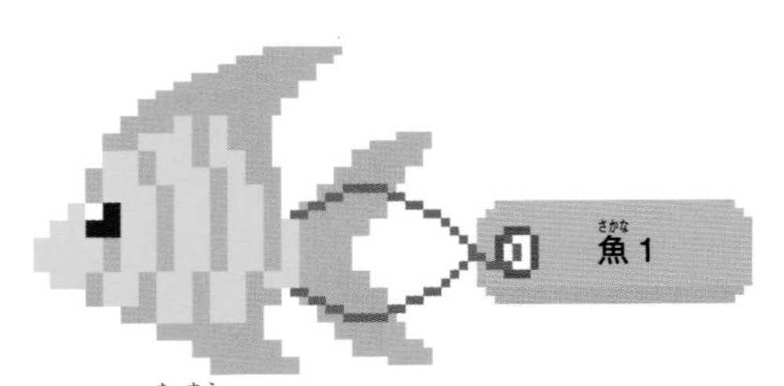

▲わかりやすい名前をつける

スクラッチではスプライト、変数、メッセージの名前をユーザーがつけられる。わかりやすい名前をつけてプログラムが読みやすくなるようにしよう。

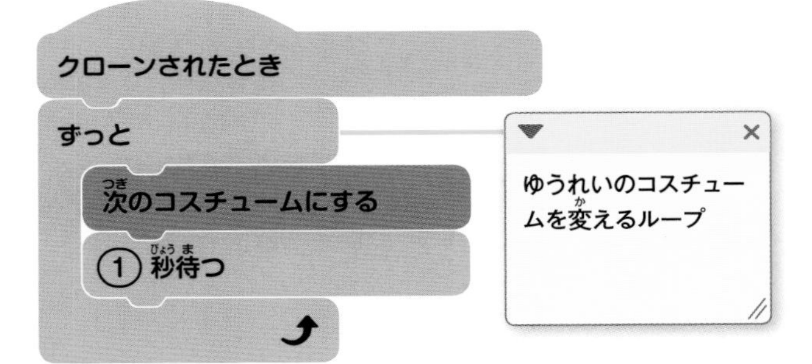

▲コメントをつける

ブロックには、好きなコメントをつけることができるよ。ブロックの上で右クリックして、メニューから「コメントを追加」を選ぼう。コードを見直すときに役立つよ。

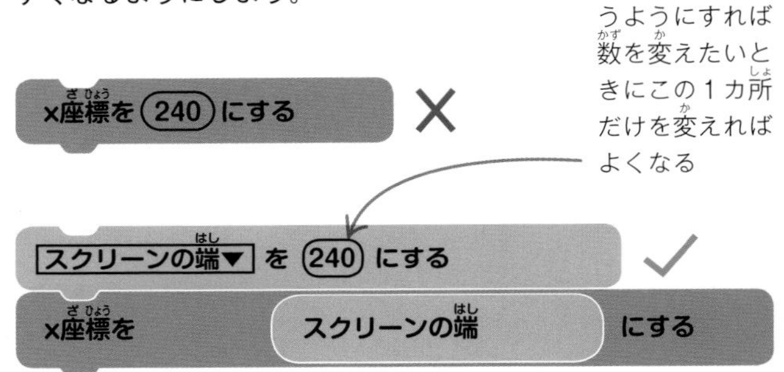

変数に入れて使うようにすれば数を変えたいときにこの1カ所だけを変えればよくなる

▲わかりにくい数をセットしない

コードを読みやすくするには、コメントや変数（の名前）を使って、その数字が何なのかがすぐにわかるようにしておこう。

▼バックパック

スクラッチの画面の下側にあるツールだよ。便利なコード、スプライト、音、コスチュームを入れておいて、別のプロジェクトで使えるんだ。

コードやスプライトをドラッグして、バックパックにコピーできる

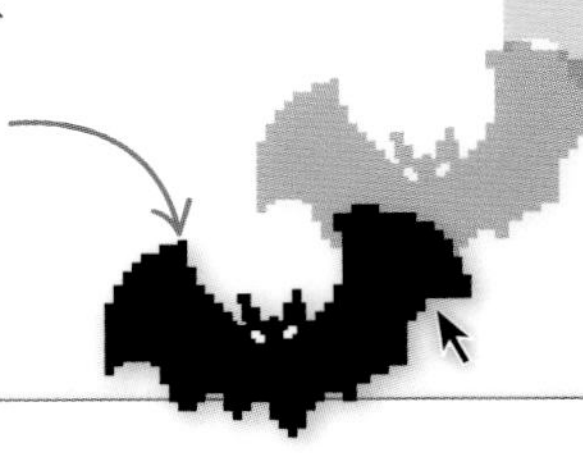

バックパック

音
Scream2

コスチューム
monkey-a

背景
Underwater 2

コード

チュートリアル

スクラッチを使いこなせているかな？ チュートリアルでスクラッチの基本をしっかり学ぼう。

1 画面の上の方にチュートリアルのアイコンがあるのでクリックしよう。プロジェクトのリストが表示されるね。リストをながめて、知りたいことが説明されているプロジェクトを選んでみよう。

2 クリックすればチュートリアルが始まる。スクラッチの考え方について1つ1つ説明してくれるぞ。

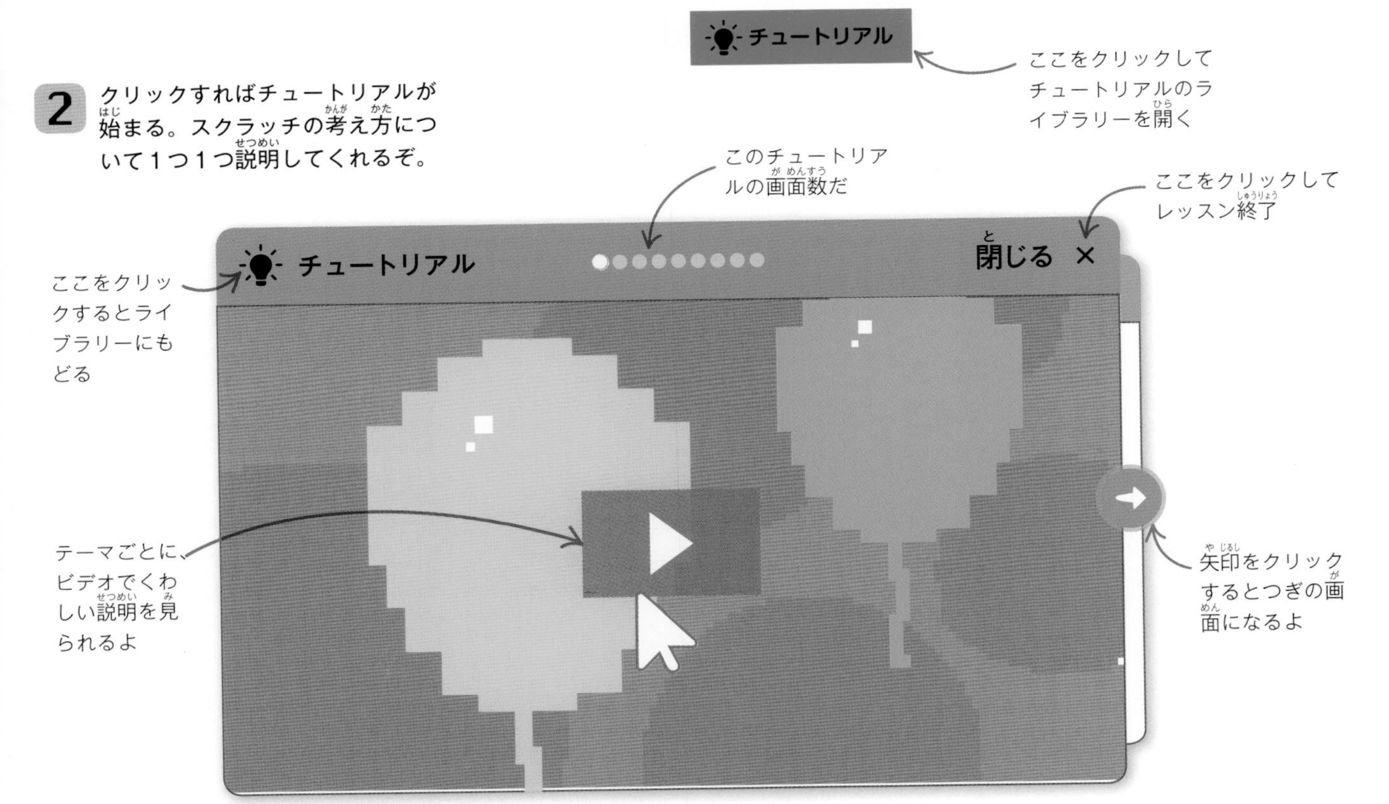

うまくなるヒント

プロジェクトのふん囲気を変える

スクラッチのライブラリーのデータだけを利用していると、見た目や音がどのゲームもにたものになってしまうよ。君らしいゲームを作りたければ、オリジナルの画像や音をスクラッチに取りこむといいぞ。

▶画像を作る

好きな画像をスクラッチに取りこめるけれど、君や君の友達の写真が入ったプロジェクトを共有設定にしないようにしよう。また、グラフィックソフトやスクラッチのペイントエディターでかいたイラストも使えるよ。

カメラ

ここをクリックすると、ウェブカメラで写真をとれる

▶オリジナル音声

君のパソコンで音楽や効果音を録音して、スクラッチで編集できるよ。インターネットを利用して、ゲームで使う無料の音声データをさがすこともできるね。

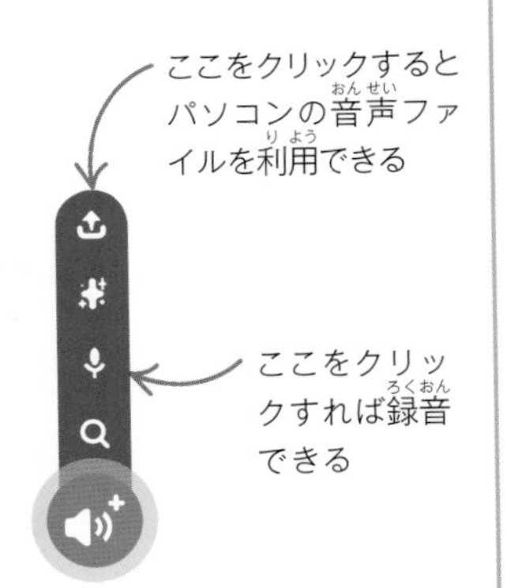

次のレベル

オリジナルのゲームを作ったら、もっといろいろなことをしたいという気持ちがわき上がってくるはずだ。プログラミングのスキルを高めるために必要なものは、あらゆるところから手に入れられるよ。

ゲームデザイン

まずゲームについての知識を増やし、どのようにゲームが作られているかを知るところから始めよう。ここでしょうかいする方法は、君の想像力とやる気を高めてくれるよ。

▲上手な人から学ぶ

ゲームデザイナーにはどのようにゲームを作ったかを話したり書いたりするのが好きな人が多いんだ。動画サイトやブログでゲーム作りのヒントを手に入れよう。

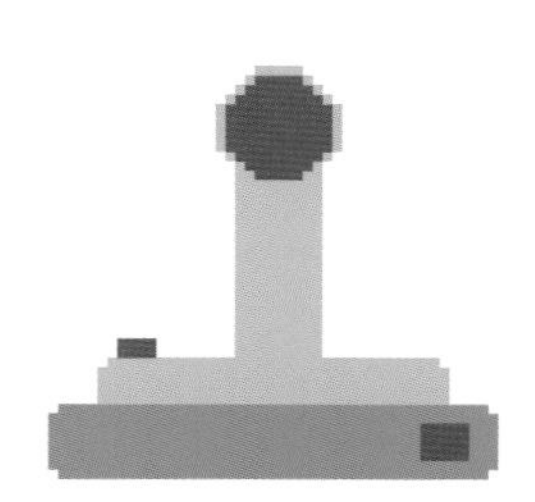

◀ゲームをプレイする

ゲームをプレイしていると、新しいゲームのアイデアを思いつくことがある。今までとはちがうゲームをプレイしたり、他の人のプレイを見てみよう。よいゲームはアクション、ルール、ゴールがうまく組み合わさっている。自分だったらどう組み合わせてプログラミングするかを考えてみよう。

▶ストーリーをさがす

ゲームや、その中に登場するキャラクターは、何かの物語をもとにしている場合がある。映画や本の名作にふれる機会があったら、どうすればその作品をゲーム化できるかを考えてみよう。

▶ゲームの歴史を学ぶ

ゲームの歴史をもっと学ぼう。昔のビデオゲームやアーケードゲームを見られる場所やゲームセンターがあるかもしれない。昔のゲーム（レトロゲーム）を無料で公開しているウェブサイトがあるので、試しにプレイしてみてはどうだろう。

▲ビジュアルに（視覚的に）考える

視覚的に考えるのは、ゲームデザイナーにとって重要なスキルだ。何かを考えるときに図にしてみたり、モデルを作ってみよう。例えば人が歩くすがたをビデオにとり、しせいがどう変化するかを調べるんだ。

◀ノートを作る

ゲームのアイデア、イラスト、ストーリーなど、おもしろいと思ったり関心を持ったものを何でも書きとめるノートを作ろう。何が役に立つかわからないよ。ゲーム作りについてのブログを始めて、アイデアを友達や家族と共有するという方法もあるよ。

プログラミング

コンピューターゲームを作るにはプログラミングを知っていないといけない。プログラミングのスキルをみがいて、よりよいゲームを作れるようにしよう。

▶スクラッチのうでを上げる

スクラッチのウェブサイトにあるチュートリアルや説明文を読んでみよう。スクラッチについていろいろなことを学べば、うまくプログラミングができるようになるぞ。

▲いっしょにプログラミングする

プログラミング教室に参加してみよう。他の人といっしょに学ぶと、君の想像力が高まり、プログラミングスキルをのばすのにも役立つよ。

▶他のプログラミング言語を習う

スクラッチでプログラミングになれたらPythonやJavaScriptなど、他のプログラミング言語も習ってみよう。プログラミングを説明しているウェブサイトで調べてみよう。

▲ゲームエンジンに挑戦する

ゲームを作るのに、スクラッチにこだわる必要はないぞ。ゲームエンジンというソフトウェアでむずかしいプログラミングに挑戦できる。オンラインでいくつものゲームエンジンが公開されているし、無料のものも多いよ。

◀深く調べてみる

コンピューターやプログラミングに関心があって、最新のコンピューターゲームについて知りたいなら、3Dグラフィックス、物理エンジン、人工知能などについて調べてみよう。

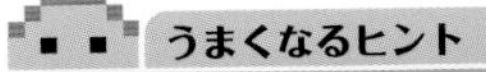

うまくなるヒント

ゲームエンジン

ゲームエンジンには、ゲームを作るために共通して使われるプログラムが、最初から用意されているよ。少しスクラッチににたところもあるけれど、プログラミング初心者ではなくゲーム作りのプロ向けにデザインされたソフトウェアなんだ。コントローラーからの入力を調べたり、スプライトを画面上で動かすことが、かんたんに実現できる。しょうとつ判定や物理計算をうまく行えるようにもなっている。ゲームエンジンで作ったパソコン用のゲームを、ゲーム機やスマートフォンで使えるようにする機能もあるぞ。

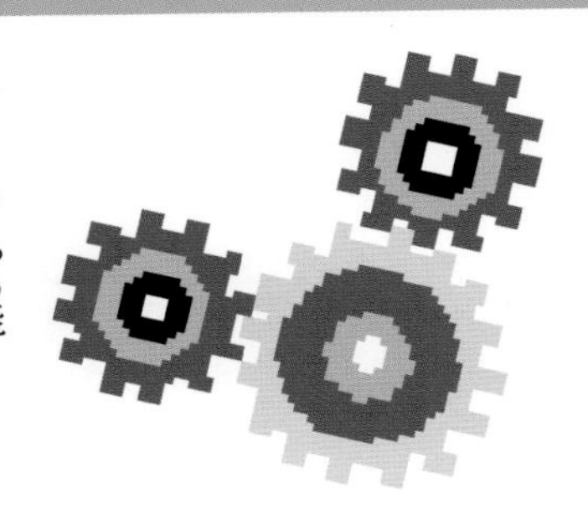

ゲームを作る仕事

プログラマーが1人だけで作ったゲームもあるけど、大人数のチームでゲームを作る場合もあるよ。コンピューターゲームの業界では、とてもたくさんの人が働いているんだ。そうした人の多くはゲーム作りの一部を専門に担当しているよ。

ゲームを作っているのはだれ？

ゲームを作る会社では、専門家を集めてチームで仕事をしているよ。大作ではないゲームの場合、少ない人数で一人何役もの仕事をするのがふつうだ。大きなプロジェクトなら、数十人のプログラマーとデザイナーが参加し、それぞれがゲームの一部だけを作るんだ。

▲プロデューサー

プロジェクトと参加メンバー全員を管理する人をプロデューサーとよぶんだ。ゲームの完成度を高めるのもプロデューサーの仕事だよ。

▲ライター

ストーリーとキャラクターを作るのがライターだ。映画のようなシーンが出てくるゲームでは、出てくるキャラクターのセリフも決めるんだ。

▲ゲームデザイナー

プレイヤーにとっておもしろいゲームになるよう、ゲームのルールとゴール、それにアクションを考えるよ。特にプレイのしやすさは、ゲームデザイナーが大切にしていることだ。

◀デザイナー

プレイヤーが目にするあらゆるもの――キャラクター、しょうがい物、背景――はデザイナーがかいている。1人のデザイナーがリーダーになり、何人もがいっしょに仕事をすることもあるよ。

おぼえておきたいことば

ゲームのタイプ

インディーズゲーム　英語の「インディペンデント・ゲームズ」を短くした言い方だよ。1人か少人数のチームで作っている。大手のゲームにはない、新しいアイデアがつまっていることが多いぞ。

大作ゲーム　AAA（トリプルエー）タイトルともよばれるゲームで、何百万本も売れることが期待されている。何か月や何年もの時間をかけて、大人数の開発チームで作るんだ。

▲作曲家

ゲームのために新しい曲を作る音楽の専門家だ。よい音楽は、ゲームのふん囲気を作る上でとても大切だね。

▲サウンドデザイナー

ゲームの効果音を作るのがサウンドデザイナーだ。作曲家が作った曲をどのように使うか決めることもあるよ。

▲プログラマー

プログラマーのチームは、あらゆるアイデアを取りこんでブロック（サブプログラム）を作り、それを利用してゲームプログラムを書き上げるんだ。

▲テスター

1日中ゲームをやっている楽しそうな仕事だけれど、ゲームを作る上でとても重要な仕事なんだ。ゲームが正しく動作するか、やさしすぎないか、むずかしすぎないかを何度も何度もプレイしてチェックするんだよ。

▲ゲームソフトメーカー

メーカーがゲームを作る場合には、ゲーム作り、ゲームの広告、そして出来上がったゲームをお店で売るまで、いろいろなところでお金がかかるよ。

ゲーム開発

ゲームは完成版ができるまでに、いくつもの試作品を作っているんだ。初めのころにできたものは、ベースになるアイデアをゲームとして形にしたもので、ふつうはそのあとに、下にあげたようないくつものバージョンが作られるよ。

ゲームをデザインする

ゲームを作って大金持ち

2009年、スウェーデン人のゲームプログラマーが「マインクラフト」というゲームを発表した。2014年までにおよそ1億人がユーザーになって、あのマイクロソフト社が2680億円で買い取ったんだよ。

1 プロトタイプ

試験的に作ったバージョンで、おおもとのアイデアがうまく実現でき、楽しくプレイできるかをチェックするよ。

2 アルファ版

アルファ版では、ゲームのほとんどの機能はそろっているけれど、完全ではないんだ。次のステップに行くまでに改良して、大きなバグを直すよ。

3 ベータ版

ベータ版になると、ゲームの機能はすべてそろっている。ただし、細かいところを調整しながら、小さなバグを見つけて直す必要があるんだ。

4 リリース版

最終版だね。完全にテストが終わってバグも直されている。完成品になる少し前に、一部の熱心なユーザーにゲームを試してもらうこともあるよ。

もっと楽しもう！

ゲームは君をちがう世界に連れていってくれるし、ワクワクドキドキさせてくれる。でもゲームをプレイしたり作ったりするときに一番大切なのは、自分が楽しむことなんだ。

パーティーの時間だ！

他の人といっしょにゲームをするのは、1人でプレイするよりもはるかに楽しいね。おやつを用意して、友達を君のお気に入りのゲームにさそおう。スクラッチで作ったゲームを友達にプレイしてもらって、どこを改良すればよいかアドバイスをもらうのもいいね。その友達は自分でもゲームを作りたくなるかもしれないぞ。

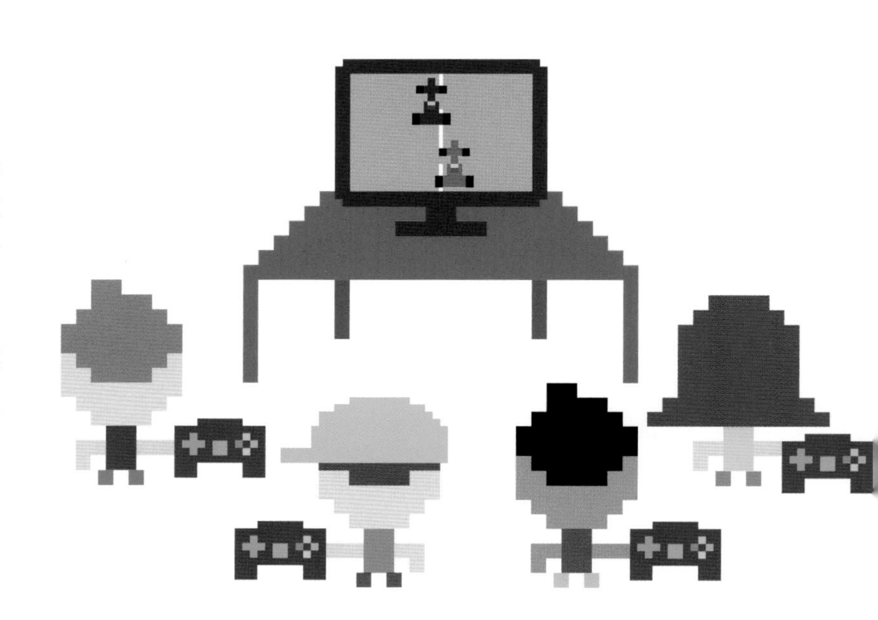

ゲームジャムを開く

ゲームジャムというのは、みんなで集まって短い時間でゲームを作るパーティーのようなものだ。1日か2日というかぎられた時間内に、ゲームを最初から最後までしっかりと作るんだ。毎年、あちこちでいくつものゲームジャムが開かれているよ。1か所に集まって開くこともあるし、インターネットを使って世界中からオンラインで参加することもある。自分の家や学校で小さなゲームジャムを開いてはどうかな？ テーマを決めて、先生や保護者の人たちに、コンピュータの用意をしてもらえないかお願いしてみよう。

▶テーマを選ぶ

ゲームジャムでは「ジャンプを使うゲーム」、「ハチが登場するゲーム」というようにテーマを決めるのがふつうだ。

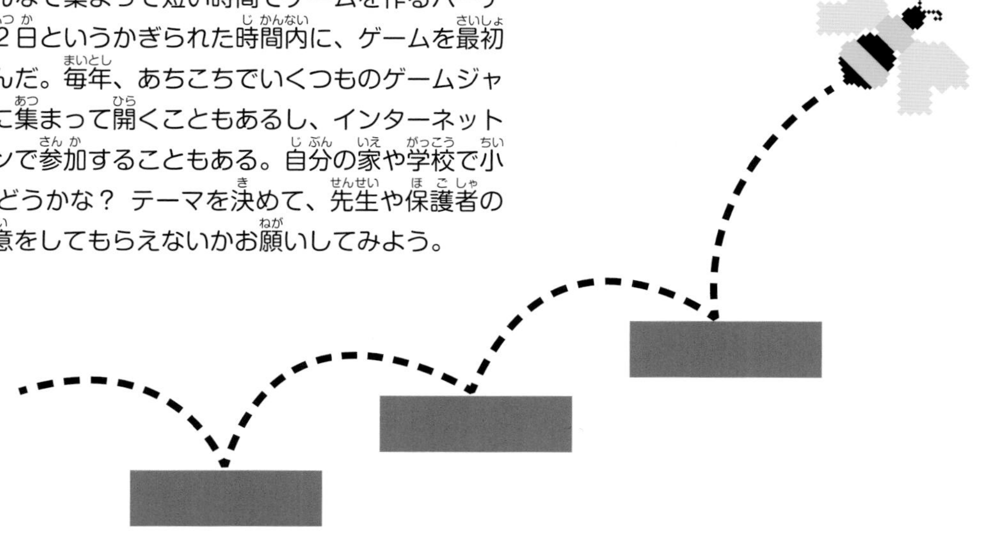

自分のスキルを上げる

むずかしいことにチャレンジするのはとてもいいことだ。ゲームを15分で作るとか、「あいうえお」の文字１つ１つにちなんだゲームを作るなどの目標を決めて挑戦してみよう。ゲーム作りで経験したことを日記やブログに書いたり、スクラッチでスタジオを作って、自分が作ったゲームを共有するのもいいかもしれない。

ゲームクラブ

君の学校や近くの図書館でゲームデザインやゲームプログラミングの授業をしていないだろうか？そうしたプログラミング教室に参加したら、関心のある人に声をかけて、小さなグループを作るという方法もあるよ。

うまくなるヒント

ゲームの設定をランダムに決める

ゲーム作りで一番大変なのは、最初にアイデアを考えることだ。そこで、サイコロをふってゲームを作ってみよう。下のそれぞれの列から１つを選び、３つをつなげれば、いろいろなゲームのアイデアが出来上がるんだ。うまくいかない組み合わせになったら、何回もやり直してみよう。

ジャンル	場面	特徴
1．めいろ	1．森	1．てきが動き回る
2．ジャンプ（プラットフォーム）	2．宇宙	2．ハイスコアを競う
3．クイズ	3．水中	3．何かを集める
4．乗り物のシミュレーター	4．都市	4．ライフのカウンターがある
5．バーチャル・ペット	5．お城	5．時間せいげんがある
6．インタラクティブなノベルゲーム	6．ビーチ	6．何人かで遊ぶ

12

用語集と索引

用語集

アニメーション
画像をすばやく連続して変え、動いているように見せる技術。

アルゴリズム
仕事をするための手順を1つ1つ並べたもの。コンピューターのプログラムはアルゴリズムに基づいて作られている。

イベント
キーが押されたり、マウスがクリックされるなど、プログラムが反応するできごと。

演算子
スクラッチでは緑色のブロックになっている。数の計算やデータのひかくをして結果を出すのに使われる。

オペレーティングシステム（OS）
コンピューターのすべてをコントロールするソフトウェア。Windows、macOS、Linuxなどがある。

関数
大きな作業の一部を行うための短いソースコード。プログラムの中で使われるプログラムと考えることもできる。プロシージャ、サブプログラム、サブルーチンとも呼ばれる。

グラフィックス
絵、アイコン、記号など、画面に表示されるもののうちテキストではないもの。

グローバル変数
同じプロジェクト内であれば、どのスプライトからも中身を変えられる変数。

ゲームエンジン
ゲームを作るプログラマーを助けるソフトウェア。アニメーション、コントロール、物理エンジンなど、ゲームでよく使われる機能のプログラムが用意されている。

ゲーム機
ゲームをプレイするために作られたコンピューター。

ゲームジャム
せいげん時間内に最良のゲームを作る競争。

ゲームループ
コンピューターゲームに登場するあらゆるものをコントロールするループ。

コード
一番上のヘッダーブロックの下に命令を表すブロックがつながったもの。上から下へと順に実行される。

コスチューム
ステージ上でのスプライトの見た目。コスチュームをすばやく変えることでアニメーションを作れる。

サーバー
ファイルを保管し、ネットワークを通してアクセスできるようにしているコンピューター。

サブプログラム（サブルーチン）
特定の処理のために実行されるプログラム。プログラムの中で呼び出される。プログラミング言語によっては関数やプロシージャとも呼ぶ。

GUI
グラフィカルユーザーインターフェース（GUI）は、ボタンやウィンドウなど、プログラムによって画面表示され、ユーザーと情報のやりとりをするためのもの。

実行する
プログラムを動かすこと。

ジャンル
コンピューターゲームのタイプ。プラットフォームゲーム、シューティングゲームなどがよく知られている。

条件
プログラムの中で何かを判断するために使う。「正しい」か「まちがい」のどちらかになる。「論理式」を参照。

しょうとつ判定
ゲームの中で2つの物体がいつぶつかったかを調べるためのプログラミング。

ステージ
スクラッチのユーザーインターフェースのうち、プログラムによってスプライトが動くウィンドウのようなエリア。

スプライト
スクラッチのステージ上でコードによって動くキャラクター。

ソフトウェア
コンピューターで実行され、コンピューターがどのように動くかを決めるプログラム。

データ
テキスト、記号、数などの情報。

デバッグ
プログラムのまちがいをさがして直すこと。

ネットワーク
データを交換するためにつなげられたコンピューターの集まり。インターネットは巨大なネットワークといえる。

ハードウェア
コンピューターのうち、目で見えてさわれる部分。ケーブル、キーボード、ディスプレイなどのこと。

背景
スクラッチのステージ上でスプライトの後ろに置かれる画像。

バグ
ソースコードを書くときのまちがい。プログラムが思ったとおりに動かなくなる。

バックパック
スプライトやコードなどを別のプロジェクトに持って行けるストレージ（倉庫）。

ファイル
名前をつけて保管されたデータの集まり。

物理演算
物体の間に働く力やしょうとつを物理学の知識で計算し処理すること。ゲームでも使われる。

フラグ
スプライトやコードの間で情報を送るのに使われる変数。

プログラミング言語
コンピューターに命令を与えるために使う言葉。

プログラム
コンピューターが処理を行うために必要なまとまった命令。コンピューターはプログラムの指示にしたがう。

プロジェクト
スクラッチの1つのプログラム全体を指す。背景やスプライト用のコスチュームなどすべてがふくまれる。

ブロック
スクラッチの命令。他のブロックとつないでコードを作る。

分岐
プログラムの流れが2つにわかれていてどちらかを選ぶことになる点。スクラッチでは「もし～なら…でなければ」のブロックを使う。

ヘッダーブロック
「緑の旗が押されたとき」など、コードの一番上に置かれるブロック。ハットブロックとも呼ばれる。

変数
プレイヤーのスコアなど、プログラムによって変えられるデータを入れておく場所。変数は名前と値を持つ。

メッセージ
スプライト同士で情報をやりとりする手段。

メモリ
コンピューターの中に組み込まれたデータを保管するためのコンピューターチップ。

文字列
文字を並べたもの。数字や句読点などの記号も入れられる。

ユーザーインターフェース
ユーザーがソフトウェアやハードウェアと情報のやりとりをする手段。「GUI」を参照。

ライブラリー
スクラッチのプログラムで使えるスプライト、コスチューム、音を集めたもの。

リスト
データのまとまり。データを番号のついた入れ物に入れて管理している。

ループ
プログラムの一部で何度もくり返される部分。ループを使うことで同じソースコードを何回も書かないですむ。

ローカル変数
1つのスプライトだけが中身を変えられる変数。スプライトをコピーしたりクローンを作ると、それぞれのコピーまたはクローンごとにローカル変数が作られる。

論理式
答えが「正しい」か「まちがい」のどちらかになる問い。スクラッチでは六角形のブロックになっている。

索引

＊各項目について書かれた主なページをあげています。

あ

か

さ

た

な

は

ま

や

ら

わ

◇この本を翻訳した人

山崎 正浩（やまざき まさひろ）

1967年生まれ。慶應義塾大学卒。第一種情報処理技術者。株式会社日立製作所に入社後、京王帝都電鉄株式会社（現京王電鉄株式会社）に移り、情報システム部門でプログラマーとして勤務。高速バスの座席予約システムのプログラム作成などに携わる。主な使用言語はC言語とRPG/400。2001年に退職し、現在は翻訳業に従事。訳書に『10才からはじめるプログラミング図鑑』『たのしくまなぶPythonプログラミング図鑑』『たのしくまなぶPythonゲームプログラミング図鑑』『決定版 コンピュータサイエンス図鑑』（いずれも創元社）などがある。

本書の内容に対するご意見およびご質問は創元社大阪本社宛まで文書かFAXにてお送りください。お受けできる質問は本書で紹介した内容に限らせていただきます。なお、電話での質問にはお答えできませんのであらかじめご了承ください。

Scratch 3.0 対応版
10才からはじめるゲームプログラミング図鑑
――スクラッチでたのしくまなぶ

2020年5月1日 第1版第1刷発行

著 者 キャロル・ヴォーダマンほか
訳 者 山崎正浩
発行者 矢部敬一
発行所 株式会社 創元社 https://www.sogensha.co.jp/
〔本社〕〒541-0047 大阪市中央区淡路町4-3-6
Tel.06-6231-9010 Fax.06-6233-3111
〔東京支店〕〒101-0051 千代田区神田神保町1-2 田辺ビル
Tel.03-6811-0662

ISBN978-4-422-41442-3 C0055
Printed in China

落丁・乱丁のときはお取り替えいたします。

本書の感想をお寄せください
投稿フォームはこちらから▶▶▶▶